2025年度版

TAC税理士講座

税理士受験シリーズ

15

所得税法

個別計算問題集

はじめに

試験に出る所得税法の計算問題は、基本的には総合問題であるが、これは個別問題の集合体であるといえる。したがって、個別問題を十分に研究することが総合問題を解くための戦略的学習方法につながっていく。

また、実務的色彩の濃い科目であることから基本通達レベルの出題は多く、所得税法を完全にマスターするためには広い範囲の学習が必要となる。こうしたことをふまえ、本書は最少の問題で合格レベルに達することができるように、収録した問題は、過去の出題傾向に基づき受験上必要と思われる規定だけを使用して作問した。

したがって、本書を活用しこの一冊を完璧にマスターすれば、計算問題は合格レベルに達することができる。そこで、利用方法を守ってしっかり学習をすすめてほしい。

ＴＡＣ税理士講座

本書の特長

1　出題可能性の高い論点を中心に収録

過去の出題傾向に基づき、本試験に出題可能性の高い、受験上必要と思われる規定だけを使用しています。

各章（第１章を除く）の冒頭には、学習理解を深めるための「まとめ」を掲載しています。

2　最新の改正に対応

最新の税法等の改正等に対応しています。

（令和６年７月までの施行法令に準拠）

3　重要度を明示

問題ごとに、本試験の出題実績に応じた重要度を明示しています。重要度に応じたメリハリをつけた学習を行うことが可能です。

Aランク…非常に重要度の高い論点

Bランク…比較的重要度の高い論点

Cランク…比較的重要度の低い論点

4　本試験の出題の傾向と分析を掲載

最新の第73回（2023年実施）を含めた、本試験の出題傾向と分析を掲載しています。学習を進めるにあたって、参考にしてください。

本書の利用方法

1　実際に問題を解く

目で読むだけの学習はせず、実際に電卓とペンを手に持ち、いわゆる“体で読む”ようにしてください。

2　解答時間を計って解く

時間を意識しないトレーニングは意味がなく、上達も期待できません。解き始めの時間と終了時間を必ずチェックし、解答時間を記録しておきます。反復学習を通じて、解答スピードを身に付けてください。

問題にはすべて標準的な解答時間を制限時間として付しています。制限時間内の解答を目標としてください。

3　間違えた問題はもう一度解く

間違えた問題をそのままにしておくと、後日同じような問題を解いたときに再度間違える可能性が高くなります。そのため、間違えた問題は条文で必ず確認し、条文で計算問題を理解するようにしてください。そして、二度、三度と反復して解き、少しずつ苦手な問題（論点）を少なくしてください。

4　チェック欄の利用方法

目次には問題ごとにチェック欄を設けてあります。実際に問題を解いた後に、日付、得点、解答時間などを記入することにより、計画的な学習、弱点の発見ができます。

目次

出題の傾向と分析

計算問題について

① 過去の出題内容

出題内容 ＼ 回数	第59回	第60回	第61回	第62回	第63回	第64回	第65回	第66回	第67回	第68回	第69回	第70回	第71回	第72回	第73回
1．非課税所得								○			○			○	○
2．各種所得の所得分類															
3．利子所得															
(1) 所得金額の計算				○		○	○	○		○	○	○	○	○	○
(2) 金融類似商品等の収益							○				○				
4．配当所得															
(1) 所得金額の計算	○	○	○	○		○	○	○		○				○	
(2) みなし配当	○			○							○	○			
(3) 課税の特例										○			○	○	
(4) 負債の利子				○											
5．不動産所得															
(1) 所得金額の計算	○		○	○	○	○		○		○	○	○	○	○	
(2) 収入金額						○		○					○	○	
(3) 必要経費			○		○	○		○			○		○	○	
(4) 資産損失					○								○	○	
(5) 賃貸住宅の割増償却						○									
(6) 損益通算等の特例			○	○				○				○	○		
(7) 現金基準															
(8) 事業承継											○			○	
(9) 定期借地権に係る経済的利益						○									
(10) 未分割財産											○			○	
6．事業所得															
(1) 所得金額の計算	○	○	○	○	○	○	○		○	○	○	○		○	○
(2) 収入金額の原則等										○	○	○		○	○
(3) 収入金額の別段の定め				○			○							○	
(4) 収入・費用帰属時期の特例															
(5) 必要経費の原則・諸通達	○		○	○			○				○	○		○	○
(6) 借地権償却															

出題内容 ＼ 回数	第59回	第60回	第61回	第62回	第63回	第64回	第65回	第66回	第67回	第68回	第69回	第70回	第71回	第72回	第73回
(7) 家事関連費等	○		○											○	○
(8) 売上原価							○			○	○	○		○	
(9) 減価償却	○	○		○	○	○	○			○	○	○		○	○
(10) 繰延資産										○		○			
(11) 資産損失	○		○	○		○						○		○	
(12) 引当金	○										○	○			○
(13) 同一生計親族が事業から受ける対価	○	○	○	○	○	○	○			○		○		○	
(14) 消費税	○						○			○					
(15) 医　業					○										
(16) 法人成り															○
(17) 事業承継															
(18) 任意組合の剰余金の分配															
(19) 現金基準															
(20) 新株予約権															
7. 給与所得															
(1) 所得金額の計算		○		○	○	○		○	○	○	○	○	○		○
(2) 特定支出															
(3) 新株予約権				○		○									○
8. 退職所得															
(1) 所得金額の計算		○			○	○		○		○			○	○	○
(2) 退職所得控除額の計算		○			○	○		○		○			○	○	
(3) 特定役員退職手当等					○			○		○					○
9. 山林所得															
(1) 所得金額の計算					○										
(2) 必要経費					○										
(3) 資産損失															
10. 譲渡所得															
(1) 所得金額の計算	○		○	○		○		○	○	○	○	○	○	○	○
(2) 生活に通常必要でない資産の損失								○							
(3) 借地権等のみなし譲渡															
(4) 無償又は低額による資産の移転			○	○								○	○	○	
(5) 固定資産の交換															

出題内容 ＼ 回数	第59回	第60回	第61回	第62回	第63回	第64回	第65回	第66回	第67回	第68回	第69回	第70回	第71回	第72回	第73回
(6) 収用等の特例															
(7) 居住用財産の特例							○		○	○			○	○	○
(8) 特定事業用資産の買換え等の特例											○	○		○	
(9) 既成市街地等内の買換え等の特例														○	
(10) 有価証券（株式等）の譲渡	○	○	○	○	○	○				○	○	○		○	○
(11) 求償権の行使不能															
(12) 相続税額の取得費加算		○			○								○		
(13) 配偶者居住権等													○		
11. 一時所得															
(1) 所得金額の計算			○			○				○			○	○	
(2) 広告宣伝の賞金品				○											
(3) 生命保険契約等に基づく一時金等		○	○	○	○	○	○						○	○	
(4) 法人からの贈与															
(5) 違約金															
12. 雑所得															
(1) 所得金額の計算							○	○	○	○	○	○	○		
(2) 原稿料					○	○						○			
(3) 公的年金等							○	○	○				○		
(4) 生命保険契約等に基づく年金		○													
(5) 家内労働者等の特例				○											
13. 課税標準															
(1) 所得金額調整控除													○		○
(2) 損益通算	○	○	○	○	○	○		○		○				○	
(3) 純損失の繰越控除															
(4) 雑損失の繰越控除			○												
(5) 上場株式の譲渡損失の繰越控除												○			
14. 所得控除															
(1) 雑損控除	○			○		○		○				○			
(2) 医療費控除	○	○	○	○	○	○	○		○	○	○	○	○	○	○
(3) 社会保険料控除	○	○	○	○	○	○	○	○	○	○	○	○	○	○	○
(4) 小規模企業共済等掛金控除	○	○						○	○				○	○	○
(5) 生命保険料控除	○	○	○	○	○	○	○	○	○	○	○	○	○	○	○
(6) 損害（地震）保険料控除				○	○	○	○	○	○	○	○	○			

出題内容 ＼ 回数	第59回	第60回	第61回	第62回	第63回	第64回	第65回	第66回	第67回	第68回	第69回	第70回	第71回	第72回	第73回
(7) 寄附金控除	○			○						○				○	
(8) 障害者控除	○			○	○	○							○	○	
(9) 寡婦控除・ひとり親控除															
(10) 勤労学生控除															
(11) 配偶者控除	○				○	○	○	○	○	○	○	○	○	○	○
(12) 配偶者特別控除											○	○			
(13) 扶養控除	○		○	○	○	○	○	○	○	○	○	○	○	○	○
(14) 基礎控除	○	○	○	○	○	○	○	○	○	○	○	○	○	○	○
15. 税額計算															
(1) 原則等			○	○			○	○	○	○	○	○	○	○	○
(2) 平均課税															
(3) 復興特別所得税						○		○	○	○	○	○	○	○	○
16. 税額控除															
(1) 配当控除		○	○				○	○		○				○	
(2) 外国税額控除				○										○	
(3) 住宅借入金等特別控除							○		○		○				
(4) 政党等寄附金特別控除															
(5) その他の税額控除				○	○	○			○	○	○	○			
17. その他															
非居住者の所得計算															○
国内源泉所得の範囲															
源泉徴収税額	○														
確定申告書の要否															

② 過去の出題内容の傾向と分析

イ　出題形式の特徴

所得税の過去の計算問題の出題形式は青色申告者又は白色申告者（過去４回）について、資料を読み取りながら、課税所得金額又は納付税額までの計算をする総合問題形式が中心であったが、近年は、個別計算問題も出題される。

具体的な出題形式としては、損益計算書又は収支計算書などから事業所得の金額の計算を中心に計算過程を示したうえで、納付税額までを求める問題がほとんどであるが、過去の出題を見てみると、予定納税基準額等を計算する形式（第９回）、年末調整の資料から給与所得の金額及び所得控除額を計算（転記）する形式（第20回）、源泉徴収票から給与所得の金額及び所得控除額を計算（転記）する形式（第37回、71回）といった特殊な形式での出題もされている。また、第48回では初めて個別問題が６題出題され、第50回及び第51回では４年分及び３年分を計算させる問題、第54回、第55回、第56回、第57回、第58回、第59回、第71回では総合問題に個別問題を加えた問題、第60回から第70回までは中規模又は小規模な総合問題が複数題出題されている。いずれの場合においてもかなりの資料が与えられ、それを注意深く読み、正確に処理をすることが要求されるため、対策としては数多くの問題を解き、総合問題に対応する力を養う必要があると思われる。

また、答案用紙についても、各種所得の金額・課税標準・所得控除額・課税所得金額・納付税額といった項目を計算過程を示した形で求めるオーソドックスな形式がほとんどであるが、不動産所得・事業所得等について青色申告決算書の形式で求めるパターンも何回か出題されており、このようなパターンの場合には答案用紙も問題の一部と考えられるため、注意する必要がある。

なお、解答に当たっては計算過程を示す必要があるため、できる限り内容を具体的に表現することを心がけてほしい。

ロ　出題範囲の特徴

計算問題の出題範囲（内容）としては、ほとんどが所得税法、同施行令、租税特別措置法、同施行令の範囲内で出題されているが、所得税法関係通達、租税特別措置法関係通達といった部分についても出題されているため、学習にあたっては法律レベルのみならず、できる限り通達レベルまでの確認をするようにしてほしい。

また、具体的な項目としては、各種所得の金額に関する項目、特に事業所得に関する出題が最も多くされているが、課税標準・所得控除・税額計算といった項目についての出題もされており、所得税の計算体系を踏まえながら一通りの学習が必要であろう。

ただし、所得税の学習範囲はかなり広く、また、出題内容も回数によってバラつきがあり、全範囲を学習するのは困難であるため、重要事項つまり出題頻度の高い項目から固めていくのが合理的であるといえる。

なお、各項目について出題頻度の高い項目あるいは重要と思われる項目は、次のとおりである。

Ⅰ．各種所得の金額

１．利子所得

金融類似商品等の収益との関係がポイントとなるが、平成28年分から、源泉分離課税のほか、申告分離課税、申告不要といった新たな課税方法が追加されたため、学習上注視する必要がある。

２．配当所得

かなりの頻度で出題されており、また出題項目も一般的な所得計算、みなし配当、課税の特例、負債の利子とまんべんなく出題されているため、一通りの内容の学習が必要であろう。

特にみなし配当、負債の利子といった項目は株式等に係る譲渡所得等の計算にも関係するため、それを踏まえた上での確認が必要となる。また、課税の特例についても１つのミスが配当控除等にも影響するため細心の注意が必要である。

3．不動産所得

第30回以降毎年といってもいいほどの出題頻度であるため重要度の高い項目である。特に第39回、第41回、第42回、第44回ではかなりのボリュームで出題されており、今後もこの傾向は続くと考えられるため、収入金額、資産損失といった不動産所得の特徴的な項目を中心に各項目をしっかりと確認してほしい。なお、第69回、第72回では未分割財産と事業承継に関する論点、第71回では国外中古不動産の特例が出題されている。

4．事業所得

各種所得の金額の項目としては最も出題頻度の高い項目であり、計算問題の中心的な論点である。特に所得分類、収入金額、必要経費の別段の定めといった論点がさまざまなパターンで出題されているため、基本論点を確認した上で演習問題（過去本試験問題等）での確認が必要であろう。なお、法人成り、事業承継といった特殊論点についての出題もされているため確認をしてほしい。

5．給与所得

過去の本試験では第20回（年末調整）、第37回・第71回（源泉徴収票）、第46回（役員賞与）、第55回（収入の特殊論点）を除いて特殊なパターンでの出題はされていないため、その形式についての理解をしておけば問題はないと思われる。

6．退職所得

退職所得控除額の計算が主なポイントであり、第56回、第64回、第68回及び第71回で前年以前４年内に退職している場合の退職所得控除額の計算が出題されている。

また、第50回、第72回でみなし退職手当等が、第63回、第66回、第68回及び第73回で特定役員退職手当等がそれぞれ出題されている。

7．山林所得

雑所得となる山林の譲渡が３回（第21回、第25回、第43回）出題され、山林所得となる山林の譲渡が４回（第50回、第52回、第57回、第63回）出題されているが、基本的なパターンを確認しておけば問題はないと思われる。

8．譲渡所得

かなり出題頻度の高い項目であり、最近の試験においては毎年必ず出題されているため非常に重要度の高い項目である。具体的な内容としては取得費の計算、借地権等のみなし譲渡、課税の繰延べ、特別控除、有価証券の譲渡といった項目を中心に、特殊なパターンでの出題もされているため、基本論点の確認をした上で、過去の出題パターンの確認が必要である。近年では、第65回において居住用財産の特例の有利判定をさせる問題、第71回において配偶者居住権等を計算させる問題、第72回において複数の特例による有利判定をさせる問題が出題されている。また、有価証券の譲渡については、ほぼ毎年必ず出題されているため、特定口座、損益通算、みなし配当との関係、負債の利子の計算を中心にしっかりと確認してほしい。

9．一時所得・雑所得

それほど特殊な形式での出題はされていないが、最近の試験において法人からの贈与による所得、生命保険契約等に基づく一時金、年金、金融商品といった項目の出題がされているため、これらの項目についての確認をする必要がある。

Ⅱ．課税標準

特殊な形式での出題はないが、損益通算の出題頻度が非常に高いので、基本的な計算の流れをしっかり確認しておく必要がある。特に、第42回、第55回、第61回、第70回の試験において出題された不動産所得の損益通算の特例及び第56回、第57回、第62回の試験において出題された居住用財産の損益通算の特例には注意すること。

Ⅲ．所得控除

寡婦控除、ひとり親控除、勤労学生控除以外はすべて出題されており、一通りの学習が必要であるが、近年の試験における出題頻度の高い項目は次のとおりである。

1．医療費控除

特に特殊な形式での出題はされていないが、対象となる医療費の範囲がポイントとなるため、その範囲をしっかりと確認すること。

また、スイッチＯＴＣの特例についても注意すること。

2．社会保険料控除

3．生命保険料控除・地震保険料控除

地震保険料控除は、平成19年からの適用であり、近年では毎年のように出題されている。生命保険料控除は、特に特殊な形式での出題はされていないため、適用要件、計算パターン等の確認をしておけば問題はないと思われる。

4．寄附金控除

特殊なパターンでの出題が多いため、過去の出題形式を踏まえた上での確認が必要である。特に第33回、第36回、第42回で出題された資産の贈与をした場合における譲渡所得等との関係と第46回で出題された政党等に寄附をした場合の税額控除との関係は必ず確認すること。

5．配偶者控除・配偶者特別控除・扶養控除

所得控除のなかでは最も出題頻度の高い項目であり、出題形式としては法56、57の同一生計親族が事業から受ける対価との絡みでの出題が最も多く、各種所得の金額の

計算における取扱いからの一連の流れとしての確認が必要であろう。

Ⅳ．税額計算

分離課税の所得金額に対する税額計算を含めた上での一般的な計算がほとんどであるが、平均課税、みなし法人課税、資産合算といった特殊税額計算も出題されているため、幅広い学習が必要である。ただし、現行法における特殊税額計算は平均課税のみであるため注意してほしい。

Ⅴ．税額控除

配当控除の出題が多いが、外国税額控除、事業所得に関する税額控除、住宅に関する税額控除、寄附金に関する税額控除も出題されているため、確認を忘れないでほしい。

また、有利不利を判定させる寄附金（寄附金控除と税額控除の選択適用）も第46回、第48回及び第69回に出題されている。

Ⅵ．その他

第45回、第50回及び第73回の試験において非居住者の所得計算が出題されているため、課税所得の範囲・課税方法等の確認をしてほしい。

また、第56回の試験において国内源泉所得に該当するか否か、それに伴う源泉徴収税額が出題されており、第57回の試験では確定申告の要否を問う特殊な出題がされている。

第64回では、医業に係る事業所得が出題されている。

《参考資料》

1．給与所得控除額

収　入　金　額	給　与　所　得　控　除　額
180万円以下	収入金額 × 40% − 10万円（最低55万円）
180万円超　～　360万円以下	（収入金額 − 180万円）× 30% ＋ 62万円
360万円超　～　660万円以下	（収入金額 − 360万円）× 20% ＋ 116万円
660万円超　～　850万円以下	（収入金額 − 660万円）× 10% ＋ 176万円
850万円超	195万円

2．公的年金等控除額

65歳以上の場合	65歳未満の場合
公的年金等の収入金額 (1) 330万円以下 110万円 (2) 330万円超～410万円以下 40万円＋（収入金額－50万円）×25% (3) 410万円超～770万円以下 130万円＋（収入金額－410万円）×15% (4) 770万円超～1,000万円以下 184万円＋（収入金額－770万円）×５% (5) 1,000万円超 195万5千円	公的年金等の収入金額 (1) 130万円以下 60万円 (2) 130万円超～410万円以下 40万円＋（収入金額－50万円）×25% (3) 410万円超～770万円以下 130万円＋（収入金額－410万円）×15% (4) 770万円超～1,000万円以下 184万円＋（収入金額－770万円）×５% (5) 1,000万円超 195万5千円

（注１）公的年金等に係る雑所得以外の所得に係る合計所得金額が1,000万円超2,000万円以下である場合

… 上記金額から10万円を控除した金額

（注２）公的年金等に係る雑所得以外の所得に係る合計所得金額が2,000万円超である場合

… 上記金額から20万円を控除した金額

3．配偶者特別控除額の早見表

	居住者の合計所得金額		
	900万円以下	900万円超 950万円以下	950万円超 1,000万円以下
配偶者の合計所得金額			
48万円超　95万円以下	38万円	26万円	13万円
95万円超　100万円以下	36万円	24万円	12万円
100万円超　105万円以下	31万円	21万円	11万円
105万円超　110万円以下	26万円	18万円	9万円
110万円超　115万円以下	21万円	14万円	7万円
115万円超　120万円以下	16万円	11万円	6万円
120万円超　125万円以下	11万円	8万円	4万円
125万円超　130万円以下	6万円	4万円	2万円
130万円超　133万円以下	3万円	2万円	1万円

4．所得税の速算表

課税総所得金額等	税率	控除額
1,950,000円以下	5　%	－　円
1,950,000円超　～　3,300,000円以下	10　%	97,500円
3,300,000円超　～　6,950,000円以下	20　%	427,500円
6,950,000円超　～　9,000,000円以下	23　%	636,000円
9,000,000円超　～　18,000,000円以下	33　%	1,536,000円
18,000,000円超　～　40,000,000円以下	40　%	2,796,000円
40,000,000円超	45　%	4,796,000円

問題編

TAX ACCOUNTANT

第1章
所得分類

問題 1 所得分類（その１） （制限時間２分） 重要度 A

次の所得は何所得に該当しますか。

(1) 法人から受ける剰余金の配当

(2) 建物を賃貸することにより支払を受ける賃貸料

(3) 物品販売業による所得

(4) 時価50万円の宝石の売却収入

(5) 社債の利子

(6) 友人に対する貸付金の利子（事業とは関係のないものである。）

(7) 退職慰労金

(8) 公社債投資信託の収益の分配

(9) 過去の勤務に基づき使用者であった者から支給される年金

(10) 従業員に対する貸付金の利子

(11) 遺失物拾得者の報労金

(12) ７年前に取得した山林の売却収入

(13) 山林とともに譲渡した土地の売却収入

(14) クイズの賞金

(15) 勤務先から支給される住宅手当

⇨解答：215ページ

問題 2 所得分類（その２） （制限時間３分） 重要度 A

次の所得は何所得に該当しますか。

(1) 事業用運転資金の銀行預入れによる利子

(2) 事業上の得意先に対する貸付金の利子

(3) 株式発行法人の解散により残余財産の分配として交付された金銭

(4) アパートの貸付けにより受けた権利金

(5) 物品販売業に係る従業員宿舎の家賃収入

(6) 居住用家屋に係る固定資産税の前納報奨金

(7) 店舗に係る固定資産税の前納報奨金

(8) 生命保険契約に基づく年金（受取人が保険料を負担したもの）

(9) 生命保険契約に基づく一時金（受取人が保険料を負担したもの）

(10) 給与所得者が勤務先から受けた扶養手当

(11) 火災により焼失した商品に対して受けた損害賠償金

(12) 還付加算金

(13) 自己が発案した特許権の売却収入

(14) 特許権の貸付けによる所得

(15) 損害保険契約に基づく満期返戻金

(16) 原稿料収入（趣味で執筆している。）

(17) 株主が法人の創業記念に際して取得した記念金（法人において損金経理されたもの）

(18) 月極有料駐車場の使用料収入（貸主に保管責任はない）

(19) 別荘の売却収入

(20) 競馬の馬券の払戻金

⇨解答：215ページ

問 題 3 所得分類（その3） （制限時間3分） 重要度 B

次の所得は何所得に該当しますか。なお、非課税のものは非課税と解答すること。

⑴ 納税準備預金の利子（租税納付目的以外の引出しがない場合）
⑵ 人格のない社団等からの分配金
⑶ 家財を売却して得た収入
⑷ 新株予約権（使用人として与えられたものである。）の行使による経済的利益
⑸ 少額減価償却資産の譲渡による所得
⑹ 手付金の返還不要額（業務上の取引によるものでない場合）
⑺ 強制換価手続による資産（棚卸資産ではない。）の譲渡による所得
⑻ 使用者が予告なしで解雇したため支払を受けた解雇予告手当
⑼ 住民税を納期前に納付したことにより交付された報奨金
⑽ 不動産販売業者が販売用土地を売却したことによる所得
⑾ 外貨預金の為替差益
⑿ 利付社債の利子
⒀ 時間極有料駐車場の収入（保管責任を負っている。）
⒁ 生活用品の購入に伴う福引の当選金品
⒂ 確定給付企業年金法の規定に基づいて支給を受ける年金
⒃ 確定給付企業年金法の規定に基づいて支給を受ける退職一時金
⒄ 個人からの贈与により取得した金品
⒅ 医師が休日に診療を行うことにより地方公共団体から受ける委嘱料

⇨解答：216ページ

第2章

保険金・損害賠償金等

1．代表的なもの

<table>
<tr><th colspan="3">内　　　　容</th><th>取扱い</th><th>例　　　　示</th></tr>
<tr><td colspan="3">必要経費に算入される金額を補填するためのもの</td><td>課　　税</td><td>従業員の給料、店舗の賃借料の補償金</td></tr>
<tr><td colspan="3">心身の損害に基因するもの</td><td>非 課 税</td><td>入院給付金・所得補償保険金</td></tr>
<tr><td rowspan="3">資産の損害に基因するもの</td><td colspan="2">棚卸資産等の収入金額に代わる性質を有するもの（山林の資産損失に係るものは損失額を超える部分）</td><td>課　　税</td><td>商品の火災保険金</td></tr>
<tr><td rowspan="2">その他</td><td>収益の補償</td><td>課　　税</td><td>復旧期間中の休業補償金</td></tr>
<tr><td>その他</td><td>非 課 税</td><td>店舗の火災保険金</td></tr>
</table>

2．その他

⑴　相続、遺贈又は贈与により取得したものとみなされる保険金等は、非課税とされる。

⑵　生命保険契約に基づく一時金（業務に関して受けるものを除く。）及び損害保険契約に基づく満期返戻金は一時所得とする。

⑶　生命保険契約に基づく年金は雑所得とする。

3．資産損失額等を補填するものとして取得した保険金、損害賠償金等

居住者の有する資産（棚卸資産等を除く。）について損失が生じた場合又は医療費控除の対象となる医療費を支払った場合において、当該損失額又は医療費を補填するものとして取得した保険金、損害賠償金は、必要経費に算入すべき資産損失額、雑損控除額、医療費控除額等の計算上、当該損失額等から控除する。

問題 4 損害賠償金

（制限時間２分） 重要度 A

物品販売業を営む居住者甲は、店舗にトラックが突入したことにより、次のような損害賠償金を取得した。それぞれの取扱いを述べなさい。

(1) 身体の傷害についての治療費に充てるもの

(2) 身体に傷害を受けたことによる休業補償としてのもの

(3) 店舗の損害を補填するもの

(4) 商品の損害を補填するもの

(5) 仮店舗の家賃を補填するもの

⇨解答：217ページ

MEMO

第3章

利子所得等

1．利子所得となるもの

(1)　公社債の利子

学校債、組合債………………………………………………………………雑　所　得

(2)　預貯金の利子

社内預金（勤務先預け金）

- 従　　業　　員……………………………………………………………利子所得
- 役員、退職者等……………………………………………………………雑　所　得

定期積金等の給付補填金……………………………………………………雑　所　得

※　満期日後解約利子等は利子所得（普通預金利息）となる。

(3)　合同運用信託（金銭信託、貸付信託）の収益の分配

(4)　公社債投資信託の収益の分配

(5)　公募公社債等運用投資信託の収益の分配

※　次のものは利子所得にはならない。

貸金業者の貸金の利子、得意先・従業員等に対する貸付金の利子……………事業所得

友人に対する貸付金の利子、所得税等の還付加算金………………………………雑　所　得

2．課税されない利子等

(1)　障害者等の少額預貯金（元本350万円以下）の利子等……手続あり

（預貯金、合同運用信託、公募公社債等運用投資信託又は有価証券のうち一定のもの）

(2)　障害者等の少額公債（元本350万円以下）の利子…………手続あり

(3)　いわゆる財形貯蓄（元本550万円以下）……………………住宅貯蓄契約と年金貯蓄契約のみ

(4)　納税準備預金の利子（租税納付目的以外に引出された期間の利子を除く）

3．源泉徴収税額

源泉徴収税率は原則として所得税15％（15.315％）、住民税５％とされる。

※　手取金額から収入金額を算出する方法

手取金額　÷　0.8（又は0.79685）＝　収入金額

4．課税方法

(1)　預貯金の利子、私募債の利子（同族会社が発行した社債の利子で同族株主等が受けるものを除く。）並びに合同運用信託及び私募公社債投資信託の収益の分配　など

源泉分離課税

※　源泉徴収税額だけで課税関係が完結するため、源泉徴収税額の精算はない。

(2)　特定公社債の利子並びに公募公社債投資信託及び公募公社債等運用投資信託の収益の分配

次のいずれかの方法となる。

① **申告不要**

※　源泉徴収税額だけで課税関係が完結するため、源泉徴収税額の精算はない。

② **申告分離課税**

他の所得と区分し、「上場株式等に係る配当所得等の金額」という課税標準（課税所得金額は「上場株式等に係る課税配当所得等の金額」）とすることができる。

※　源泉徴収税額は確定申告により精算する。

《申告不要又は申告分離課税の対象となる利子等》

(1)　金融商品取引所に上場されている公社債の利子等
(2)　公募公社債投資信託の収益の分配
(3)　公募公社債等運用投資信託の収益の分配
(4)　特定公社債の利子
　※　特定公社債の範囲
　　①　国債及び地方債
　　②　外国債及び外国地方債
　　③　会社以外の法人が特別の法律により発行する債券
　　④　公募公社債
　　⑤　外国公社債で一定のもの　など

(3)　**同族会社が発行した私募債の利子で、同族株主等が支払いを受けるもの**

総合課税

※　源泉徴収税額は確定申告により精算する。

5．金融類似商品の収益に対する課税関係

金融類似商品の収益については、その支払の際、所得税15%（15.315%）、住民税５%の税率による源泉徴収により、他の所得と分離して課税する。（源泉分離課税）

（金融類似商品の範囲）

①　定期積金契約及び相互銀行法の契約に基づく給付補塡金……雑所得
②　外貨預金の為替差益（為替予約した場合）…………………………雑所得
③　一時払養老保険、一時払損害保険等（保険期間５年以下のもの及び５年超のもので、５年以内に解約されたものに限る。）の差益 ………………………………一時所得
④　懸賞金付預貯金等の懸賞金等………………………………………一時所得

（注）学校債・組合債の利子などは雑所得だが源泉徴収はされず総合課税される。

問題 5 利子所得等（その1）～範囲①～

（制限時間1分）　重要度 A

次のうち、利子所得に該当するものを選びなさい。

(1) 合同運用信託の収益の分配
(2) 定期預金の利子
(3) 公社債の利子
(4) 友人に対する貸付金の利子
(5) 納税準備預金の利子（課税されるもの）
(6) 定期積金の給付補填金
(7) 利付国債の利子
(8) 基金利息
(9) 公社債投資信託の収益の分配
(10) 公募公社債等運用投資信託の収益の分配
(11) 学校債の利子
(12) 貸金業者の貸付金の利子
(13) 特定株式投資信託の収益の分配
(14) 従業員に対する貸付金の利子
(15) 所得税の還付加算金

⇨解答：218ページ

問題 6 利子所得等（その2）～範囲②～

（制限時間1分）　重要度 A

次のうち、利子所得に該当するものを選びなさい。

(1) 新株予約権付社債の利子
(2) 福引き付定期預金の当選金品
(3) 定期積金を中途解約したことによる解約利息
(4) 外貨預金の利子
(5) 私募公社債等運用投資信託の収益の分配
(6) 外貨建外国公社債の利子
(7) 投資法人の投資口の配当
(8) 証券投資信託（運用対象を国債及び株式とするもの）の収益の分配
(9) 事業用資金を普通預金に預け入れたことによる利子
(10) 国債の利子

⇨解答：218ページ

問題 7 利子所得等（その3）～非課税～

（制限時間1分）　重要度 A

居住者甲（障害者に該当する。）には、本年中において次の利子等の収入（すべて税引前の金額である。）がある。本年分の利子所得の金額を計算しなさい。

(1)	普通預金の利子	25,000円
(2)	ゆうちょ銀行の貯金の利子（「非課税貯蓄申込書」を提出している。）	50,000円
(3)	合同運用信託の収益の分配	125,000円

⇨解答：218ページ

問題 8 利子所得等（その4）～金融類似商品～ （制限時間3分） 重要度 A

次の資料に基づき、居住者甲の本年分の各種所得の金額を計算しなさい。

なお、下記金額はすべて税引前の金額である。

(1) 事業用資金から流用した外貨預金（定期預金）の利子 4,000円

（注）為替予約を付している。

(2) 同上の外貨預金を邦貨で受け取ったことにより生じた為替差益 20,000円

(3) 定期積金に係る給付補填金 96,000円

(4) 同上の定期積金の満期後利子 8,000円

(5) 一時払養老保険（満期5年）の解約差益 30,000円

(6) 懸賞金付預貯金等の懸賞金 20,000円

⇨解答：219ページ

問題 9 利子所得等（その5）～課税方法～ （制限時間3分） 重要度 A

次の資料に基づき、居住者甲（同族株主ではない。）の本年分の各種所得の金額を計算しなさい。

ただし、申告不要にできるものは申告不要として解答すること。

なお、下記金額はすべて税引前の金額である。

(1) 定期預金の満期利子（預入期間3年） 15,000円

(2) 公募公社債投資信託の収益の分配 69,000円

(3) 国債の利子 38,000円

(4) 公募公社債等運用投資信託の収益の分配 42,000円

(5) A特定公社債の利子 26,000円

(6) B私募債の利子 57,000円

なお、B私募債は同族会社が発行したものではない。

⇨解答：219ページ

問題 10 利子所得等（その6）～申告分離課税～

（制限時間３分）

重要度	A

甲は、本年６月にそれまで所有していた公募公社債投資信託の受益権を譲渡し、譲渡損50,000円が生じている。

また、本年２月に、当該公募公社債投資信託の収益の分配60,000円（税引前の金額）の支払いを受けており、申告分離課税を選択する。

この場合における、居住者甲の本年分の課税標準を計算しなさい。

⇨解答：220ページ

問題 11 利子所得等（その7）～同族会社私募債～

（制限時間２分）

重要度	B

甲は、Ａ株式会社（法人税法上の同族会社に該当する。）の代表取締役であり、Ａ株式会社が発行した私募社債20,000,000円を引き受け、本年８月に社債の利子600,000円（税引前の金額）の支払いを受けている。なお、甲はＡ株式会社の同族株主に該当する。

また、本年２月に、公募公社債投資信託の収益の分配50,000円（税引前の金額）の支払いを受けている。

この場合における、甲の本年分の各種所得の金額を計算しなさい。

ただし、申告不要にできるものは申告不要として解答すること。

⇨解答：221ページ

問題 12 利子所得等（その8）～外国公社債の利子～

（制限時間３分）

重要度	B

次の資料に基づき、居住者甲の本年分の利子所得の金額を計算しなさい。

なお、申告不要とできるものについては、申告不要として解答すること。

1．Ａ社債の利子　　　　200,000円

Ａ社はＢ国に本店を有する外国法人であり、上記の金額はＢ国における外国所得税20,000円を控除する前の金額である。甲は、この利子を、国内の取扱者を経由せずに受け取っている。

なお、Ａ社債は特定公社債に該当するものとする。

2．Ｃ国債の利子　　　　150,000円

甲は、この利子を、国内の証券会社を経由して受け取っており、上記の金額はＣ国における外国所得税15,000円並びに源泉所得税（復興特別所得税を含む）20,675円及び特別徴収住民税6,750円控除前の金額である。

⇨解答：221ページ

第4章

配当所得

1．配当所得となるもの

(1)　本来の配当

・剰余金の配当・利益の配当・剰余金の分配（出資に係るものに限る。）・金銭の分配

・基金利息

・投資信託（公社債投資信託及び公募公社債等運用投資信託を除く。）の収益の分配

・特定受益証券発行信託の収益の分配

(2)　みなし配当（形式は配当でなくても実質が配当）

①　合　併（適格合併を除く）

$$\text{交付金銭等の額} - \frac{\text{資本金等の額}}{\text{発行済株式総数}} \times \text{所有する株式数}$$

※　合併会社の株式は時価で評価する。

②　解　散

$$\text{交付金銭等の額} - \frac{\text{資本金等の額} \times \text{払戻等割合}}{\text{発行済株式総数}} \times \text{所有する株式数}$$

③　発行法人に対する株式の譲渡（自己株式の取得）

$$\text{交付金銭等の額} - \frac{\text{資本金等の額}}{\text{発行済株式総数}} \times \text{譲渡した株式数}$$

※1　$\text{払戻等割合} = \frac{\text{交付金銭等の額の総額}}{\text{その法人の資産の帳簿価額} - \text{その法人の負債の帳簿価額}}$

※2　イ　源泉あり　　ロ　配当控除あり　　ハ　非上場株式等の場合計算期間は1年として申告不要の判定

（注）みなし配当の認識をせず、すべて株式等に係る譲渡所得等とする場合

イ　上場株式の譲渡で、発行法人の証券市場からの買付けによるもの

ロ　相続等で取得した非上場株式の発行法人に対する譲渡で、相続税額の取得費加算の適用があるもの

2．所得の判定で誤りやすいもの

(1)　人格のない社団等から受ける収益の分配……………………………………雑所得

人格のない社団等から受ける解散による清算分配金……………………一時所得

(2)　株主優待乗車券等（法人税法上損金経理したもの）……………………雑所得

3．計上時期

原　則 ｛剰余金の配当等……………………効力発生日
　　　　 投資信託の収益の分配……………計算期間終了の日

ただし、無記名株式の剰余金の配当等は支払を受けた日（現金基準）

4．課税されない配当等

(1)　オープン型証券投資信託の収益の分配のうち元本払戻金

(2)　障害者等のいわゆる㊝又は財形貯蓄とした証券投資信託の収益の分配…………利子所得参照

5．課税方法

(1) 私募公社債等運用投資信託等の収益の分配に係る配当等

所得税15％（15.315％）、住民税５％の源泉分離課税による（確定申告はしない。）。

(2) (1)以外の配当等

① 非上場株式等

総合課税又は申告不要（※）

※ 申告不要

次の金額以下の配当等に限る。

$$10万円 \times \frac{配当計算期間の月数（1月未満切上）}{12}$$

② 上場株式等

総合課税若しくは申告分離課税（※１）又は申告不要（※２）

※１ 申告分離課税

「上場株式等に係る配当所得等の金額」として、申告分離課税

「上場株式等に係る課税配当所得等の金額」については、15％の税率で課税され、配当控除の適用はない。

なお、総合課税とするか申告分離課税とするかは、上場株式等の配当等、公募株式等証券投資信託の収益の分配及び特定投資法人の投資口の配当について統一適用とする。

※２ 申告不要

① 金額に関係なく申告不要とできる。

なお、申告不要とするかどうかは、１回に支払を受ける配当等ごとに選択できる。

② 源泉徴収選択口座に受け入れた配当等については、源泉徴収選択口座ごとに選択する。

6．配当所得の金額

収入金額 － 負債の利子（※）

※ $$負債の利子（年額） \times \frac{元本所有期間の月数（1月未満切上）}{12}$$

（注１）無配の株式に係る負債の利子も他の配当収入から控除できる（期間対応）。

（注２）株式等に係る譲渡所得等の金額の計算上控除される負債の利子は、配当所得の金額の計算上控除できない。

（注３）負債により取得した株式等の一部を譲渡した場合

次の算式により計算した金額を、その譲渡後の残余の株式等に係る負債の額とする。

$$当該株式等を取得するために要した負債の額 \times \frac{譲渡直後の当該株式等の数}{譲渡直前に有していた当該株式等の総数}$$

問題 13 配当所得（その１）～負債の利子～

（制限時間３分）　重要度 A

次の資料に基づき、居住者甲の本年分の配当所得の金額を計算しなさい。

なお、下記金額はすべて税引前の金額である。

(1)　A株式会社（非上場）からの株式配当金　130,000円（注）

(2)　B相互会社からの基金利息　180,000円

(3)　人格のない社団等から受ける収益の分配金　40,000円

(4)　D鉄道会社から受けた株主優待乗車券（D社において損金経理されたもの）　80,000円

（注１）A株式取得のために要した負債の利子は30,000円であり、元本所有期間に対応するものである。

（注２）E株式会社（非上場）の株式取得のために要した負債の利子は50,000円であるが、本年中にE株式に配当はなかった。

⇨解答：222ページ

問題 14 配当所得（その２）～申告不要①～

（制限時間２分）　重要度 A

次の資料に基づき、居住者甲の本年分の確定申告をすべき配当所得の金額を計算しなさい。

なお、申告不要とできるものは申告不要として解答すること。

種　　類	収入金額
A株式会社（非上場）の配当 計算期間６月	45,000円
A株式会社（非上場）の配当 計算期間６月	55,000円
B株式会社（非上場）の配当（計算期間１年）	120,000円
私募公社債等運用投資信託の収益の分配	25,000円

（注）すべて本年分に帰属するもので、収入金額は税引前の金額である。

⇨解答：222ページ

問題 15 配当所得（その3）～申告不要②～

（制限時間4分） 重要度 A

次の資料に基づき、居住者甲の本年分の配当所得の金額を計算しなさい。

なお、申告不要とできるものは、申告不要として解答すること。

種類（計算期間）	記名 無記名	効力発生日	支払を受けた日	収入金額（税引前）
A社配当（1年）	記名	本年6．30	本年7．5	30,000円
B社出資の配当	記名	前年12．28	本年1．10	120,000円
C社配当（6月）	記名	本年3．27	本年4．5	52,000円
（6月）	記名	本年9．28	本年10．4	50,000円
D社配当（6月）	無記名	前年12．30	本年1．15	220,000円
（6月）	無記名	本年6．15	本年7．15	280,000円
E社配当（6月）	記名	本年7．25	本年8．5	200,000円

■付記事項■

1．D社は上場会社であり、その他の会社は非上場会社である。

2．E社配当は前年7月10日に取得したE社株式30,000株に係るものである。

なお、同社株式取得資金はF銀行より借り入れたもので120,000円（全借入期間に係るもの）の利息を支払っている。（借入年月日：前年7月1日、返済年月日：本年6月30日）

⇨解答：223ページ

問題 16 配当所得（その4）～みなし配当①～

（制限時間3分） 重要度 A

次の資料に基づき、居住者甲の本年分の配当所得の金額を計算しなさい。

1．A株式会社（非上場）は本年6月に解散し、A社の株主であった甲は1株当り120円（税引前の金額）の残余財産の分配を受けた。

なお、解散時のA社の1株当りの資本金等の額は80円（払戻等割合考慮後）、甲の所有株式は10,000株である。

2．C株式会社（非上場）は本年8月D株式会社に吸収合併（適格合併に該当しない。）され、C社の株主であった甲は所有株式2,000株に対して、D株式会社の株式1,200株（時価1,300円）及び合併交付金26,792円（復興税を含む税引後の金額）の交付を受けた。C社の合併直前の資本金等の額は45,000,000円で、発行済株式総数は150,000株である。

⇨解答：223ページ

問題 17 配当所得（その５）～みなし配当②～

（制限時間４分）

重要度	A

次の資料に基づき、居住者甲の本年分の配当所得の金額及び配当所得にかかる源泉徴収税額（復興特別所得税を含む金額）を計算しなさい。

なお、配当所得の課税方法は、すべて総合課税によること。

1．甲は、M株式（非上場）6,000株を有していたが、本年６月に所有するすべての株式を885,000円（税引前の金額）でM社に譲渡した。

なお、譲渡時におけるM社の資本金等の額は80,000,000円、発行済株式総数は500,000株であった。

2．甲は、R株式（上場）1,200株を有していたが、このうち200株を、R社の公開買付けに応じ、証券会社を経由してR社に譲渡した。

この公開買付けにおけるR社の１株あたりの買取価格は1,350円、甲の譲渡時におけるR社の資本金等の額は1,492,506,000円、発行済株式総数は2,000,000株（うち自己株式2,000株）であった。

⇨解答：224ページ

問題 18 配当所得（その６）～税引後の金額からの持ち戻し～

（制限時間４分）

重要度	B

次の資料に基づき、居住者甲の本年分の配当所得の金額及び確定申告により精算される源泉徴収税額（復興特別所得税を含む金額）を計算しなさい。

なお、配当所得の課税方法は、総合課税の方法によるものとする。

種類（計算期間）	収入金額
A非上場株式配当金（１年）	99,475円
B非上場株式上期配当金（６月）	119,370円
B非上場株式下期配当金（６月）	198,950円
C上場株式配当金（１年）	175,307円

（注１）収入金額は、源泉徴収された所得税、復興特別所得税及び特別徴収された住民税を控除した後の金額である。

（注２）A社株式取得のための借入金に係る負債の利子100,000円（本年対応分）がある。

（注３）C社株式は本年４月20日に全株売却し、借入金を返済している。なお、C社株式取得のための借入金に係る負債の利子120,000円（本年対応分）がある。

⇨解答：225ページ

問題19 配当所得（その７）～課税方法の判定～

（制限時間４分）　重要度 A

次の資料に基づき、居住者甲の本年分の配当所得の金額を甲に有利になるように計算しなさい。なお、甲の本年分の課税総所得金額は3,000万円である。

また、下記金額はいずれも税引前の金額である。

（注）申告分離課税については考慮しない。

(1)	Ａ株式会社配当金（上場、計算期間１年、持株割合２％）	400,000円
(2)	Ｂ株式会社配当金（非上場、計算期間６月、持株割合１％）	60,000円
(3)	Ｃ株式会社配当金（非上場、計算期間６月、持株割合１％） なお、Ｃ株式に係る負債の利子120,000円がある。	270,000円
(4)	特定株式投資信託の収益の分配	120,000円
(5)	特定投資法人の配当	150,000円
(6)	基金利息の配当（計算期間６月、持株割合１％）	100,000円
(7)	Ｅ株式会社配当金（非上場、計算期間１年、持株割合２％）	80,000円
(8)	私募公社債等運用投資信託の収益の分配	50,000円

⇨解答：226ページ

問題20 配当所得（その８）～申告分離課税～

（制限時間６分）　重要度 B

次の資料に基づき、居住者甲の課税標準を、甲の納税額が有利になるように計算しなさい。なお、甲の本年分の課税総所得金額は800万円であるものとする。

種類（計算期間）	収入金額	備　考
Ａ非上場株式配当金（６月）	40,000円	
〃　　　（６月）	55,000円	
Ｂ上場株式配当金	150,000円	
Ｃ上場株式配当金	400,000円	
Ｄ非上場株式配当金	無配	（注２）
Ｅ基金利息	125,000円	

（注１）上記金額は、すべて税引前の金額である。

（注２）Ｄ株式については、借入金の利子60,000円（本年対応分）を支払った。

（注３）Ｃ株式は、その一部を、本年６月に証券会社を経由して売却し、譲渡損失500,000円が生じている。

⇨解答：227ページ

問題 21 配当所得（その９）～外国株式の配当～

（制限時間４分）　重要度 B

次の資料に基づき、居住者甲の本年分の配当所得の金額を計算しなさい。

なお、申告不要とできるものについては、申告不要として解答すること。

また、いずれの配当も、その計算期間は１年であるものとする。

1．Ａ社株式（非上場）の配当金　　　500,000円

Ａ社はＢ国に本店を有する外国法人であり、上記の金額はＢ国における外国所得税50,000円を控除する前の金額である。甲は、この配当金を、国内の取扱者を経由せずに受け取っている。

2．Ｃ社株式（非上場）の配当金　　　120,000円

Ｃ社はＤ国に本店を有する外国法人であり、甲は、この配当金を、国内の証券会社を経由して受け取っている。上記の金額はＤ国における外国所得税24,000円及び源泉所得税（復興特別所得税を含む）19,603円控除前の金額である。

3．Ｅ社株式（上場）の配当金　　　300,000円

Ｅ社はＤ国に本店を有する外国法人であり、甲は、この配当金を、国内の証券会社を経由して受け取っている。上記の金額はＤ国における外国所得税60,000円並びに源泉所得税（復興特別所得税を含む）36,756円及び特別徴収住民税12,000円控除前の金額である。

⇨解答：228ページ

第5章

不動産所得

1．不動産所得となるもの

不動産、不動産の上に存する権利（借地権等)、船舶（20トン以上)、航空機の貸付けによる所得

※　地代・家賃・権利金・礼金・更新料・名義書替料・承諾料・施設使用料・利用料・敷金の償却その他の名義を問わず、不動産等の貸付けの対価であれば、不動産所得に該当する。

2．次のようなものは不動産所得に含まれる。

(1)　広告等のため土地、家屋の屋上又は側面、へい等を使用させる場合の所得

（注）浴場業・飲食業等における広告の掲示による所得は、事業所得となる。

(2)　借地権・地役権等の存続期間の更新の対価として、支払を受ける更新料に係る所得及び名義書換料に係る所得（譲渡所得とみなされる場合を除く。)

(3)　賃貸料に相当する損害賠償金に係る所得

3．所得の判定で注意すべきもの

(1)　不動産貸付業……不動産所得

(2)　役務提供を伴うもの……事業所得又は雑所得

	不動産所得	事業（又は雑）所得
アパート 下宿	食事を供さない場合 （アパート、貸間）	食事を供する場合 （下宿等）
有料駐車場	保管について責任を負わない（月極駐車場）	保管について責任を負う （時間極駐車場）

(3)　借地権等の設定の対価としての権利金（原則として不動産所得）

次の２つの要件に該当する場合 → 譲渡所得等

建物等の所有を目的とした借地権等の設定

対価の額 ＞ その土地の価額（時価）× $\frac{5}{10}$

(4)　事業付随収入（事業所得）

従業員宿舎の使用料収入

不動産販売業者の販売目的不動産の一時貸付使用料

4．事業的規模と事業的規模以外

＜例＞　アパート　10室以上………事業的規模

　　　　貸　　家　５棟以上………事業的規模

5．不動産所得の金額

総収入金額 － 必要経費 － 青色申告特別控除額 ＝ 不動産所得の金額

6．収入金額の計上

(1) 賃貸料

① 原　則（前受、未収等の経理を行っていない場合）

- 支払日が定められている場合 → 支払日基準
- 支払日が定められていない場合 → 現金基準

② 前受、未収等の経理を行っている場合の特例

- 事業的規模 → 期間対応基準
- 事業的規模以外
  - 1年以内の期間の賃貸料 → 期間対応基準
  - 1年を超える期間の賃貸料 → 支払日基準

(2) 係争等があった場合

- 賃貸借契約の存否の係争等（明渡請求） → 和解等のあった日

  ※　和解等があるまでは供託されている金額について収入金額に計上しない。
- 賃貸料の額に関する係争等（値上請求）
  - 供託されている部分の賃貸料 → 支払日基準等
  - 旧賃貸料と新賃貸料との差額 → 和解等のあった日

(3) 頭金・権利金・名義書替料・更新料等の収入計上時期

- 資産の引渡しを要するもの → 引渡しのあった日（契約の効力発生日でもよい）
- 資産の引渡しを要しないもの → 契約の効力発生日

(4) 敷金・保証金等で返還しないものの収入計上時期

- 返還を要しないことが確定したとき

7．定期借地権

(1) 保証金等に係る経済的利益

態様（保証金の運用）	取　扱　い
各種所得の基因となる業務に係る資金として運用され又は業務用資産の取得資金に充てられている場合	経済的利益 → 不動産所得の総収入金額算入 経済的利益と同額 → 各種所得の必要経費算入
預貯金等の金融資産に運用されている場合	経済的利益についてはその計算を要しない。
上記以外の場合（家計費に充てるなど）	経済的利益 → 不動産所得の総収入金額算入

（注）経済的利益の評価は問題の指示による適正な利率を用いる。

(2) 前受地代方式の場合

前受地代を前受収益として経理し、契約上の取り決めに従い、各年分の地代に充当される金額をその年分の不動産所得の金額の計算上、総収入金額に算入する。

※　前受地代について、経済的利益を認識する必要はない。

8．立退料

- 建物の譲渡又は建物を取壊して土地を譲渡するために支出した立退料………………譲渡費用
- 土地建物等の取得に際して支出した立退料…………………………土地建物等の取得価額
- 建物を賃借する際に支出する立退料……………………………………………………繰延資産
- その他………………………………………………………………………………………必要経費

9．取壊費用

- 土地等とともに取得した建物等の取壊費用（土地利用目的）…………………土地の取得価額
- 土地等を譲渡するためのその上にある建物等の取壊費用…………………………譲渡費用
- その他………………………………………………………………………………………必要経費

10．不動産取得税、登録免許税

- 不動産取得税……………………………………………………………………………必要経費
- 登録免許税（登録に要する費用を含む。）………………………………原則として必要経費

11．借入金利子

- 業務開始前に係るもの……………………………………………………………………取得価額
- 業務開始以後に係るもの…………………………………………………………………必要経費

12．利子税の必要経費算入

不動産所得を生ずべき業務を事業的規模で行っている場合には、支払った利子税のうち一定の金額を必要経費に算入できる。

「第6章　事業所得　Ⅳ」参照

13．資産損失

(1)　損失の金額 ＝ 損失発生直前の未償却残額 － 損失発生直後の時価 － 廃材価額 － 保険金等

〔事業的規模〕 ───→ 全額必要経費に算入（法51①）

〔事業的規模以外〕 → 不動産所得の金額を限度として必要経費に算入（法51④）

※　事業用以外の業務用固定資産について災害等により損失が発生した場合には、法72と法51④の両方の適用要件を満たす……次の①又は②の有利な方を選択する。

①　法72を法51④に優先させて適用する。

②　法51④のみを適用する。

(2)　土地等の譲渡に関連する建物等の取壊損失 → 当該譲渡に係る譲渡費用

14．貸倒損失（未収家賃の回収不能）

〔事業的規模〕 ───→ 全額必要経費算入（法51②）

〔事業的規模以外〕 → 総収入金額計上年分に遡って、一定限度額を所得金額から減額（法64①）

問題 22 不動産所得（その１）～範囲～

（制限時間１分） 重要度 A

次のうち、不動産所得に該当するものを選びなさい。

(1) アパートの貸付けによる家賃収入

(2) アパート賃貸に伴う契約の更新時に取得した更新料

(3) 船舶（20トン以上）の貸付けによる所得

(4) 物品販売業を営む甲が、従業員に寄宿舎を利用させることによる使用料収入

(5) 広告のため、敷地のへいを使用させることによる所得

(6) 実用新案権の使用料に係る所得

(7) 金銭の貸付けによる所得

(8) 借地権の存続期間の更新の対価として支払を受ける更新料

(9) 建物の一部を事務所として貸し付けていることにより受ける使用料

(10) トラックを友人に貸し付けたことによる所得

⇨解答：229ページ

問題 23 不動産所得（その２）～収入金額の計上時期①～ （制限時間５分） 重要度 A

次の設問において、本年分の不動産所得の金額の計算上、総収入金額に算入すべき金額を計算しなさい。

［設問１］

居住者Ａはアパート１棟（４室）を所有しているが、不動産所得に関し前受・未収等の経理を行っていない。Ａは本年４月分から新家賃月額60,000円（１室につき）に値上げした。それまでの旧家賃は月額50,000円（１室につき）で、翌月分を当月末日までに受領することが定められている。

［設問２］

居住者Ｂは前受・未収等の経理を行っている。Ｂは本年５月分よりＣ㈱に土地を貸し付け、賃貸料として１年分を一括して1,200,000円（本年５月分～翌年４月分）を受領した。

［設問３］

居住者Ｃの不動産所得に係る本年中の収入は次のとおりである。

⑴ 家　賃　本年４月分まで月額300,000円であったが５月分より月額450,000円に値上げした。

⑵ 地　代　月額　50,000円

⑶ 上記⑵に係る更新料　2,000,000円（効力発生日　本年３月）

（注）Ｃは、前受・未収等の経理を行っており、家賃、地代とも翌月分を当月末日までに受領することが定められている。

［設問４］

居住者Ｄは、貸家を貸し付けているが、賃借人が契約違反をしたため、本年９月末日をもって契約の解除を申し出たところ、賃借人がこれを拒否し、本年末現在係争中である。

家賃は月額160,000円で、当月分を前月末日までに支払う契約であり、Ｄは前受・未収等の経理を行っていない。

⇨解答：229ページ

問題24 不動産所得（その3）～収入金額の計上時期②～ （制限時間3分） 重要度 A

次の資料に基づき、居住者甲（白色申告者）の本年分の不動産所得の金額を計算しなさい。

(1) 本年分の不動産所得に係る収入金額は8,000,000円であるが、次の敷金に関しては未処理である。

なお、敷金は明渡時に30%を償却し、残額については修繕費と相殺の上返還することとなっている。

① 本年入居した賃借人Aに係る預かり敷金　160,000円

② 本年退去した賃借人Bに係る預かり敷金　200,000円

Bは数年前に入居し、本年8月に退去した。Bの退去に際し、修繕費75,000円を要したため、Bには65,000円を返還している。

(2) 本年分の不動産所得に係る必要経費は2,500,000円であるが、この金額には、Bの退去に係る修繕費75,000円が含まれている。

⇨解答：230ページ

問題25 不動産所得（その4）～収入金額の計上時期③～ （制限時間4分） 重要度 A

次の資料に基づき、居住者甲の本年分の不動産所得の金額の計算上、総収入金額に算入すべき金額を計算しなさい。

なお、賃貸料はすべて翌月分を当月末までに受け取る契約であり、甲は帳簿書類を備え付けているが、前受未収等の経理はしていない。

〔資　料〕

(1) A貸家の賃貸料収入　1,800,000円

上記金額には、翌年1月分の未収家賃 150,000円が含まれている。

(2) B貸家の賃貸料収入　700,000円

上記金額は、本年2月から8月分までの適正額（1月当たり 100,000円）である。

なお、甲は本年9月分より1月当たり 120,000円に値上げする旨を申し出ているが、賃借人がこれを拒否したため本年9月分以降の賃貸料は計上していない。

※ 賃借人は1月当たり 110,000円を供託し、年末現在係争中である。

(3) C貸家の賃貸料収入　720,000円

上記金額は、本年2月分から10月分までの適正額（1月当たり 80,000円）である。

なお、甲は賃借人の契約違反により本年11月分から賃貸借契約を解除する旨を申し出ているが、賃借人がこれを拒否したため年末現在係争中である。

⇨解答：230ページ

問題 26 不動産所得（その5）～必要経費～

（制限時間4分）

重要度	A

20年前より不動産貸付業を事業として営む居住者甲の本年分の不動産所得に係る諸経費は4,238,000円であるが、本年中に支出した次に掲げるものは含まれていない。

なお、減価償却費は適正額が計上されている。

甲の本年分の不動産所得の金額の計算上必要経費に算入すべき金額を計算しなさい。

(1) 登記費用　750,000円

これは、本年2月に建設し、直ちに貸付けの用に供しているマンションの取得に係る登録免許税及び司法書士に対する報酬の合計額である。

(2) 不動産取得税　1,200,000円

これは、(1)のマンションに係るものである。

(3) 建物の借入金利子　1,500,000円

これは、(1)のマンションの建設資金を銀行から借り入れたことにより本年中に支払ったものであり、このうち125,000円は、貸付け開始前の期間に係るものである。

(4) 立退料　300,000円

これは、老朽化したため本年12月に取り壊した貸家に入居していた賃借人Aに対し支払ったものである。

(5) 取壊費用　1,234,000円

これは、(4)の貸家を取り壊す際に解体業者に支払ったものである。

(6) 貸家の取壊損失　5,482,000円

これは、(4)の貸家の取り壊し直前における未償却残額である。

(7) 固定資産税　1,970,000円

これは、貸付けの用に供している土地・建物に係る本年度分の固定資産税のうち、本年12月までに支払ったものである。このほか、来年2月に納期が到来する第4期分656,000円がある。

⇨解答：231ページ

問題27 不動産所得（その６）～借地権等の設定～

（制限時間３分）　重要度 A

次の資料に基づき、居住者甲の本年分の不動産所得の金額の計算上、総収入金額に算入すべき金額を計算しなさい。

(1) 甲は本年５月に、Ａ株式会社に対し、甲所有の土地（時価13,000,000円）を30年間賃貸する契約を結び、同年６月より、地代月額150,000円（当月分をその月末までに受け取ることとなっている。）で貸付けを開始した。

なお、甲は契約時に権利金として1,950,000円を収受している。

(2) Ａ株式会社は、その土地の上に、工場建物を建設する予定である。

⇨解答：231ページ

問題28 不動産所得（その７）～定期借地権①～

（制限時間３分）　重要度 B

次の資料に基づき、居住者甲の本年分の不動産所得の金額の計算上、総収入金額に算入すべき金額を計算しなさい。

甲は本年６月に自己所有の土地（40年前に10,000,000円で取得したもので、時価60,000,000円）に居住用建物を建築することを目的とした一般定期借地権（存続期間50年）を設定し、これにより保証金18,000,000円（契約満了時に返還するもの）及び本年分の地代350,000円（適正額）を取得した。

なお、保証金のうち12,000,000円はただちに甲の営む物品販売業の運転資金として運用しており、残額はすべて預貯金としている。

（注）定期借地権の経済的利益を計算する場合の適正な利率は0.3％とする。

⇨解答：232ページ

問題 29 不動産所得（その8）～定期借地権②～

（制限時間3分） 重要度 B

次の資料に基づき、居住者甲の本年分の不動産所得の金額の計算上総収入金額に算入されるべき金額を計算しなさい。

居住者甲は、父から相続により取得した土地Ｒについて、Ｈ株式会社と事業用定期借地権契約を結び、本年９月より契約期間20年で賃貸を開始した。毎月の地代は50,000円であり、毎月末日までに支払いを受けることとしている。

甲は、契約締結時に、Ｈ株式会社から一時金として36,000,000円を受領しているが、この一時金は、賃貸期間中、毎月150,000円をその月の地代に充当する契約になっており、Ｈ株式会社の申し出により契約期間中に解約となった場合には、一時金のうち地代に充当されていない残額をＨ株式会社に返還する契約になっている。

なお、土地Ｒの契約締結時における時価は120,000,000円である。

⇨解答：232ページ

問題 30 不動産所得（その9）～固定資産の損失～

（制限時間3分） 重要度 A

居住者甲はアパート１棟を有していたが、建物が老朽化し危険なため、建替えを目的として取り壊すことにした。本年分の家賃収入は1,350,000円で、経費は次のとおりである。

(1) 賃借人に対する立退料　400,000円
(2) アパートの取壊し直前の未償却残高　295,000円
(3) 取壊費用　350,000円
(4) その他の経費　440,000円

上記資料に基づき、甲（青色申告者ではない。）の不動産所得の金額を計算しなさい。

なお、甲の不動産貸付業務は事業と称するに至らない程度の規模で行っている。

⇨解答：233ページ

問題 31 不動産所得（その10）～未収家賃の回収不能～ （制限時間３分） 重要度 A

居住者甲（白色申告者）は、アパート１棟（５室）を所有し、数年前より貸付けの用に供している。

家賃は、その月分の家賃をその月の末日に受け取る契約となっているが、昨年12月に退去した賃借人Ｆの昨年４月から12月までの家賃540,000円が未収であった。

本年12月にその回収が不可能であることが確定した場合、未収家賃540,000円の取扱いを説明しなさい。

なお、甲の所得の状況は、本年分の不動産所得の金額が3,250,000円、昨年分の不動産所得の金額が4,628,000円であり、他の所得はないものとする。

⇨解答：234ページ

MEMO

第6章

事業所得

Ⅰ　意義等

１．事業所得となるもの

農業、漁業、製造業、卸売業、小売業等の事業から生ずる所得をいう。

２．所得の判定で注意すべきもの

⑴　資産の譲渡による所得

棚卸資産	不動産所得、山林所得又は雑所得に係る準棚卸資産	少額減価償却資産及び一括償却資産	山　林	その他
事業所得	雑所得	（注）	事業所得 山林所得 雑所得	譲渡所得

（注）少額減価償却資産及び一括償却資産の譲渡

<table>
<tr><td colspan="3">使用可能期間が１年未満</td><td rowspan="3">事業所得等</td></tr>
<tr><td rowspan="3">取得価額が
20万円未満</td><td colspan="2">その他の資産</td></tr>
<tr><td rowspan="2">少額重要資産</td><td>反復継続して譲渡</td></tr>
<tr><td>その他</td><td>譲渡所得</td></tr>
</table>

⑵　組合等からの所得の所得区分

①　匿名組合の組合員が当該組合の営業者から受ける利益の分配

①　原　則……………………………………………………………………雑所得

②　組合員が事実上共同経営していると認められる場合…………事業所得その他の所得

③　営業の利益の有無にかかわらず分配されるもの………………事業所得又は雑所得

②　任意組合契約等による利益の額又は損失の額

その組合の計算期間終了の日の属する年分の各種所得の金額の計算上、総収入金額又は必要経費に算入する。

３．青色申告特別控除額

<table>
<tr><td colspan="2">原　則</td><td>最大10万円</td></tr>
<tr><td rowspan="2">事業的規模かつ詳細な記帳</td><td>下記以外</td><td>最大55万円</td></tr>
<tr><td>一定の要件を満たす電子帳簿保存又は電子申告</td><td>最大65万円</td></tr>
</table>

Ⅱ　総収入金額

1．収入金額の計上時期……権利確定主義

(1)　通常の棚卸資産の販売……………引渡しがあった日

(2)　仕入割戻し　{算定基準が販売数量又は販売価額によっており} かつ {算定基準明示………仕入れた日 / 上記以外……………通知を受けた日}

2．家事消費

(1)　対象資産　⇨　棚卸資産等

(2)　総収入金額算入額

・取得価額
・通常の販売価額 × 70%
} いずれか多い金額

3．贈与（相続人に対する死因贈与を除く）、遺贈（包括遺贈及び相続人に対する特定遺贈を除く）

(1)　対象資産　⇨　棚卸資産等

(2)　総収入金額算入額　⇨　2の家事消費と同じ

4．低額譲渡（通常の販売価額の70%未満の対価による譲渡）

(1)　対象資産　⇨　3の贈与、遺贈と同じ

(2)　総収入金額算入額（売上高に追加計上する金額）

通常の販売価額 × 70% − 対価の額

※　低額譲渡とならない場合

型くずれ等による値引販売、広告宣伝のための目玉商品、金融上の換金処分等

5．国庫補助金等の総収入金額不算入

①　国庫補助金等の交付を受け

②　交付目的に適合した固定資産の取得等をし

③　その国庫補助金等の返還不要がその年12月31日までに確定したとき

《取扱い》

(1)　総収入金額不算入額

国庫補助金等の金額相当額

(2)　取得価額

取得に要した金額 − 総収入金額不算入額

第6章 事業所得

6．条件付き国庫補助金の総収入金額不算入

(1) 適用要件

① 国庫補助金等の交付を受け、

② その年12月31日までに返還不要が未確定

(2) 取扱い

その国庫補助金等は、総収入金額不算入

※ 減価償却は、実際の取得価額を基礎に行う。

《翌年以後に返還不要が確定した場合》

(1) 総収入金額算入額（過大償却費）

$$\text{返還不要確定額} - \text{返還不要確定額} \times \frac{\text{年初未償却残額}}{\text{実際の取得価額}}$$

(2) 返還不要確定後の取得価額

実際の取得価額－返還不要確定額

(3) 返還不要確定後の年初未償却残額

$$\text{年初未償却残額} - \text{返還不要確定額} \times \frac{\text{年初未償却残額}}{\text{実際の取得価額}}$$

問題32 収入金額（その１）～家事消費等～

（制限時間６分）　重要度 A

次の資料に基づき、居住者甲（白色申告者）の本年分の事業所得の総収入金額を計算しなさい。

〈資　料〉

売上高　23,720,000円　　雑収入　760,000円

■付記事項■

1．売上高のうちには次のものが含まれている。

① 甲は、商品の一部を自己の家事のために消費している。甲は250,000円を売上高に計上している。

通常売価　250,000円　　仕入原価　160,000円

② 甲は、友人に対して商品を譲渡している。なお、甲は譲渡対価として200,000円を受け取り、この金額を売上高に計上している。

通常売価　275,000円　　仕入原価　176,000円

③ 甲は、友人に対して商品を贈与している。甲は260,000円を売上高に計上している。

通常売価　260,000円　　仕入原価　185,000円

2．甲は、友人の所有する絵画（時価200,000円）と商品（通常売価400,000円、仕入原価240,000円）を交換しているが、これについては未処理である。

3．雑収入の内訳は次のとおりである。

① 従業員宿舎の使用料収入　600,000円

② ダンボール箱の売却収入　50,000円

③ 甲が３年前取得したパソコン（取得価額95,000円）の売却収入　30,000円

※ 当該パソコンは少額重要資産に該当しない。

④ Ａ銀行に対して預入れをしていた事業用資金に対する利子　60,000円

⑤ 従業員に対して貸し付けた貸付金の利子　20,000円

⇨解答：235ページ

問題33 収入金額（その２）～国庫補助金①～

（制限時間２分）　重要度 A

次の資料に基づき、⑴国庫補助金の取扱い及び⑵機械の本年分の償却費を計算しなさい。

居住者甲（白色申告者）は、本年７月１日に機械の取得に充てるため国庫補助金2,000,000円の交付を受け、直ちに5,000,000円の機械を取得し、事業の用に供した。なお、この国庫補助金は返還を要しないことが本年末現在確定している。

機械の償却方法は定額法で、耐用年数は10年（定額法償却率0.100）である。

⇨解答：236ページ

問　題　34　収入金額（その３）～国庫補助金②～　（制限時間４分）　重要度　C

製造業を営む居住者甲は、本年７月に国庫補助金5,000,000円の交付を受け、同月交付目的に従って機械装置（耐用年数8年）を7,500,000円で取得し、事業の用に供している。

甲は、機械装置の減価償却方法については定率法を選定しており、耐用年数８年の場合の定率法償却率は0.250である。

なお、補助金の返還不要が確定したのは、翌年４月である。

(1)　本年分の事業所得の金額の計算上必要経費に算入すべき減価償却費を計算しなさい。

(2)　翌年分の事業所得の金額の計算上総収入金額及び必要経費に算入すべき減価償却費を計算しなさい。

⇨解答：236ページ

問　題　35　収入金額（その４）　（制限時間２分）　重要度　A

次の資料に基づき、物品販売業を営む居住者甲の本年分の事業所得の金額の計算上、総収入金額に算入すべき金額を計算しなさい。

(1)　本年売上高　78,000,000円

(2)　従業員宿舎の使用料収入　600,000円

(3)　営業資金の定期預金利子　50,000円

(4)　特許権の使用料に係る所得（事業と称するに至らないものである。）　300,000円

(5)　事業用固定資産に係る固定資産税の前納報奨金　25,000円

(6)　商品につき損失を受けたことにより取得する損害保険金　280,000円

(7)　事業用資産の購入に伴って受けた福引当選金　70,000円

(8)　事業用オートバイ（３年前に95,000円で取得したもの）の売却収入　12,000円

※　当該オートバイは少額重要資産に該当しない。

⇨解答：236ページ

問題 36 収入金額（その５） （制限時間４分） 重要度 A

次の資料に基づき、物品販売業を営む居住者甲（青色申告者で取引の内容を正規の簿記の原則に従って詳細に記録し、電子申告することとしている。）の本年分の事業所得の金額を計算しなさい。

損 益 計 算 書

自本年１月１日 至本年12月31日 （単位：円）

借方	金額	貸方	金額
売上原価	30,750,000	売上高	56,500,000
営業費	4,000,000	雑収入	3,000,000
当年利益	24,750,000		
	59,500,000		59,500,000

（注） 雑収入には車両受贈益1,800,000円が含まれている。

これは、本年４月にＴ株式会社から車両（耐用年数５年、定額法償却率0.200）を600,000円で譲り受け、Ｔ株式会社における取得価額2,400,000円との差額を計上したものである。

この車両は車体の大部分にＴ株式会社の主力製品名が表示され、その広告宣伝を目的としていることが明らかなものである。また、この車両は、取得後直ちに事業の用に供したが、償却費は計上されていない。

⇨解答：237ページ

問題 37 収入金額（その６） （制限時間５分） 重要度 A

次の資料に基づき、居住者甲（白色申告者）の本年分の事業所得の金額を計算しなさい。

損 益 計 算 書

自本年１月１日　至本年12月31日　（単位：円）

売上原価	5,190,000	売上高	8,260,000
営業費	1,025,000	雑収入	19,000
当年利益額	2,064,000		
	8,279,000		8,279,000

■付記事項■

上記の損益計算書に掲げる事実のほか、総収入金額に関して次のような事実が判明した。

なお、甲はこれらの事実については何ら処理を行っていない。

1．本年１月18日に仕入先であるＡ商店から、仕入割戻しに関する通知（通知額6,000円）を受けた。この割戻しに係る商品は、前年12月20日に仕入れたものである。

　なお、仕入割戻しは、算定基準が購入価額等によって明示されていない。

2．甲は、本年Ｔ㈱から同社の社名の入った軽自動車を無償によって受け入れた。この資産の取得時の価額は900,000円である。なお、償却費については考慮する必要はない。

3．甲は、本年交通事故により負傷し、事業を一時休止したため、加害者から2,000,000円の収益補償金を受け取っている。

4．甲は、前年において、得意先であるＣ㈱の売掛金に対して貸倒引当金勘定150,000円を設定した。これは、Ｃ㈱が前年において会社更生法の更生手続の開始申立てを行ったため、甲がＣ㈱の売掛金（個別評価貸金）の50％相当額を設定したものである。

　なお、本年に入り、Ｃ㈱は会社再建に成功し、甲は売掛金を全額回収している。

⇨解答：238ページ

Ⅲ　必要経費の原則

1．海外渡航費

海外渡航の直接の動機が当該事業の遂行のためであり、その海外渡航の機会に観光をあわせて行ったものである場合の必要経費算入額は次のとおりである。

$$往復の旅費【A】＋（支出した旅費の総額\ －【A】）\times \frac{事業の遂行上直接必要と認められる旅行の日数}{旅行の全日数}$$

※　従業員の海外渡航費

- 事業の遂行上必要な金額………旅費として必要経費に算入する。
- その他（観光部分）……………その従業員に対する給与として必要経費に算入する。

2．技能の習得又は研修等のために支出した費用、接待費・寄附金

（支出理由等からみて）通常必要とされるものは必要経費に算入する。

3．弁護士費用等

⑴　民事事件

- 損害賠償金等が必要経費不算入となる紛争……必要経費不算入となる。
- 上記以外………………………………………………原則として必要経費に算入する。

⑵　刑事事件

無罪等の場合に限り必要経費に算入する。

4．商工会議所等の会員等が業務に関して賦課される費用（年会費等）

繰延資産に該当するものを除き、支出年分の必要経費に算入する。

5．前払費用

- 原　則……本年分のみ必要経費とする。
- 特　例……短期前払費用（1年以内のもの）は全額支出年分の必要経費とできる。

6．消耗品費等

- 原　則……消費年分の必要経費に算入する。
- 特　例……経常的に消費するものは、継続して取得年分の必要経費に算入できる。

7．売上割戻しの必要経費算入時期

- 算定基準明示……販売した日
- 上記以外…………通知した日又は支払をした日

8．租税公課の必要経費算入の時期（一般的には原則有利）

- 原　則……その年12月31日までに申告、賦課決定等により納付すべきことが具体的に確定した日
- 特　例……納期の分割が定められているものは、納期の開始の日又は実際に納付した日

9．損害賠償金の必要経費算入の時期

年末までに賠償額が確定していないときであっても、それまでに相手方に申し出た金額を必要経費に算入できる。

10. 業務用資産の長期損害保険料

保険期間3年以上で、かつ、満期返戻金を支払う旨の定めがある損害保険契約に係る損害保険料を支払った場合には、その支払保険料のうち積立保険料部分は必要経費に算入しない（資産計上）。

11. 借地権契約の更新に際し、更新料を支払った場合の必要経費算入

事業所得等を生ずべき業務の用に供する借地権契約を更新する場合において、更新料の支払をしたときは、次の算式により計算した金額を必要経費に算入する。

$$\text{更新直前の借地権の取得費} \times \frac{\text{更新料の額}}{\text{更新時における借地権の価額}}$$

問題38 海外渡航費

(制限時間３分)　重要度 A

次に掲げる海外渡航費のそれぞれについて、必要経費算入額を計算しなさい。

(1)　事業主Ａは商談のためアメリカ合衆国を旅行し、ついでに観光も行ってきた。なお、海外渡航に要した費用は1,400,000円（うち500,000円は往復の旅費）であり、旅行に要した日数は10日（うち観光に要した日数は２日）である。

(2)　事業主Ｂは、商品開発のため、従業員Ｃとともに中国を旅行し、そのついでに観光をした。旅行に要した費用は515,000円（うち215,000円は往復の旅費）であり、旅行に要した日数は10日（うち観光に要した日数は４日）である。

なお、Ｂと従業員の旅行に要した費用は、同額であるものとする。

⇨解答：238ページ

問題39 更新料

(制限時間１分)　重要度 A

物品販売業を営む居住者甲は、更新料3,000,000円を支払っている。必要経費に算入される金額を計算しなさい。

これは、店舗の敷地に係る借地権の存続期間を延長する際に支払ったもので、更新時における借地権の時価は12,000,000円、更新直前における借地権の帳簿価額は800,000円である。

⇨解答：239ページ

問題 40 必要経費の通則（その１）　（制限時間２分）　重要度 A

事業を営む居住者甲の本年分の事業所得の金額の計算上、必要経費に算入すべき営業費の額を計算しなさい。

損益計算書に計上されている営業費の額は5,987,000円であり、これには次のものが含まれている。

(1) 交通反則金　27,000円

これは、甲が商用中交通違反をしたことにより支払ったものである。

(2) 運転免許を取得するための費用　258,000円

これは従業員に、事業の遂行に必要であるため取得させたことによるものである。

(3) 消耗品の取得に要した費用の額　351,000円

事務用消耗品に係るもので毎月おおむね一定数量を取得し、かつ、経常的に消費するものであり、年末においてまだ消費されていないものの額は32,000円である。

(4) 同業者団体に対して支出した本年分の通常会費　20,000円

(5) A㈱の株式を取得するために要した借入金の利子　156,000円

この株式の取得は事業の遂行上のものである。

⇨解答：239ページ

問題 41 必要経費の通則（その２） （制限時間３分） 重要度 A

次の資料に基づき、物品販売業を営む居住者甲（青色申告者）の本年分の事業所得の金額の計算上必要経費に算入すべき金額を計算しなさい。

(1) 弁護士費用 390,000円

これは、甲が業務中に交通事故を起こしたことにより、業務上過失傷害の疑いで起訴されたため、刑事事件の弁護を受けるために本年中に担当弁護士に支払ったものである。

なお、裁判は本年12月に甲を無罪とする判決が確定している。

(2) 損害保険料 54,000円

これは、甲が事業の用に供している店舗に係る長期損害保険契約に係る保険料として本年８月に支払ったものであるが、このうち40,000円は積立保険料に該当するものである。

(3) 倉庫の家賃 1,440,000円

これは、商品の保管用に甲が本年９月から賃借している倉庫に係るものであり、本年９月から来年８月までの１年分の家賃を前払いしたものである。

(4) 固定資産税 568,000円

これは、甲が事務所として使用している家屋及び敷地に係る本年度分の固定資産税であり、このうち142,000円は来年２月に納期限が到来するため本年末現在未払いである。

なお、この家屋は自宅としても使用しており、事業供用割合は40%である。

⇨解答：239ページ

Ⅳ　家事関連費・租税公課・損害賠償金等

居住者が支出し又は納付する次に掲げるものの額は、必要経費に算入しない。

1．家事上の経費

2．家事関連費のうち業務の遂行上必要であることが明らかにできる部分以外

3．所得税（附帯税のうち一定額を除く。）

（注1）附帯税 ＝ 延滞税、利子税、過少申告加算税、無申告加算税、不納付加算税、重加算税

（注2）必要経費算入が認められる利子税

※　確定申告書の記載額で計算する（修正申告書の記載額ではない。）。

$$\text{納付した利子税の額} \times \frac{\text{利子税の基礎となった年分の事業から生じた不動産所得の金額、事業所得の金額及び山林所得の金額（所得ごとに計算）}}{\text{利子税の基礎となった年分の各種所得の金額の合計額}} \left(\text{小数点2位未満切上}\right)$$

⇧

⑴　赤字の各種所得の金額、給与所得の金額及び退職所得の金額を除く。

⑵　総合長期の譲渡所得の金額、一時所得の金額については2分の1後の金額

⑶　分離課税の譲渡所得の金額は、措置法の特別控除後の金額

4．所得税以外の国税に係る延滞税、過少申告加算税、無申告加算税、不納付加算税及び重加算税並びに印紙税法の規定による過怠税

5．森林環境税及びその延滞金

6．住民税（道府県民税、市町村民税、都民税及び特別区民税）

7．延滞金、過少申告加算金、不申告加算金及び重加算金

8．罰金及び科料並びに過料

9．損害賠償金のうち所定の金額

⑴　業務を営む者の行為に基因するもの

①　故意又は重過失による場合 ────→ 必要経費不算入

②　①以外 ────→ 必要経費算入

⑵　使用人（家族従業員を含む。）の行為に基因するもの

①　業務に関連する行為

業務を営む者に使用人の行為に関し故意又は重過失がない。────→ 必要経費算入

業務を営む者に使用人の行為に関し故意又は重過失がある。────→ 必要経費不算入

②　業務に関連しない行為

家族従業員以外の者に対し雇用主としてやむを得ず支出した場合 ────→ 必要経費算入

上記以外 ────→ 必要経費不算入

10．賄賂その他一定のもの

問題 42 家事関連費等（その1）～利子税～

（制限時間2分）　重要度 A

次の資料に基づき、居住者甲の本年分の事業所得の金額の計算上、必要経費に算入すべき金額を計算しなさい。

1．本年甲が支出した利子税の額　　8,300円

2．昨年分の所得の金額

〔確定申告書記載額〕		〔修正申告書記載額〕	
配当所得	660,000円	配当所得	730,000円
事業所得	6,389,000円	事業所得	6,500,000円
譲渡所得（分離短期）	4,500,000円	譲渡所得（分離短期）	4,800,000円
一時所得	300,000円	一時所得	800,000円
給与所得	2,500,000円	給与所得	2,500,000円

⇨解答：239ページ

問題 43 家事関連費等（その2）～損害賠償金～

（制限時間2分）　重要度 A

物品販売業を営む居住者甲は、次の損害賠償金を支払っている。本年分の事業所得の金額の計算上、必要経費に算入すべき金額を計算しなさい。

⑴　機械の故障によりやむを得ず納品が遅延したこと（甲に重過失なし）に伴い支払ったもの　800,000円

⑵　甲が商用中に起こした事故（甲に重過失あり）に基づき支払ったもの　600,000円

⑶　従業員が商用中に起こした事故（従業員の重過失）に基づき支払ったもの　400,000円

（注）⑶の損害賠償金の総額は未確定であるが、被害者の入院費の一部として支払ったものである。

なお、この事故に関して甲に落ち度はなかった。

⇨解答：240ページ

問題 44 家事関連費等（その３） （制限時間５分） 重要度 A

次の資料に基づき、居住者甲の本年分の事業所得の金額の計算上、必要経費に算入すべき営業費の額を計算しなさい。

〈資　料〉

営業費8,154,900円のうちには次のものが含まれている。

(1) 固定資産税（本年第１期～第３期分の合計額）　63,000円

内訳は、貸家に係るもの40%、店舗に係るもの40%、居住用家屋に係るもの20%である。

また、本年第４期分21,000円は翌年２月に支払うこととしている。

(2) 倉庫用地として取得した土地に係る不動産取得税　35,000円

なお、直ちに倉庫を建設して、事業所得を生ずべき事業の用に供している。

(3) 損害賠償金　1,000,000円

甲が事業の遂行に伴い起こした事故（甲に故意又は重大な過失はない。）に基づき相手方に申し出た金額であるが、本年末現在、損害賠償金の総額は確定していない。

(4) 事業税の延滞金　14,000円

(5) 前年分の所得税額　1,200,000円

(6) 前年分所得税の延納に係る利子税　7,500円

前年分の各種所得の金額の状況は次のとおりである。

① 事業所得の金額　△ 3,120,000円

② 不動産所得の金額　1,020,000円

③ 譲渡所得の金額（分離長期）　10,000,000円

(7) 罰　金　11,000円

(8) 印紙の貼り忘れにより納付した過怠税　33,000円

⇨解答：240ページ

問題45 家事関連費等（その４）　（制限時間５分）　重要度 A

青色申告者である居住者甲の次に掲げる支出のうち、必要経費に算入される金額を計算しなさい。

(1) 本年分所得税の予定納税額　533,000円

(2) 前年分所得税の延納に係る利子税　15,000円

〔前年分の各種所得の金額の状況〕

① 配当所得の金額　250,000円

② 給与所得の金額　800,000円

③ 事業所得の金額　6,530,000円

④ 一時所得の金額　700,000円

⑤ 譲渡所得の金額　39,630,000円（分離長期）

※ 3,000万円の特別控除の適用があるものである。

⑥ 雑所得の金額　△ 50,000円

(3) 自動車に係る保険料及びガソリン代　180,000円

この自動車は事業用と家事用に兼用しており、事業用と家事用の割合はともに50%である。

(4) 得意先の工場新築祝　50,000円

(5) 事業遂行上の契約文書に係る印紙税70,000円及び印紙税の過怠税6,000円

(6) 事業の遂行に伴う甲の交通違反に係る罰金　20,000円

(7) 甲が事業の遂行上起こした事故（甲の重過失に基づくもの）により被害者に支払ったもの　300,000円

(8) 看板の管理に重大な過失があったため、看板が落下し通行人を負傷させたことにより被害者に支払った損害賠償金　500,000円

(9) 本年度分の事業税第１期分　20,000円

なお、第２期分20,000円は未納である。

(10) 本年度分の住民税　485,000円

⇨解答：240ページ

V　売上原価

1．売上原価

年初棚卸高 ＋ 当年仕入高 － 年末実地棚卸高

2．年末棚卸資産の評価方法（法定評価方法は最終仕入原価法による原価法）

⑴　**原価法**

先入先出法、総平均法、移動平均法、最終仕入原価法、売価還元法等

⑵　**低価法（青色申告者のみ選択できる。）**

⑴で選択した方法と年末時価とのいずれか低い方で評価する方法（商品ごとに判定）

3．評価方法の届出

事業所得を生ずべき事業開始年分の確定申告期限（翌年３月15日まで）に届出

4．評価方法の変更

評価方法を変更しようとする年の３月15日までに申請

⇨　承認又は却下（年末までに処分がなかったときは自動承認）

5．棚卸資産の取得価額の特例

棚卸資産について次の事実が生じた場合には、年末における処分可能価額をもって、評価額の基礎となる取得価額とすることができる。

⑴　当該資産が災害により著しく損傷したこと

⑵　当該資産が著しく陳腐化したこと

①　いわゆる季節商品で売れ残ったものについて、今後通常の価額では販売することができないことが既往の実績その他の事情に照らして明らかであること

②　当該商品の用途の面ではおおむね同様のものであるが、型式、性能、品質等が著しく異なる新製品が発売されたことにより、当該商品につき今後通常の方法により販売することができないようになったこと

⑶　⑴、⑵に準ずる特別の事実（破損、型崩れ、棚ざらし、品質変化等）

（注）単なる物価変動、過剰生産、建値の変更による低下だけでは、適用できない。

問題 46 売上原価の計算（その１） （制限時間２分） 重要度 A

次の資料に基づき、年末商品棚卸高を計算しなさい。棚卸資産の評価方法は総平均法を基礎とする低価法を選定している。

	（原　価）	（時　価）
A　商　品	1,800,000円	2,010,000円
B　商　品	960,000円	920,000円
C　商　品	1,130,000円	1,110,000円

（注）C商品棚卸高のうちには、原価にして400,000円の型崩れした商品が含まれており、時価による評価にあたっては300,000円で計上しているが、年末における処分可能価額は100,000円である。

⇨解答：241ページ

問題 47 売上原価の計算（その２） （制限時間３分） 重要度 A

次の資料に基づき、居住者甲（青色申告者）の本年分の事業所得の金額の計算上、必要経費に算入すべき売上原価の額を計算しなさい。

〈資料１〉

損　益　計　算　書　の　一　部　　（単位：円）

年初商品棚卸高	1,357,000	売　　上　　高	15,893,000
仕　　入　　高	10,596,000	年末商品棚卸高	1,687,000

〈資料２〉

⑴　甲は開業以来、棚卸資産の評価方法については最終仕入原価法に基づく原価法を選定していたが、本年より最終仕入原価法に基づく低価法に変更したく、そのための申請書を本年３月15日に所轄税務署長に提出している。なお、本年末現在何らの処分もない。

⑵　年末商品の内訳

	（帳簿価額）	（時　価）
A　商　品：	614,000円	630,000円
B　商　品：	855,000円	855,000円
C　商　品：	218,000円	233,000円
	1,687,000円	1,718,000円

⑶　C商品のうち109,000円（時価116,500円）は著しい損傷を受けており、年末における処分可能価額は68,000円である。

⇨解答：241ページ

Ⅵ　減価償却

1．減価償却方法

資産の種類	平成19年３月31日以前取得	平成19年４月１日以後取得
建物	旧定額法 ※　平成10年３月31日以前に取得したものは、旧定率法も選定できる。	定額法
建物附属設備 構築物	旧定額法 旧定率法　いずれか	定額法 ※　平成28年３月31日以前に取得したものは、定率法も選定できる。
上記以外の有形減価償却資産	旧定額法 旧定率法　いずれか	定額法 定率法　いずれか
無形減価償却資産	旧定額法	定額法

（注）有形減価償却資産の法定償却方法は、新・旧定額法

①　旧定額法

取得価額 × 0.9 × 旧定額法償却率

②　定額法

取得価額 × 定額法償却率

③　旧定率法

年初未償却残額 × 旧定率法償却率

④　定率法

※　平成24年４月１日以後取得の資産は、200％定率法による。

イ　調整前償却額[※1] ≧ 償却保証額[※2]

年初未償却残額 × 定率法償却率

ロ　調整前償却額 ＜ 償却保証額

ロに達した年における年初未償却残額 × 改定償却率

※１　調整前償却額 ＝ 年初未償却残額 × 定率法償却率

※２　償却保証額 ＝ 取得価額 × 保証率

2．償却方法の届出

平成19年４月１日以後取得の資産と平成19年３月31日以前取得の資産に区分したうえで、建物、構築物、機械及び装置等の資産の区分ごとに選定（さらに事業所等ごとに選定できる。）

し、次に掲げる日までに届出しなければならない。

なお、平成19年4月1日以後に取得した資産について償却方法の届出書を提出していない場合には、平成19年3月31日以前に取得していた同一区分の減価償却資産の償却方法を選定したとみなされる。

(1) 新たな業務開始の場合

⇨ 業務開始年分の確定申告期限（翌年3月15日）

(2) 償却方法を選定していない種類の減価償却資産を取得した場合

⇨ 資産取得年分の確定申告期限（翌年3月15日）

3．償却方法の変更

償却方法を変更しようとする年の3月15日までに「変更申請書」を提出しなければならない。

⇨ 承認又は却下（年末までに処分がなかったときは自動承認）

4．少額減価償却資産及び一括償却資産の必要経費算入

(1) 少額減価償却資産

使用可能期間1年未満又は取得価額10万円未満のもの（貸付用を除く。）は、全額必要経費算入となる。

なお、青色申告者である中小事業者のうち常時使用する従業員数が500人以下であるものが取得、業務の用に供した減価償却資産で、取得価額が10万円以上30万円未満であるもの（貸付用を除く。）については、その取得価額を必要経費に算入できる。

(2) 一括償却資産

減価償却資産で、取得価額が10万円以上20万円未満であるもの（貸付用を除く。）については、全部又は一部を一括して、次の算式により計算した金額をその各年分の必要経費に算入する。

$$\text{一括償却資産の取得価額の合計額} \times \frac{1}{3} = \text{必要経費算入額}$$

5．年の中途で業務の用に供した場合又は年の中途で譲渡、除去した場合

$$\text{年償却費} \times \frac{\text{業務供用月数（1月未満切上）}}{12}$$

6．償却可能限度額

(1) 平成19年4月1日以後取得の減価償却資産

取得価額 － 1円（備忘価額）

(2) 平成19年3月31日以前取得の減価償却資産

取得価額 × 95％（無形減価償却資産は取得価額相当額）

※ 償却可能限度額に達している資産については、その達した年の翌年分から5年間で次の算式で計算した金額を必要経費に算入する。

$$\text{（取得価額} \times 5\% - 1\text{円）} \times \frac{1}{5} = \text{年償却費}$$

7．非業務用資産を業務の用に供した場合

業務に転用した時の取得費相当額を未償却残額とみなす。

⑴　**定額法又は旧定額法**……年の中途で業務の用に供した場合と同様（上記５参照）

⑵　**定率法又は旧定率法**

$$（取得価額 - 減価の額）\times（旧）定率法償却率 \times \frac{業務供用月数}{12}$$

8．転用資産の償却費

年の中途において他の用途に転用した場合には、その転用した年の１月１日から転用後の耐用年数を基礎に償却費を計算することができる。

9．償却方法を変更した場合の償却費の計算

⑴　平成19年４月１日以後取得の減価償却資産

①　定額法から定率法に変更

年初未償却残額　×　定率法償却率

②　定率法から定額法に変更

年初未償却残額　×　定額法償却率※

※　(a)法定耐用年数又は(b)法定耐用年数　－　経過年数による……(b)が有利

（法定耐用年数 － 経過年数：2年未満は2年）

（注）経過年数は、未償却残額割合表により求める。

⑵　平成19年３月31日以前取得の減価償却資産

①　旧定額法から旧定率法に変更

年初未償却残額　×　旧定率法償却率

②　旧定率法から旧定額法に変更

（年初未償却残額　－　取得価額　×　10%）　×　旧定額法償却率※

※　(a)法定耐用年数又は(b)法定耐用年数　－　経過年数による……(b)が有利

（法定耐用年数 － 経過年数：2年未満は2年）

（注）経過年数は、未償却残額割合表により求める。

10．中古資産を取得した場合の耐用年数

⑴　法定耐用年数を全部経過

法定耐用年数　×　0.2

⑵　法定耐用年数を一部経過

（法定耐用年数－経過年数）＋　経過年数×0.2

（注）１年未満切捨、２年未満は２年とする。

11. 広告宣伝専用資産を無償等で譲り受けた場合

(1) **広告宣伝専用資産（看板、ネオンサイン、どん帳）** ⇨ 経済的利益なし

(2) **(1)以外の宣伝用資産**

$$受贈益の額 = \frac{その資産の価額}{（製造業者等の取得価額）} \times \frac{2}{3} - 自己負担額$$

（注）受贈益の額が30万円以下の場合には、経済的利益はないものとする。

取得価額 ＝ 自己負担額 ＋ 受贈益の額 ＋ 業務供用費用

12. 資本的支出と修繕費の実務的区分基準

一の修理、改良等の費用が20万円未満……修繕費とする		
資本的支出と修繕費が混合している場合	(1) 形式的区分	支出した金額が60万円未満又は前年末取得価額の10%相当額以下であれば全額修繕費とする。
	(2) 周期的支出の特例	3年以下の期間の周期とする定期的な支出は、修繕費とする。
	(3) その他の支出	支出額の30%相当額と前年末取得価額の10%相当額とのいずれか少ない方の金額を修繕費とし、残余を資本的支出とする。

13. 資本的支出の取扱い

(1) **平成19年4月1日以後取得の減価償却資産に係る資本的支出**……新たな資産の取得とする（耐用年数は本体と同じ）

(2) **平成19年3月31日以前取得の減価償却資産に係る資本的支出**

① 原　則……新たな資産の取得とする ⇨ 新償却方法（耐用年数は本体と同じ）

② 特　例……取得価額に加算することができる ⇨ 旧償却方法（耐用年数は本体と同じ）

14. 固定資産の取得のための借入金の利子等の取扱い

業務開始前の期間に対応する借入金利子は取得価額を構成し、それ以外は原則として必要経費に算入される。

15. 登録免許税

(1) 特許権、鉱業権のように登録により権利が発生する資産に係るもの……取得価額

ただし、自己の研究の成果に基づき取得した工業所有権に係るものについては、取得価額に算入しないことができる。

(2) (1)以外の業務用資産に係るもの……必要経費

16. 不動産取得税……必要経費

17. 維持補修が行われている未稼働資産等

現に稼働していない減価償却資産であっても、いつでも稼働し得る状態にある場合には、減価償却資産に該当する。

18. 特別償却……青色申告者の特典、中古資産は適用なし。

(1) 中小事業者の機械等の特別償却

（対象資産）160万円以上の機械及び装置、120万円以上の工具（測定工具又は検査工具）、70万円以上のソフトウェアで新品のもの

⇨ 取得価額 × 30%

※ 中小事業者……常時使用する従業員が1,000人以下の個人

(2) 医療用機器等の特別償却

（対象資産）１台又は１基の取得価額が500万円以上の一定の医療用機器等で新品のもの

⇨ 取得価額 × 12%

19. 端数処理

解答上、減価償却費は１円未満の端数を切り上げて処理している。

問題 48 減価償却（その１） （制限時間３分） 重要度 A

次の資料に基づき、居住者甲の減価償却費の額を計算しなさい。

なお、減価償却資産の内訳は次のとおりであり、本年中に取得した資産は取得後直ちに事業の用に供している。

資産の種類	取得価額	年初帳簿価額	耐用年数	償却率	取得時期
店舗	28,000,000円	7,417,900円	38年	0.027（旧定額法）	平成６年10月
従業員宿舎	4,000,000円	563,800円	22年	0.046（〃）	平成16年４月
備品	600,000円	−	8年	0.250（定率法）	本年９月
車両	1,500,000円	−	5年	0.400（定率法）	本年２月
ソフトウェア	540,000円	−	5年	0.200（定額法）	本年２月

⇨解答：242ページ

問題 49 減価償却（その２） （制限時間３分） 重要度 A

次の資料に基づき、居住者甲（旧定率法を選定）の事業所得の金額の計算上、必要経費に算入すべき減価償却費を計算しなさい。

なお、建物はいずれも平成10年３月31日以前の取得である。

種類	取得価額	年初未償却残額	耐用年数
建物Ａ	33,000,000円	9,373,000円	50年
建物Ｂ	12,500,000円	640,000円	50年
建物Ｃ	13,000,000円	650,000円	38年

《参考資料》

償却方法	38年	50年
旧定額法	0.027	0.020
旧定率法	0.059	0.045

⇨解答：242ページ

問題 50　減価償却（その３）～改定償却～

（制限時間３分）　重要度　B

製造業を営む居住者甲は、次に掲げる資産を事業の用に供している。

居住者甲の本年分及び翌年分の事業所得の金額の計算上、必要経費に算入すべき減価償却費を計算しなさい。

車両（令和３年４月取得・事業供用）

① 取得価額……3,200,000円

② 耐用年数……６年

③ 年初未償却残額……712,415円

④ 償却方法……定率法

⑤ 償却率

イ 定率法償却率……0.333

ロ 改定償却率……0.334

ハ 保証率……0.09911

⇨解答：243ページ

問題51 減価償却（その4）～少額減価償却資産等～

（制限時間3分）　重要度 A

物品販売業を営む居住者甲（青色申告者かつ中小事業者）は、次に掲げる資産を事業の用に供している。

居住者甲の本年分の事業所得の金額の計算上、必要経費に算入すべき金額を計算しなさい。

資産の種類	取得価額	事業供用日	年初未償却残額
自転車	55,000円	本年8月	—
陳列棚	150,000円	本年10月	—
パソコン	250,000円	本年12月	—
プリンター	123,000円	昨年5月	82,000円

（注）プリンターについては、昨年分の所得税の計算上、所得税法施行令第139条（一括償却資産の必要経費算入）の適用を受けている。

⇨解答：243ページ

問題52 減価償却（その5）～業務転用～

（制限時間3分）　重要度 A

居住者甲は、従来家事用として使用していた車両（令和4年2月に3,000,000円で取得したもの）を本年11月から営業用車両（耐用年数5年）として使用している。次のそれぞれにつき、本年分の事業所得の金額の計算上必要経費に算入すべき償却費の額を計算しなさい。

(1)　定額法による場合

(2)　定率法による場合

（注）償却率

	5年	7年	8年
定額法	0.200	0.143	0.125
定率法	0.400	0.286	0.250
旧定額法	0.200	0.142	0.125
旧定率法	0.369	0.280	0.250

⇨解答：244ページ

問題 53 減価償却（その6）〜償却方法の変更〜

（制限時間3分）　重要度 A

次のそれぞれについて、本年分の償却費を計算しなさい。

(1) 居住者甲は、減価償却資産（機械装置）の償却を定額法により行っていたが、本年分から定率法に変更する旨の承認を受けている。機械装置（耐用年数18年）の取得価額は15,000,000円、年初における未償却残額は8,420,000円である。

(2) 居住者乙は、減価償却資産（機械装置）の償却を定率法により行っていたが、本年分から定額法に変更する旨の承認を受けている。機械装置（耐用年数18年）の取得価額は15,000,000円、年初における未償却残額は6,278,241円である。

《参　考》

① 耐用年数18年の場合の定率法未償却残額表

経過年数	7年	8年	9年	10年
未償却残額割合	0.439	0.390	0.347	0.308

② 償却率

	4年	5年	6年	7年	9年	10年	14年	15年	18年
定額法	0.250	0.200	0.167	0.143	0.112	0.100	0.072	0.067	0.056
定率法	0.500	0.400	0.333	0.286	0.222	0.200	0.143	0.133	0.111

⇨解答：244ページ

問題 54　減価償却（その７）～資本的支出と修繕費～

（制限時間３分）　重要度 A

次の各設問について、修繕費として必要経費に算入される金額及び資本的支出の額を計算しなさい。

［設問１］

居住者甲は、製造業の用に供している機械装置（取得価額4,000,000円）の修理費用として、本年５月に500,000円を支出した。この支出は、修繕費と資本的支出に明らかに区分することができないものである。

［設問２］

居住者乙は、物品販売業の用に供している店舗（取得価額20,000,000円）について、本年12月に、資本的支出に該当する修理費用180,000円を支出した。

［設問３］

居住者丙は、物品販売業の用に供している倉庫（取得価額8,000,000円）の修理費用として、本年２月に750,000円を支出した。この支出は、修繕費と資本的支出に明らかに区分することができないものである。

［設問４］

居住者丁は、不動産賃貸業の用に供しているマンション（取得価額50,000,000円）の修理費用として、本年８月に6,500,000円を支出した。この支出は、修繕費と資本的支出に明らかに区分することができないものである。

⇨解答：245ページ

問題 55　減価償却（その８）～資本的支出の償却費～

（制限時間２分）　重要度 A

居住者甲は、本年４月、建物に4,000,000円の資本的支出を行っている。

この建物（耐用年数50年）は平成19年３月31日以前に取得したもので、旧定額法で償却しており、取得価額は40,000,000円、年初未償却残額は18,400,000円である。

本年分の減価償却費を甲に有利になるように計算しなさい。

《参考資料》

償却方法	旧定額法	旧定率法	定額法	定率法
50年	0.020	0.045	0.020	0.040

⇨解答：246ページ

問　題　56　減価償却（その９）～中古資産～

（制限時間４分）　重要度　A

居住者甲は、本年５月において次の中古資産を取得し、業務の用に供している。償却費の計算上適用すべき耐用年数及び備品、車両及び倉庫（いずれも定額法を選定している。）の減価償却費を計算しなさい。

資　産	購 入 価 額	法定耐用年数	経 過 年 数
備　品	600,000円	８年	２年
車　両	800,000円	５年	４年
倉　庫	3,800,000円	22年	８年５月

（注１）使用開始にあたって、車両に200,000円の改良費を支出している。

（注２）償却率

	2年	3年	6年	8年	15年	16年	22年
定額法	0.500	0.334	0.167	0.125	0.067	0.063	0.046

⇨解答：246ページ

問　題　57　減価償却（その10）～広告宣伝用資産～

（制限時間３分）　重要度　A

物品販売業を営む居住者甲は、本年４月１日に某製造会社から車両を400,000円で譲り受けた。この車両には、その車体に某社の主力製品名が大きく表示されており、その広告宣伝をしていることが明らかなものである。甲の本年分の事業所得の金額の計算上、総収入金額に算入すべき金額及び必要経費に算入すべき償却費の額を計算しなさい。

なお、この車両の某社における取得価額は1,800,000円、耐用年数は５年で、これに係る定額法の償却率は0.200である。また、甲はこの車両を本年４月15日から事業の用に供している。

（注）甲が本年において事業の用に供した車両は、この１台だけである。

⇨解答：247ページ

問題 58 減価償却（その11）～特別償却～

（制限時間５分） 重要度 B

次の資料に基づき、居住者甲（中小事業者に該当する。）の本年分の事業所得の金額の計算上、必要経費に算入すべき償却費の額を計算しなさい。

なお、甲は税額控除の適用を受けるつもりはない。

(1) 資産の明細

種類	取得価額	償却方法	法定耐用年数	償却率	備考
機械 A	1,200,000円	定率法	9年	0.222	本年３月22日取得、事業供用
機械 B	1,800,000円	定率法	15年	0.133	本年３月22日取得、事業供用
機械 C	2,500,000円	定率法	13年	0.154	本年５月１日取得、事業供用
ソフトウェア	800,000円	定額法	5年	0.200	本年８月15日取得、事業供用

(2) 甲は製造業を営んでおり、本年より青色申告の適用を受けるため、本年２月22日に前年分の確定申告書とともに所定の書類を税務署長に提出したが12月31日現在何の通知もない。

(3) 機械Ｃは、業務提携先の乙社から５年間使用したものを譲り受けたものであるが、それ以外の資産は全て新品である。

⇨解答：247ページ

問題 59 減価償却（その12）～その他の事項～　（制限時間３分）　重要度 A

次の設問に基づき、それぞれの問に答えなさい。

〔設問１〕

居住者Ａは本年７月に店舗を10,000,000円で取得し、本年９月から物品販売業を開始した。

なお、この店舗の取得に係る借入金の本年分の利子は200,000円であるが、このうち60,000円は物品販売業を開始するまでの期間に対応するものである。

また、Ａは８年前から不動産貸付業を営んでいる。

この場合における必要経費に算入されるべき借入金の利子を計算しなさい。

〔設問２〕

居住者Ｂは本年６月に商品保管用の倉庫を15,000,000円で取得し、本年８月から使用を開始した。

なお、この倉庫の取得に係る借入金の本年分の利子は250,000円であるが、このうち80,000円は使用を開始するまでの期間に対応するものである。

また、Ｂは６年前から物品販売業を営んでいる。

この場合における必要経費に算入されるべき借入金の利子を計算しなさい。

〔設問３〕

居住者Ｃは本年において土地（業務の用に供されるものである。）を取得しているが、この土地について本年に登録免許税150,000円及び不動産取得税135,000円を課されている。

この場合における必要経費に算入されるべき金額を計算しなさい。

⇨解答：248ページ

Ⅶ　繰延資産

1．会計上の繰延資産（開業費、開発費）の償却

繰延資産の額を任意に必要経費に算入できる。

⇨　全額必要経費に算入することができる。

2．税法独自の繰延資産の償却

$$\text{繰延資産の額} \times \frac{\text{その年中の業務月数}^{※}\text{（1月未満切上）}}{\text{償却期間}}$$

※　支出年分は支出した日から計算する。

（注）固定資産を利用するための繰延資産の償却開始時期の特例

支出した日において、その固定資産の建築等に着手されていないときは、その固定資産の建築等に着手した時から償却する。

3．少額繰延資産の必要経費算入

20万円未満の税法独自の繰延資産は支出年分の必要経費に算入する。

↑

一の契約等ごとに判定（分割払いの場合、1回の支払金額ではなく総額で判定する。）

4．分割払いの繰延資産

⑴　原　則……未払分は繰延資産経理できない。（未払金経理できない。）

⑵　例　外（その1）短期分割払いの負担金の未払金経理

分割して支払う期間が短期間（おおむね3年以内）である場合には、その総額を未払金に計上して償却することができる。

⑶　例　外（その2）長期分割払いの負担金の必要経費算入

公共的施設又は共同的施設の設置又は改良に係る負担金は、次の3つの要件に該当するときは、その負担金をその支出した日の属する年分の必要経費に算入することができる。

①　分割期間が償却期間以上であること

②　分割徴収負担金がおおむね均等額であること

③　負担金の徴収が、おおむね施設の工事着工後に開始されること

５．税法上の繰延資産の償却期間（代表的なもの）

<table>
<tr><th colspan="2">種　類</th><th>細　目</th><th>償却期間（１年未満切捨）</th></tr>
<tr><td rowspan="4">公共的施設等の負担金</td><td rowspan="2">公共的施設の設置等負担金</td><td>負担者専用</td><td>耐用年数の70％</td></tr>
<tr><td>そ　の　他</td><td>耐用年数の40％</td></tr>
<tr><td>共同的施設の設置等負担金</td><td>負担者・一般公衆の共同に供用
（アーケード・すずらん灯・アーチ等）</td><td>５年と耐用年数のいずれか少ない方</td></tr>
<tr><td colspan="3">（注１）負担者の属する協会等の本来の用に供される会館等の建設負担金の償却期間
⇨　耐用年数×70％と10年のいずれか少ない方
（注２）街路の簡易舗装、街灯、がんぎ等で、主として一般公衆の便益に供されるものは、支出時の必要経費とすることができる。</td></tr>
<tr><td rowspan="4">資産の賃借権利金</td><td rowspan="3">借家権利金</td><td>新築で権利金が建設費の大部分</td><td>耐用年数の70％</td></tr>
<tr><td>借家権として転売可能</td><td>見積残存耐用年数の70％</td></tr>
<tr><td>上記以外</td><td>５年（契約期間が５年未満で更新時に再び権利金の支払を要することが明らかであるものは契約期間）</td></tr>
<tr><td colspan="3">（注）建物の賃借に際して支払った仲介手数料は、支出時の必要経費とできる。</td></tr>
<tr><td colspan="3">広告宣伝用資産の贈与費用</td><td>５年と耐用年数の70％のいずれか少ない方</td></tr>
<tr><td colspan="3">同業者団体等の加入金</td><td>５年</td></tr>
<tr><td colspan="3">ノーハウの頭金等</td><td>５年（有効期間が５年未満で更新時に再び権利金の支払を要することが明らかであるものは有効期間）</td></tr>
</table>

問題 60 繰延資産　（制限時間６分）　重要度 A

居住者甲は、事業所得を生ずべき事業に関連し、本年において次の費用を支出した。本年分の事業所得の金額の計算上、必要経費に算入すべき金額を計算しなさい。

(1) 支店の建物を賃借するため、本年７月に権利金5,000,000円及び不動産業者へ仲介手数料200,000円を支払った。契約期間は６年であるが、契約更新の際に再び権利金の支払を要するものである。

(2) 本店の所在する商店街で共同のアーケード（耐用年数15年）を建設することになり、その負担金を本年６月に300,000円支払った。なお、アーケードの建設に着手したのは本年８月５日である。

(3) 支店の所在する商店街通りにすずらん灯を設置することになり、負担金140,000円を本年９月に支払った。

(4) 甲の所属する商店会で建設した会館（協会本来の用に供するもの）の負担金600,000円を本年10月に支払った。なお、この建物の耐用年数は35年である。

(5) アーチ（耐用年数15年）を建設するために本年７月に支払った負担金は80,000円である。この負担金は令和11年まで５回の年賦（翌年からは10月支払）である。

(6) すずらん灯（耐用年数15年）を建設するために本年７月に支出した負担金は160,000円（総額は320,000円で本年と翌年の２回年賦の契約）である。

(7) 加入する販売業者連合会が本来の用に供する会館（耐用年数50年）を建設するために本年10月に支払った負担金は250,000円（建設に着手されたのは本年９月で、今年から毎年10月に12回の年賦払で支払うことになっている。）である。

(8) 本店の所在する商店街の道路の簡易舗装の費用として、250,000円を負担することになり、本年９月に支払った。この道路は一般公衆の便益に供されるものである。

⇨解答：248ページ

Ⅷ　資産損失

〔1〕事業用固定資産の資産損失

1．対象資産

居住者の営む不動産所得、事業所得又は山林所得を生ずべき事業の用に供される固定資産及び固定資産に準ずる繰延資産

※　建設中の固定資産についても適用がある。

2．損失の発生原因 ⇨ 譲渡、譲渡関連以外のすべての原因

3．損失額の取扱い ⇨ 損失発生年分の必要経費に算入する。

4．損失額の計算

損失発生直前の未償却残額 － 損失発生直後の時価 － 廃材価額 － 保険金等

（損失発生直前の未償却残額 － 損失発生直後の時価 ＝ 資産損失の基礎価額）

5．原状回復費用の取扱い

- 資産損失の基礎価額に達するまでの金額 → 資本的支出とする（必要経費不算入）。
- 上記以外 → 必要経費に算入する。

6．償却費の計算

その年分の償却費 ＝ ⑴ ＋ ⑵ ＋ ⑶

⑴　損壊等部分

取得価額（定率法の場合は年初未償却残額）【A】 × $\frac{\text{資産損失の基礎価額}}{\text{損失直前の未償却残額}}$ ＝【B】

【B】の年償却費 × $\frac{\text{年初から損失発生日までの月数（1月未満切上）}}{12}$

⑵　その他の部分

〔【A】－【B】〕の年償却費

⑶　資本的支出部分

資本的支出部分の年償却費 × $\frac{\text{業務の用に供した日から年末までの月数（1月未満切上）}}{12}$

7．原状回復費用及びその他の支出を同時に行った場合（区分不明の場合）

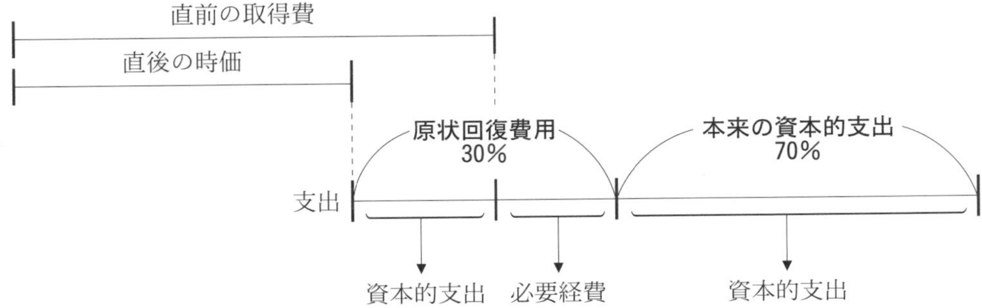

8．スクラップ化した資産の譲渡損失

資産の譲渡損が生じた場合において、その資産が譲渡前にすでにスクラップ化していたときは、その譲渡に係る損失の金額は、必要経費に算入すべき資産損失の金額とする。

〔2〕事業上の債権の貸倒損失

1．対象資産

居住者の営む不動産所得、事業所得又は山林所得を生ずべき事業の遂行上生じた売掛金、貸付金、前渡金その他これらに準ずる債権

2．損失の発生原因 ⇨ 貸倒れ等

3．損失額の取扱い ⇨ 損失発生年分の必要経費に算入する。

4．貸倒れの認定

(1) 現実の貸倒れ

事　　実	貸倒損失としての必要経費算入額
・更生計画の認可の決定 ・特別清算に係る協定の認可の決定 ・再生計画の認可の決定 による切捨て	その切り捨てられることとなった金額
債権者集会の協議決定による切捨て	
債務超過の状態が相当期間継続し、その貸金等の弁済を受けることができない場合において、債務免除額を書面により通知したこと	その通知した債務免除額

(2) 事実上の貸倒れ

債務者の資産状況、支払能力等からみて貸金等の全額が回収できないことが明らかになった場合 （注）担保物があるときは、貸倒れとできない	その債務者に対して有する貸金等の全額

(3) 売掛債権の貸倒れの特例

債務者との取引を停止した時又は最後の弁済の時のいずれか遅い時以後1年以上を経過したこと	その債務者に対して有する売掛債権（貸付金等を含まない。）の額から備忘価額（1円以上）を控除した残額
同一地域の債務者に対する売掛債権の総額がその取立費用に満たない場合において、支払を督促したにもかかわらず弁済がないこと	

問 題 61　事業用固定資産の損失（その１）（制限時間７分）　重要度 A

物品販売業を営む居住者甲は、本年９月22日に商品配達中に交通事故に遭った。これにより、配達用のトラックの一部が損壊した。

次の資料に基づき、必要経費に算入される①資産損失額、②原状回復費用、③償却費（資本的支出部分に係る償却費を含む。）をそれぞれ計算しなさい。

イ	トラックの取得価額	3,000,000円
ロ	トラックの取得時期	令和３年10月
ハ	本年１月１日における未償却残額	1,371,750円
ニ	損失発生直前時価	1,200,000円
ホ	損失発生直後時価	650,000円
ヘ	取得保険金	600,000円
ト	耐用年数	６年
チ	償却方法	定額法（償却率　0.167）

甲は、同月24日に1,000,000円の費用をかけて修理をし、同月中に事業の用に供した。

⇨解答：249ページ

問 題 62　事業用固定資産の損失（その２）（制限時間８分）　重要度 B

次の資料に基づき、居住者甲の事業所得の金額の計算上、必要経費に算入すべき資産損失額、原状回復費用及び建物の償却費を最も有利になるように計算しなさい。なお、建物の償却方法は旧定率法によっている。

(1)　本年７月建物（平成10年３月以前取得、年初未償却残額7,680,000円、耐用年数41年）が災害により損壊した。損壊直後の時価は6,000,000円、受け取った保険金は1,000,000円、廃材価額は20,000円である。

(2)　本年８月に、6,700,000円の費用をかけて改修し、同月より事業の用に供した。

なお、原状回復費用の額とその他の部分とに区分することができない。

※　耐用年数41年の場合の償却率

旧定額法……0.025　　旧定率法……0.055

定 額 法……0.025　　定 率 法……0.049

⇨解答：250ページ

問題 63 貸倒損失

（制限時間５分） 重要度 A

居住者甲の有する債権について次のような事実が発生した。この場合、所得税法上の貸倒損失の取扱いについて答えなさい。

1．得意先Ａ商店は会社更生法の更生計画の認可の決定があり、貸付金4,000,000円のうち3,000,000円が切り捨てられることとなった。

2．得意先Ｂ商店は相当期間債務超過の状況にあり、当店の有する売掛金5,000,000円の弁済については3,000,000円の回収が困難であると考えられる。

3．甲の従兄が経営するＣ商事に対して4,000,000円を貸し付けていたが、同商事の資産状況、支払能力からみて、回収できないことが明らかである。

(1) 担保物として建物の権利書（時価2,000,000円）を預かっており、全額が回収できないと考えられるとき

(2) 担保物はないが回収できないと考えられる金額が3,000,000円のとき

(3) 全額が回収できないと考えられ、さらに担保物がないとき

4．開店以来取引を続けていたＤ社は、支払能力が悪化したため１年６カ月前から取引を停止している。

なお、Ｄ社に対し貸付金500,000円及び売掛金600,000円がある。

5．北海道地区における売掛金は次のとおりであるが、各商店に対し支払をするように督促したが未だに支払がない。

	売掛金	取立費用
Ｅ商店	20,000円	
Ｆ商店	80,000円	200,000円
Ｇ商店	40,000円	

6．甲は、取引先Ｈ社の銀行からの融資について保証人となっていたが、Ｈ社は経営状況の悪化により、返済不能に陥り、本年８月に甲が保証債務を履行し3,000,000円の求償権が発生した。この求償権は、甲の事業の遂行上生じたものであると認められるが、本年末現在、その行使不能が明らかである。

⇨解答：251ページ

Ⅸ　引当金

貸倒引当金繰入額は、次の１（個別評価貸金等に係るもの）と２（一括評価貸金に係るもの）の合計額である。

１．個別評価貸金等

⑴　適用要件

不動産所得、事業所得又は山林所得を生ずべき事業を営む居住者

（注）白色申告者でも貸倒引当金の繰入ができる。

⑵　繰入限度額

繰入限度額は、次の区分の場合に応じ、それぞれに掲げる金額とする。

①　**更生計画認可の決定等**の事由により賦払等により弁済されるもののうち、その事由が生じた年の翌年１月１日から５年を経過する日までに弁済されることとなっている金額以外の金額（取立て等の見込みがあると認められる金額を除く。）

≪令和７年の場合≫

令和13年以後に弁済等される金額 － 質権、抵当権等の担保金額

②　①以外の貸金等に係る債務者につき、**債務超過の状態が相当期間継続し、その営む事業に好転の見通しがないこと等**により、その貸金等の一部の金額につき、その取立て等の見込みがないと認められる金額

その取立て等の見込みがないと認められる金額

③　上記以外の貸金等に係る債務者につき、**更生手続開始の申立て等**の事由が生じている場合におけるその貸金等の額の100分の50に相当する金額

但し、貸金等のうち次の部分の金額を除く

イ　実質的に債権とみられない部分の金額（支払手形除く。）

ロ　担保権の実行により取立て等の見込みがあると認められる金額

ハ　金融機関又は保証機関による保証又は債務の履行により取立て等の見込みがあると認められる金額

ニ　その他取立て等の見込みがあると認められる金額（第三者振出手形）

（貸金等の額 － 実質的に債権とみられない部分の金額等）× 50%

④　その他

2．一括評価貸金

(1) 適用要件

青色申告者で事業所得を生ずべき事業を営む居住者

（注）事業所得を生ずべき青色申告者についてのみ貸倒引当金の繰入ができる。

(2) 繰入限度額

> ① **債権の額**
>
> 事業上の債権の額 － 個別評価貸金等
>
> ② **実質的に債権とみられないもの**
>
> イ　原則法 ｝いずれか少ない方
> ロ　簡便法
>
> ③ 〔① － ②〕× **5.5%**（金融業は3.3%）
> （〔① － ②〕＝**貸金の額**）

※1　貸金に該当しない債権

イ　差入保証金、敷金等　ロ　支払手付金、前渡金等　ハ　前払給料、概算払旅費、前渡交際費等　ニ　雇用調整給付金等の未収金　ホ　仕入割戻しの未収金

※2　実質的に債権とみられないもの

イ　原則法（各債務者ごとに判定）

ロ　簡便法（平成27年1月1日以後事業所得を生ずべき事業を営む者）

$$\text{年末債権額} \times \frac{\text{分母各年末の原則法での実質的に債権とみられないものの合計額}}{\text{平成27年及び平成28年の各年末の債権額の合計額}} \quad \left[\text{小数点3位未満切捨}\right]$$

（注）年末債権額は個別評価貸金等を控除した後の金額

3．1 ＋ 2 ＝ 貸倒引当金繰入額

4．総収入金額算入

翌年全額洗替方式

5．その他ポイント

(1) 割引手形、裏書手形は一括評価貸金に該当する。

(2) 質権、抵当権等で担保されている部分の金額は、一括評価貸金に係るものの場合には、控除しない。

問題 64 貸倒引当金（その１） （制限時間２分） 重要度 A

次の事業債権のうち、一括評価貸金の貸倒引当金の設定の対象となる債権を選びなさい。

(1) 売掛金の回収として受け取った手形

(2) (1)の手形を銀行で割り引いたもののうち、年末までに決済がなされていないもの

(3) 機械の購入代金としての前渡金

(4) 仕入先に対する差入営業保証金

(5) 従業員に対する貸付金

(6) 未収金（売却した土地代金の未収額）

(7) 仮払金（出張旅費の概算払い）

(8) 不動産貸付業に係る未収家賃

⇨解答：251ページ

問題 65 貸倒引当金（その２） （制限時間２分） 重要度 A

得意先Ｃ商店は、本年８月10日に手形交換所において取引停止処分を受けた。同店に対して居住者甲（白色申告者）は、売掛金600,000円、受取手形800,000円（うち、第三者振出の手形200,000円）、貸付金7,100,000円（5,500,000円相当額の抵当権が設定）がある。

以上の資料から、甲の貸倒引当金勘定の繰入額を計算しなさい。

⇨解答：251ページ

問題 66 貸倒引当金（その３）　（制限時間４分）　重要度 A

物品販売業を営む居住者甲（青色申告者）の次の債権につき貸倒引当金繰入額を計算しなさい。

(1) 売　掛　金　　　6,400,000円

このうち、A商店に対するもの3,100,000円が含まれているが、同店とは相互に取引をしており、同店に対する買掛金が3,400,000円ある。

(2) 受取手形　　　5,070,000円

また、このほか割引手形が300,000円ある。

(3) 貸　付　金（得意先に対するもの）　　　7,000,000円

このうち、C商店に対するもの3,000,000円に対しては、C商店の土地に抵当権（時価6,000,000円相当額）が設定してある。

(4) 未　収　金　　　3,150,000円

この内訳は次のとおりである。

① 仕入割戻しの未収金　　　150,000円

② 事業用固定資産売却に係る未収金　　　3,000,000円

(5) 仮　払　金　　　280,000円

これは出張旅費の概算払いである。

（注）甲は平成21年より物品販売業を開始しており、平成27年及び平成28年の各年末における債権の合計額は37,015,000円、その各年末における実質的に債権とみられないものの合計額は5,125,000円である。

⇨解答：252ページ

問題67 貸倒引当金（その4）　（制限時間4分）　重要度 A

次の資料に基づき、居住者甲の事業所得の金額の計算上、必要経費に算入すべき貸倒引当金繰入額を計算しなさい。なお、甲は青色申告書を提出することにつき税務署長の承認を受けている。

1．年末債権の額

売掛金	10,000,000円	
受取手形	8,000,000円	
貸付金	1,000,000円	（友人に対する貸付金であり、事業の遂行上生じたものではない。）

2．売掛金にはA社に対するものが3,000,000円、B社に対するものが800,000円あり、A社に対しては買掛金2,000,000円、B社に対しては借入金1,500,000円がある。

3．受取手形にはB社からのものが1,000,000円含まれている。

4．平成27年及び平成28年の各年末における債権の合計額は44,000,000円、実質的に債権とみられないものの額は7,510,000円である。

⇨解答：252ページ

問題68 貸倒引当金（その5）　（制限時間2分）　重要度 A

次の資料に基づき、居住者甲の本年分の貸倒損失額及び貸倒引当金繰入額を計算しなさい。

甲の取引先A㈱は、本年7月、民事再生法の再生計画認可の決定を受けている。

なお、民事再生法の再生計画認可の決定内容は、売掛金1,200,000円のうち3分の1は同月中に切り捨て、残りの3分の2は令和11年2月を第1回とし、令和12年からは毎年8月に80,000円の10回均等額の弁済を受けることとなったものである。

⇨解答：253ページ

問題69 貸倒引当金（その6）　（制限時間3分）　重要度 C

次の資料に基づき、居住者甲の本年分の貸倒引当金繰入額及び戻入額を計算しなさい。

甲は前年10月におけるA㈱の会社更生法の規定による更生計画認可の決定に基づき、同㈱に対する売掛金700,000円に対し貸倒引当金勘定を設定し、同年分の事業所得の金額の計算上、必要経費に算入したものが本年初残高として600,000円ある。

なお、前年の会社更生法の規定による決定内容は、売掛金のうち500,000円については令和10年8月を第1回とし、毎年8月に50,000円の10回均等額の弁済を受け、残額の200,000円については弁済の履行を条件として、その後切り捨てることとなったものである。

（注）　本年末まで弁済の履行が行われた部分の金額はない。

⇨解答：254ページ

X　同一生計親族が事業から受ける対価

1．原　則

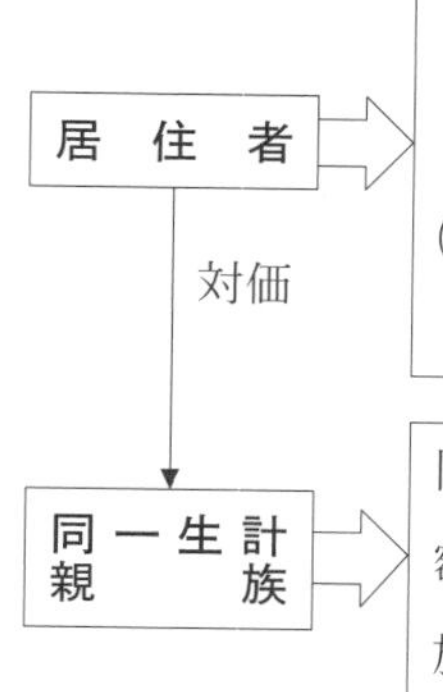

(1)　同一生計の親族に支払った事業上の対価（労務の対価、資産の使用料等）は、事業主の事業に係る不動産所得の金額、事業所得の金額又は山林所得の金額の計算上、必要経費に算入されない。

(2)　その親族のその対価に係る所得の金額の計算上必要経費に算入されるべき金額は、事業主の事業の所得の金額の計算上、必要経費に算入される。

同一生計の事業主から支払を受けた対価の額及びその対価に係る所得の金額の計算上必要経費に算入されるべき金額は、その対価の支払を受けた親族の所得の金額の計算上ないものとみなす。

※　同一生計親族の資産を無償で事業の用に供している場合にも上記取扱いがある。

2．給与に対する特例

	青色事業専従者給与	事業専従者控除
要件	青色事業専従者が事業から給与の支払を受けた場合	事業専従者がある場合
対象金額	支払われた額のうち届出書に記載されている金額の範囲内で労務の対価として相当なもの	次のイ又はロのいずれか少ない金額 イ　500,000円（配偶者860,000円） ロ　$\frac{\text{適用前の事業の所得の金額}}{1 + \text{事業専従者数}}$
取扱い	（事業主）事業の所得の金額の計算上、必要経費に算入する。 （親　族）給与所得の収入金額とする。	（事業主）事業の所得の金額の計算上、必要経費とみなす。 （親　族）給与所得の収入金額とみなす。
手続	青色事業専従者給与に関する届出書の提出 <期限>原則　⇨　その年3月15日まで 1月16日以後開業・専従者を有することとなる場合　⇨　その日から2月以内	確定申告書記載
専従者	事業主の同一生計親族（15歳以上の者に限る。）で、その事業に専ら従事→6月超（※）	
	※　年の中途の開廃業等の場合 …従事可能期間の2分の1超の期間	

問題 70 同一生計親族が事業から受ける対価（その１）　（制限時間３分）　重要度 A

物品販売業を営む居住者甲（青色申告者）の営業費計上額12,650,000円には、次のものが含まれている。甲の必要経費に算入される金額を計算しなさい。

(1) 事業用店舗の使用料（本年対応分）　4,800,000円

これは、甲と同一生計の父から賃借しているもので、使用料として相当な額である。

なお、この店舗に係る固定資産税480,000円と修繕費220,000円は父が支払っているため、営業費には含まれていない。また、この店舗の減価償却費は旧定額法によれば378,000円、旧定率法によれば284,650円と計算されるが、当該店舗の償却費については未処理である。

（注）父は、減価償却資産の償却方法は旧定率法を選定している。

(2) 借入金の利子（本年対応分）　720,000円

これは、甲の兄（甲と別生計である。）から借り入れた事業用資金に係るものである。

(3) 甲の長男（同一生計）に支払った給与1,800,000円及び長女に対する給与700,000円

これらは、過去に提出されている青色事業専従者給与に関する届出書に記載されていた金額の範囲内で、労務の対価として相当な額である。

なお、長女の従事期間は４月までであり、５月には他家に嫁ぎ、その夫の控除対象配偶者として申告されている。

(4) 長女に支払った退職金　500,000円

⇨解答：254ページ

問題71 同一生計親族が事業から受ける対価（その2）　（制限時間4分）　重要度 A

次の各設問について、本年分の事業所得の金額の計算上必要経費に算入される青色事業専従者給与又は事業専従者控除の額を計算しなさい。

なお、〔設問1〕〔設問2〕及び〔設問4〕における支給した給与の額は、「青色事業専従者給与に関する届出書」に記載した金額の範囲内の金額であり、労務の対価として相当な金額であるものとする。

〔設問1〕

青色申告者である居住者甲は、本年9月に物品販売業を開始し、生計を一にする妻に対し、本年中に青色事業専従者給与800,000円を支給した。

妻は、本年9月から年末まで、甲の事業に従事している。

〔設問2〕

青色申告者である居住者甲は、甲が営む製造業に従事する長男（同一生計）に対し、本年中に青色事業専従者給与2,700,000円を支給した。

長男は、本年3月に大学を卒業し、4月から年末まで甲の事業に従事しているが、7月から8月までの期間についてはアメリカに短期留学したため従事していない。

〔設問3〕

居住者甲（青色申告者でない。）は、甲が営む飲食業に従事する長女（同一生計）に対し、本年中に給与1,000,000円を支給した。

長女は、本年8月にA社を退職し、9月から年末まで、甲の事業に従事している。

なお、上記の給与を計上する前の事業所得の金額は8,050,000円である。

〔設問4〕

物品販売業及び不動産貸付業を営む居住者甲（青色申告者である）は、本年中に、生計を一にする長女に対し、給与2,900,000円を支給している。

長女は、年を通じて物品販売業及び不動産貸付業に従事しているが、その従事割合を区分することができない。

⇨解答：255ページ

問題 72 同一生計親族が事業から受ける対価（その3）

（制限時間1分）

重要度	A

居住者甲は事業所得を生ずべき事業を営んでおり、甲の配偶者乙は、甲の営む事業に専従している。次の資料に基づき、事業専従者控除額を計算しなさい。

（注）甲は青色申告書提出の承認を受けていない。

(1) 事業専従者控除額控除前の事業所得の金額　　8,549,000円

(2) 専　従　者　　乙1人

⇨解答：256ページ

XI その他

〔1〕消費税の経理処理方式

1．税込方式

消費税を取引の対価に含めて経理する方式。

（注）処理が簡便であり、簡易課税を選択する場合には望ましい。

⑴ 処理方式

収益・費用共に消費税を含めて計上しているため、課税売上高に係る消費税額と課税仕入高に係る消費税額との差額を必要経費又は総収入金額に算入する。

納付すべき場合……………**租　税　公　課**　××　／　**現金（未払金）**　××

還付を受けるべき場合……**現金（未収金）**　××　／　**雑　　収　　入**　××

⑵ 必要経費（総収入金額）算入時期

① 原　則

確定申告書提出年分（つまり翌年分）の必要経費（総収入金額）に算入する。

② 特　例

年末において、未払金（未収金）経理により、その年分の必要経費（総収入金額）とすることができる。

2．税抜方式（免税業者は採用できない）

消費税を本来の損益に直接関係させず、仮受消費税勘定・仮払消費税勘定で処理する方式。

（注）本来の損益とは関係させないため、期間損益計算が正しく行える。

⑴ 処理方式

年末における仮受・仮払消費税勘定の精算だけである。

納付すべき場合　…………　**仮受消費税**　××　／　**仮払消費税**　××
　　　　　　　　　　　　　　　　　　　　　　　未　払　金　××

還付を受けるべき場合……　**仮受消費税**　××　／　**仮払消費税**　××
　　　　　　　　　　　　　未　収　金　××

〔2〕控除対象外消費税額（地方消費税を含む。）

1．控除対象外消費税額の意義

税抜方式を採用している場合において、課税売上5億円超又は課税売上割合が95%未満のときは、課税売上に対応する消費税額しか仕入税額控除できないため仮払消費税勘定が残ることになる。

この仕入税額控除できない消費税額のことを控除対象外消費税額という。

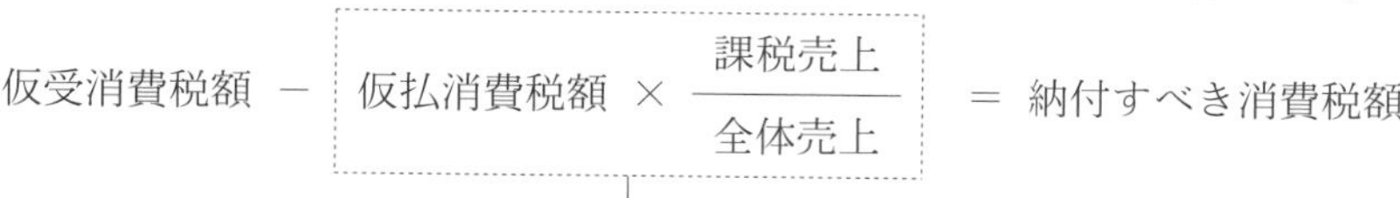

仮受消費税額 － 仮払消費税額 × 課税売上 / 全体売上 ＝ 納付すべき消費税額

残りが控除対象外消費税額

第6章 事業所得

2．控除対象外消費税額の取扱い

⑴　経費に係るもの……必要経費算入

⑵　資産に係るもの

イ　課税売上割合が80％以上……必要経費算入

ロ　課税売上割合が80％未満

a $\left\{\begin{array}{l}\text{棚卸資産に係るもの}\\\text{少額控除対象外消費税（20万円未満）}\end{array}\right\}$ 必要経費算入

（注）一の資産毎に判定

b　その他……繰延消費税額として60ヵ月償却

1年目

$$\text{繰延消費税額} \times \frac{\text{業務期間月数}}{60} \times \frac{1}{2} = \text{必要経費算入額}$$

2年目～5年目

$$\text{繰延消費税額} \times \frac{12}{60} = \text{必要経費算入額}$$

6年目

繰延消費税額 － 1年目から5年目まで必要経費に算入された額 ＝ 必要経費算入額

〔3〕医業の所得計算

1．社会保険診療報酬の所得計算の特例

医業又は歯科医業を営む個人が、その社会保険診療報酬に係る費用として必要経費に算入する金額は、実額によらず、概算経費率で計算することが認められている。

なお、医業から生じる収入金額が7,000万円を超える場合は、概算経費の適用はない。

次の①と②のいずれか多い金額

①　社会保険診療報酬に係る実額で計算した必要経費の額

②　社会保険診療報酬の額 × 概算経費率

2．自由診療報酬（社会保険診療報酬以外の収入）の所得計算

社会保険診療報酬以外の事業収入に係る必要経費については、実額によらねばならない。

（注）減価償却費などの共通経費は指示に従って按分する。

3．青色申告特別控除

社会保険診療に係る所得について概算経費を適用している場合には、自由診療等に係る所得を基礎として計算する。

問題 73 消費税（その１）～経理処理～

（制限時間２分）　重要度 B

次の各設問について、本年分の所得税額が最も有利になるように、本年分の事業所得の金額の計算上必要経費（〔設問３〕は総収入金額）に算入すべき消費税の額を答えなさい。

〔設問１〕

消費税の課税事業者である居住者甲は、本年３月に、前年分の消費税1,200,000円を納付した。この消費税は、前年分の所得計算上必要経費に算入していない。

なお、消費税の経理処理は、税込経理方式を採用している。

〔設問２〕

消費税の課税事業者である居住者乙の本年分の納付すべき消費税の額は2,454,000円である。この消費税は翌年３月末までに納付すべきものである。

なお、消費税の経理処理は、税込経理方式を採用している。

〔設問３〕

消費税の課税事業者である居住者丙の本年分の還付を受けるべき消費税の額は480,000円である。この消費税は翌年３月末の申告により還付されるものである。

なお、消費税の経理処理は、税込経理方式を採用している。

〔設問４〕

消費税の課税事業者である居住者丁は、本年３月に、前年分の消費税2,864,000円を納付した。なお、消費税の経理処理は、税抜経理方式を採用している。

⇨解答：256ページ

問題 74 消費税（その２）～控除対象外消費税等①～

（制限時間２分）　重要度 B

次の資料に基づき、物品販売業を営む居住者甲に係る消費税について、本年分の事業所得の金額の計算上必要経費に算入すべき金額を計算しなさい。

なお、消費税の経理処理は、税抜経理方式によっている。

(1)　商品の仕入に係る控除対象外消費税額等　1,209,600円

(2)　経費に係る控除対象外消費税額等　1,528,800円

(3)　店舗建物に係る控除対象外消費税額等　360,000円

(4)　課税売上割合　85%

⇨解答：257ページ

問題 75 消費税（その3）～控除対象外消費税等②～ （制限時間3分） 重要度 B

次の資料に基づき、数年前から物品販売業を営んでいる居住者甲に係る消費税に関して、本年分の事業所得の金額の計算上必要経費に算入される金額を計算しなさい。

なお、甲は、消費税の経理処理については税抜経理方式を採用している。

また、消費税等の税率は10%であるものとする。

(1) 甲の本年の消費税の課税売上高は 260,000,000円（消費税額26,000,000円）、非課税売上高は 140,000,000円である（課税売上割合は65%である。）。

(2) 甲の本年の消費税の課税仕入等の額は 144,000,000円であり、その内訳は次のとおりである。

区　分	課税仕入等の額	消 費 税 額	仕入税額控除の対象となる消費税額	控除対象外消費税額
棚卸資産	72,000,000 円	7,200,000 円	4,680,000 円	2,520,000 円
経　　費	48,000,000 円	4,800,000 円	3,120,000 円	1,680,000 円
Y 機 械	24,000,000 円	2,400,000 円	1,560,000 円	840,000 円
合　計	144,000,000 円	14,400,000 円	9,360,000 円	5,040,000 円

⇨解答：257ページ

問題 76 医業

（制限時間11分）　重要度 A

次の資料に基づき、居住者甲の本年分の事業所得の金額を計算の過程を明らかにして、甲に有利になるように計算しなさい。

〈資　料〉

甲は内科医業を営んでおり、本年中における医業の収入及び必要経費の金額は、次のとおりである。なお、甲は開業年から青色申告書の提出の承認を受けており、所得の金額に係る一切の取引の内容を詳細に記録等し、電子申告することとしている。

1．収入及び必要経費

区　　分	社会保険診療報酬	自由診療報酬
収　入	3,215,000円	720,800円
必要経費（減価償却費を除く。）	1,310,410円	242,690円

(1) 上記収入のうち、社会保険診療報酬の金額は、源泉徴収所得税85,000円を控除した後の手取金額である。

(2) 必要経費には、同一生計の妻名義である医院の建物の家賃として妻に支払った100,000円が社会保険診療分に70,000円、自由診療分に30,000円含まれている。

2．減価償却資産は次のとおりであり、償却方法は定額法によっている。
なお、いずれの資産も平成19年4月1日以後に取得したものである。

区　　分	法定耐用年数	取得価額	年初未償却残高
診療用機器A	10年	400,000円	80,000円
診療用機器B	10年	200,000円	25,000円
往診用乗用車	6年	800,000円	499,400円

3．甲は、本年6月末、上記乗用車を新車と買い換えるため、自動車販売店に400,000円で下取りさせ、この下取代金を新車購入代金の頭金とし、残金600,000円は7月より毎月30,000円の20回払の月賦とした。この新車は7月1日から往診専用車として使用している。

（注）区分の明らかでない共通経費の社会保険診療報酬分と自由診療収入分の区分は、7：3の割合で計算しなさい。

《参考資料》

・社会保険診療報酬に係る概算経費率
　報酬の額が25,000,000円以下の場合…報酬の額×72%

・減価償却資産の償却率
　〈定額法〉

6年	10年
0.167	0.100

⇨解答：258ページ

MEMO

第7章
給与所得

1．給与所得となるもの

俸給、給料、賃金、歳費、賞与等

2．課税されない給与等

(1) 通勤手当で月額150,000円までの金額

(2) 職務上必要な制服等

(3) 出張旅費等

(4) いわゆる在外手当

(5) 外国政府等に勤務する特定の者の給与

(6) 特定新株予約権（ストックオプション）に係る経済的利益

(7) 被災見舞金、結婚祝金等で社会通念上相当なもの

3．給与所得の金額

収入金額 － 給与所得控除額（最低55万円）

（注）特定支出の額が給与所得控除額の２分の１を超える場合には、申告を要件にその超える部分の特定支出の額をさらに控除することができる。

特定支出の額

① 通勤費　② 職務上の旅費　③ 転任に伴う転居費用

④ 研修費（一定のものに限る。）　⑤ 人の資格を取得するための支出

⑥ 単身赴任者の勤務場所等と留守宅との往復の旅費

⑦ 職務に関連する書籍、制服、交際費等（65万円限度）

4．収入金額の計上時期

(1) 給料等

- 支給日の定めあり………………支給日
- 支給日の定めなし………………実際に支払のあった日

(2) 給与規程の改訂により既往の期間に対応して支払われる新旧給与との差額相当額

- 支給日の定めあり………………支給日
- 支給日の定めなし………………その改訂の効力が生じた日

5．所得金額調整控除

(1) 給与等の収入金額が850万円を超える場合

その年中の給与等の収入金額が850万円を超える居住者で、次のいずれかに該当するものは、総所得金額を計算する際に、次の算式で計算された控除額を、その年分の給与所得の金額から控除する。

① 居住者が特別障害者の場合又は特別障害者である同一生計配偶者又は扶養親族を有する場合

② 居住者が年齢23歳未満の扶養親族を有する場合

（給与等の収入金額〔1,000万円限度〕 － 850万円） × 10%

(2) 給与所得と公的年金等に係る雑所得の双方を有する場合

その年分の給与所得控除後の給与等の金額及び公的年金等に係る雑所得の金額がある居住者で、これらの金額の合計額が10万円を超えるものは、総所得金額を計算する際に、次の算式で計算された控除額を、その年分の給与所得の金額から控除する。

① 給与所得控除後の給与等の金額（10万円限度）
② 公的年金等に係る雑所得の金額（10万円限度）
③ ①＋②－10万円

問　題　77　給与所得（その１）　（制限時間４分）　重要度　A

それぞれの場合における給与所得の金額を計算しなさい。なお、下記金額はすべて税引前の金額である。

問１　本　　給　3,600,000円
　　残業手当　230,000円
　　役付手当　180,000円
　　勤続手当　120,000円
　　住宅手当　96,000円
　　出張旅費　87,000円（旅費規程に基づき支給されたが、実際に使ったのは60,000円であった。）
　　通勤手当　690,000円（１月当たり57,500円で、12カ月分である。）

問２　給料賞与　4,930,000円（この中には前年12月分の給料140,000円が含まれている。給料の支給日は翌月25日である。）
　　結婚祝い金　20,000円（社会通念上相当な額である。）

⇨解答：259ページ

問　題　78　給与所得（その２）　（制限時間３分）　重要度　B

給与所得者である居住者甲が、本年中に勤務先のＡ株式会社から支給を受けた給与の額は8,705,000円（税引前の金額）であるが、この金額には次に掲げるものは含まれていない。

甲の本年分の給与所得の金額（所得金額調整控除考慮前の金額）を計算しなさい。

(1)　養老保険の保険料　600,000円

この養老保険は、Ａ社が甲を被保険者として加入したものであり、死亡保険金の受取人は甲の妻、満期保険金の受取人はＡ社とする契約である。

(2)　給与規定の改定による新旧給与の差額　240,000円

これは、本年１月にＡ社の給与規定が改定されたことに伴い、前年５月にさかのぼって、月額３万円の昇給が認められその差額として支給を受けたものである。

⇨解答：260ページ

問題 79 給与所得（その3）　（制限時間4分）　重要度 B

居住者甲はA㈱（上場会社）に勤務しており、同社の業績に貢献したことによりストックオプションを以前から付与されていたが、本年2月にこの権利を行使することにより同社の新株5,000株を取得し、本年3月に、証券会社に対して全株譲渡している。

(1) 1株当たりの同社株式の価額等は次のとおりである。

① 株式発行の決議の時における1株当たりの価額　500円

② 権利行使時における1株当たりの発行価額　600円

③ 権利行使時における1株当たりの価額　700円

④ 譲渡時の1株当たりの価額　1,200円

(2) 上記ストックオプションは、租税特別措置法第29条の2（特定の取締役等が受ける特定新株予約権の行使による株式の取得に係る経済的利益の非課税等）の規定の適用要件を満たしている。

(3) 本年3月における同社株式の譲渡価額は6,000,000円であり、その際に譲渡費用として29,000円を支出している。

(4) 甲が受けた同社からの本年分の役員報酬は8,000,000円（源泉所得税等控除前の金額）である。

以上の資料に基づき、甲の本年分の各種所得の金額を計算しなさい。

⇨解答：260ページ

問題 80 給与所得（その4）～特定支出控除①～　（制限時間4分）　重要度 A

次の資料に基づき、給与所得者である居住者甲の給与所得の金額を計算しなさい。

なお、(2)から(4)までの支出については、勤務先から証明を受けている。

(1) 本年中に支給された給与等の金額　7,650,000円（税引前の金額）

(2) 勤務先の通勤のために必要であった交通費　2,040,000円（月額170,000円）

なお、勤務先からは、この交通費の額と同額の通勤手当の支給を受けており、(1)の金額に含まれている。

(3) 社会保険労務士の資格を得るための費用　540,000円

(4) 書籍の購入費用及び取引先等の接待のための費用　780,000円

⇨解答：261ページ

問　題　81　給与所得（その５）～特定支出控除②～

（制限時間３分）　重要度　A

次の資料に基づき、給与所得者である居住者甲の給与所得の金額（所得金額調整控除考慮前の金額）を計算しなさい。

なお、(2)から(4)の支出については、勤務先から証明を受けている。

(1)　本年中に支給された給与等の金額　18,000,000円（税引前の金額）

(2)　転勤に伴う引越費用　348,000円

(3)　(2)の転勤により単身赴任となったことに伴い、週末に自宅に帰るための旅費　1,200,000円

(4)　職務上の旅行費用　300,000円

⇨解答：262ページ

問　題　82　給与所得（その６）～所得金額調整控除～

（制限時間６分）　重要度　A

次の各居住者の、本年分の総所得金額を求めなさい。

問１　居住者甲が本年中に支給された給与等の金額は11,000,000円である。

なお、甲は本年末において長男（20歳、所得なし）と同一生計である。

問２　居住者乙が本年中に支給された給与等の金額は4,000,000円である。

なお、乙は本年中に公的年金等を受け取っており、これに係る所得は950,000円である。

⇨解答：263ページ

第8章

退 職 所 得

1．退職所得とされるもの

(1) 本来の退職所得

退職手当、一時恩給等

(2) みなし退職手当等

① 国民年金、厚生年金等を一時に受ける場合のその一時金

② 確定給付企業年金法に基づく一時金など

2．課税されない退職手当等

相続税等が課税される退職手当等（死亡退職金など）

3．退職所得の金額

(1) 原　則

（収入金額 － 退職所得控除額）× $\frac{1}{2}$

※ 特定役員退職手当等（役員等としての勤続期間が５年以下）の場合には $\frac{1}{2}$ の適用はない。

(2) 短期退職手当等に該当する場合

① 収入金額 － 退職所得控除額が300万円以下である場合

原則と同じ計算式

② 収入金額 － 退職所得控除額が300万円超である場合

150万円 ＋（収入金額 － 退職所得控除額 － 300万円）

※ 短期退職手当等とは、役員等以外の者としての勤続年数が５年以下である者が受ける退職手当等をいう。

4．退職所得控除額

勤続年数〔A〕	退　職　所　得　控　除　額	
20年以下	40万円 ×〔A〕（最低80万円）	※ 障害者になって退職した場合には100万円加算
20年超	800万円 ＋ 70万円 ×（〔A〕－ 20年）	

5．収入金額の計上時期

(1) 原　則………………退職の日

(2) 役員退職給与………株主総会等の決議日（支給金額を定めていない場合には定められた日）

6．源泉徴収

(1)「退職所得の受給に関する申告書」を提出している場合

退職所得の金額について計算した正当税額

(2) 同申告書を提出していない場合

退職手当等の金額 × 20%（20.42%）

7．確定申告

6の(1)　⇨　原則として課税退職所得金額まで計算し、申告不要とすることができる。

6の(2)　⇨　原則として確定申告する。

（注）6の(1)の場合であっても、損益通算・繰越控除が退職所得の金額に関係するとき、または税額控除額を課税退職所得金額に対する所得税額から控除するときなどは、確定申告した方が有利となる。

8．勤続年数（1年未満切上）

(1)　原　則　⇨　就職の日から退職の日まで引き続き勤務した期間

（注）病気による長期欠勤または休職の期間を含む。

(2)　就職の日から退職の日までに他社勤務期間がある場合　⇨　㋑＋㋩

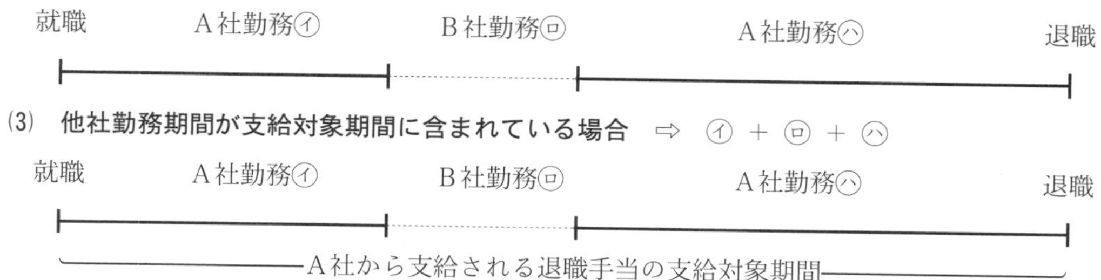

(3)　他社勤務期間が支給対象期間に含まれている場合　⇨　㋑＋㋺＋㋩

(4)　同一年に2以上の退職手当等の支給を受ける場合

①　退職手当等に係る勤続期間のうち最も長い期間をまず勤続期間とする。

②　①と重複しない期間があれば加算する。

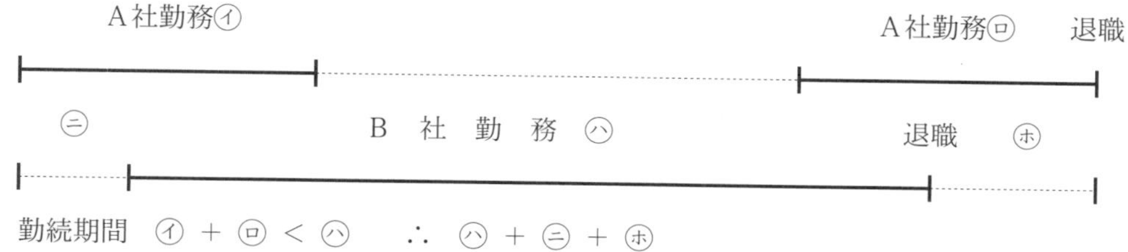

勤続期間　㋑＋㋺＜㋩　　∴　㋩＋㋥＋㋭

9．前年以前4年内に退職手当等の支払を受けている場合

その年に支払を受ける退職手当等の勤続期間の一部が、前年以前4年内に支払を受けた退職手当等の勤続期間と重複している場合、退職所得控除額は、次による。

①　その年の退職所得控除額

※　勤続年数の1年未満の端数は、切り上げる

②　重複部分の勤続期間を勤続年数とみなして計算した退職所得控除額

※　みなし勤続年数の1年未満の端数は、切り捨てる

③　①－②＝退職所得控除額

10. 特定役員退職手当等、短期退職手当等及び一般退職手当等のいずれか２つがある場合

その年中に支払いを受けた退職手当等のうち、特定役員分、短期退職分、一般分のいずれか２つがある場合には、それぞれ区分して退職所得の金額を計算し最後に合計する。

なお、最初に特定役員分が計算され、次に短期退職分、一般分の順で計算する。

※　特定役員分と一般分がある場合

(1)　特定役員分

①　収入金額

②　退職所得控除額

40万円　×　特定役員勤続年数（１年未満切上）

※　特定役員分に該当する勤続期間とその他の区分に該当する勤続期間が重複している場合には、その期間（１年未満切上）は１年あたり20万円の控除額とする。

③　①－②＝特定役員分の退職所得

(2)　一般分

①　収入金額

②　退職所得控除額

全体の勤続期間に係る退職所得控除額　－　上記(1)②

③　（①－②）×　$\frac{1}{2}$　＝一般分の退職所得

(3)　(1)＋(2)＝退職所得の金額

他の区分の組み合わせの場合にも、上記に準じて計算する。

問題83 退職所得（その１） （制限時間５分） 重要度 A

次のそれぞれの場合について本年分の退職所得の金額を計算しなさい。

(1) 受け取った退職金の額　15,000,000円（税引前の金額）
　勤続期間　24年８カ月

(2) 受け取った退職金の額　12,500,000円（税引前の金額）
　勤続期間　21年１カ月
（注１）勤続年数には臨時雇の期間１年、病欠期間１年２カ月を含む。
（注２）障害者になったことに直接基因して退職した。

(3) 受け取った退職金の額　8,000,000円（税引前の金額）
　勤続期間　４年３カ月
（注）役員としての勤務に基づき受け取ったものである。

(4) 受け取った退職金の額　4,000,000円（税引前の金額）
　勤続期間（役員ではない）　２年６カ月

(5) 受け取った退職金の額　5,600,000円（税引前の金額）
　勤続期間（役員ではない）　４年８カ月

⇨解答：265ページ

問題84 退職所得（その２） （制限時間３分） 重要度 A

次の各々の場合の退職所得控除額を計算しなさい。

(1)　勤務した期間　25年７カ月
(2)①　勤務した期間　16年８カ月
　②　①の他病気療養につき欠勤した期間　２年６カ月
　（注）障害者となったことに直接基因して退職した。
(3)①　Ａ社に就職した日　平成13年４月１日
　②　Ａ社を退職した日　令和７年３月31日
　③　Ａ社からの退職金　12,000,000円
　（注）この退職者は子会社に出向していた期間が５年間ある。Ａ社は、退職手当等の支払金額の計算の基礎とする期間のうちに、出向先において勤務した期間を含めて計算することになっている。なお、子会社からは、退職手当等の支給を受けていない。

⇨解答：266ページ

問題 85 退職所得（その３）　（制限時間２分）　重要度 A

次の場合の本年分の退職所得の金額を計算しなさい。

Ａ社	退職金（税引前）	4,500,000円
	退職した日	本年４月30日
	勤続年数	12年８カ月
Ｂ社	退職金（税引前）	2,500,000円
	退職した日	本年10月31日
	勤続年数	６年

上記資料は居住者甲が本年中にＡ、Ｂ２社を退職し、合計7,000,000円の退職金を取得したものである。

⇨解答：267ページ

問題 86 退職所得(その４)～前年以前４年内に退職手当等の支払いを受けている場合①～　（制限時間３分）　重要度 A

居住者甲の本年分の退職所得の金額を計算しなさい。

甲は、本年４月にＡ社を退職し、退職金18,000,000円（税引前の金額）を受取った。

※　Ａ社に就職したのは、平成12年１月である。

なお、甲は前年10月にＢ社を退職し、退職金 9,000,000円（税引前の金額）を受取っている。

※　Ｂ社に就職したのは、平成21年１月である。

⇨解答：267ページ

問題 87 退職所得(その５)～前年以前４年内に退職手当等の支払いを受けている場合②～　（制限時間５分）　重要度 B

居住者甲の本年分の退職所得の金額を計算しなさい。

甲は、本年５月にＡ社を退職し、退職一時金15,000,000円（税引前の金額）の支給を受けている。Ａ社の勤続期間は25年４カ月である。

なお、甲は前々年の４月にＢ社を退職しており、その際に退職一時金3,000,000円（税引前の金額）の支給を受けている。Ｂ社の勤続期間は９年である。

⇨解答：268ページ

問題 88 退職所得（その６）～特定役員退職手当等①～

（制限時間４分）　重要度 B

居住者甲の本年分の退職所得の金額を計算しなさい。

甲は、本年８月にＡ社を退職し、退職手当等15,000,000円（税引前の金額）の支給を受けている。Ａ社の勤続期間は22年４カ月であるが、退職前の４年３カ月は役員として勤務していたため、退職手当等の額のうち5,000,000円は役員としての勤務に係るものである。

⇨解答：269ページ

問題 89 退職所得（その７）～特定役員退職手当等②～

（制限時間４分）　重要度 B

居住者甲の本年分の退職所得の金額を計算しなさい。

甲は、本年５月にＡ社を退職し、退職手当等14,000,000円（税引前の金額）の支給を受けている。Ａ社の勤続期間は15年であるが、退職前の２年は使用人兼務役員として勤務していたため、退職手当等の額のうち4,000,000円は役員としての勤務に係るものである。

⇨解答：270ページ

MEMO

第9章

山　林　所　得

1．山林所得とされるもの

保有期間５年超の山林の伐採又は譲渡による所得

2．所得の判定で注意すべきもの

⑴　保有期間５年以内の山林の譲渡による所得は、事業所得又は雑所得に該当する。

⑵　山林を土地と共に譲渡した場合

・山林（立木）部分………山林所得
・土地部分……………………譲渡所得

3．課税されない山林の譲渡

強制換価手続による譲渡、国等に対する贈与等、物納等

4．山林所得の金額

総収入金額　－　必要経費　－　特別控除額　－　青色申告特別控除額
（50万円限度）　（10万円限度）

5．必要経費

⑴　**原　則**

植林費、取得に要した費用、管理費、伐採費、その他その山林の育成又は譲渡に要した費用

⑵　**概算経費控除（平成22年12月31日以前に取得した山林）**

（収入金額　－　伐採費等）×　50％　＋　伐採費等

※　⑴と⑵のいずれか多い方をとれる。

6．家事消費

山林を伐採して家事のために消費した場合には、その消費した時点における価額に相当する金額を総収入金額に算入する。

（注）山林については、棚卸資産と異なり70％基準の適用はない。

7．山林の資産損失と保険金等

⑴　災害、盗難、横領により居住者の有する山林について生じた損失の金額（保険金等で補填される部分の金額を除く。）は、譲渡したならば雑所得の基因となる山林であっても、山林所得の金額の計算上必要経費に算入する。

⑵　保険金等の額が損失額を超える場合には、その超える部分の保険金等の額は、山林所得（事業所得の基因となる山林の場合は事業所得、雑所得の基因となる山林の場合は山林所得）の計算上総収入金額に算入する。

問題 90 山林所得（その１） （制限時間２分） 重要度 A

居住者甲（青色申告者）は、12年前に取得した山林を本年３月に8,000,000円で譲渡した。その山林の植林から譲渡直前までに要した育成費等は900,000円で、伐採に要した費用は700,000円であった。居住者甲の本年分の山林所得の金額を計算しなさい。

⇨解答：271ページ

問題 91 山林所得（その２） （制限時間２分） 重要度 A

居住者甲（白色申告者）は30年前に取得した山林を本年６月に譲渡した。譲渡対価は12,000,000円、取得に要した金額は950,000円、同日以後に支出した育成費、管理費等の合計額は1,800,000円、伐採費は1,300,000円であった。この場合の甲の本年分の山林所得の金額を計算しなさい。

⇨解答：271ページ

問題 92 山林所得（その３） （制限時間３分） 重要度 B

居住者甲（白色申告者）には、本年、次のような山林の伐採による収入がある。甲の本年分の山林所得の金額を計算しなさい。

種　類	取得年月	譲渡対価	取得費、植林費、管理費その他の育成費	伐採費、運搬費その他の譲渡費用
山　林　A	平成元．2	35,600,000円	7,260,000円	790,000円
山　林　B	平成23．6	22,500,000円	7,400,000円	1,800,000円

⇨解答：272ページ

問題 93 山林所得（その４） （制限時間２分） 重要度 B

次の資料に基づき、居住者甲（白色申告者）の本年分の山林所得の金額を計算しなさい。

1．甲は９年前に取得したＡ山林を本年７月に8,000,000円で譲渡した。この山林の取得から譲渡直前までに要した管理費、育成費等の合計額は2,500,000円、譲渡費用は150,000円である。

2．４年前に取得したＢ山林が本年火災に遭い700,000円の損失を被った。

3．甲は山林を生ずべき業務を事業として営んでいない。

⇨解答：272ページ

問題 94 山林所得（その５）～家事消費～

（制限時間２分）　重要度 C

次の資料に基づき、居住者甲（白色申告者）の本年分の山林所得の金額を計算しなさい。

本年２月に山林（保有期間16年）を伐採して譲渡するとともに、一部を自己の住宅の建設材料として家事消費した。

(1)　譲渡対価　8,000,000円

(2)　建築材料とした部分の時価　1,580,000円

(3)　育成に要した費用　1,380,000円

(4)　譲渡時に支出した仲介手数料　1,180,000円

※　必要経費は概算経費によること。

⇨解答：273ページ

問題 95 山林所得（その６）～資産損失～

（制限時間３分）　重要度 B

次の資料に基づき、居住者甲（白色申告者）の本年分の山林所得の金額を計算しなさい。

１．Ａ山林に係るもの

(1)　収入金額　4,800,000円

これは、Ａ山林の譲渡により受け取ったものであり、Ａ山林の取得日は平成24年３月21日であった。

(2)　必要経費　932,000円

２．本年３月にＢ山林の一部（保有期間12年）が火災により焼失した。

(1)　焼失したＢ山林の時価　2,000,000円

(2)　焼失時までに支出した植林費、育成費、管理費の合計額は600,000円で保険金1,500,000円を受け取っている。

⇨解答：274ページ

第10章

譲 渡 所 得

Ⅰ　基本的事項

Ⅰ　譲渡所得とされるもの

譲渡所得は資産（棚卸資産等、山林を除く。）の譲渡による所得をいう。

Ⅱ　課税されない資産の譲渡による所得

1．生活に通常必要な動産（宝石等、書画、骨とう、美術工芸品で１個又は１組の価額（時価）が30万円超のものを除く。）の譲渡

2．強制換価手続による資産の譲渡

3．国等に対する贈与、遺贈

4．国等に対しての重要文化財の譲渡（土地を除く。）

5．物納等

Ⅲ　譲渡所得の金額の計算フォーム（株式等、先物取引の譲渡を除く。）

各種所得の金額の計算

摘　要	金　額	計　算　過　程
譲渡所得		Ⅰ　**総　合**
（総合短期）	×××	(1)　**譲渡損益**
（総合長期）	×××	（総短）総収入金額 －（取得費 ＋ 譲渡費用）＝ 譲渡損益
		（総長）　〃　－　〃　〃　＝　〃
		(2)　**内部通算**
		(3)　**生活に通常必要でない資産の損失の控除**
		総短 → 総長
		(4)　**特別控除**
		（総短）譲渡益 － 特別控除額（50万円まで）
		（総長）　〃　－ 特別控除額の残額
（分離短期）	×××	Ⅱ　**土地建物等**
（分離長期）	×××	(1)　**譲渡損益**
		（分短）総収入金額 －（取得費 ＋ 譲渡費用）＝ 譲渡損益
		（分長）　〃　－　〃　〃　＝　〃
		(2)　**内部通算**

Ⅳ　譲渡区分

1．総合短期譲渡所得（総合短期）

土地建物等以外の資産の譲渡で保有期間が5年以内のもの

2．総合長期譲渡所得（総合長期）

土地建物等以外の資産の譲渡で保有期間が5年超のもの

（注）保有期間が5年以内であっても、次の資産の譲渡による所得は、総合長期となる。

① 自己の研究の成果である特許権、実用新案権その他の工業所有権

② 自己の著作による著作権

③ 自己の探鉱によって発見した鉱床の採掘権

3．分離短期譲渡所得（分離短期）

土地建物等の譲渡で譲渡年の1月1日における所有期間が5年以内（令和2年1月1日以後取得）のもの

4．分離長期譲渡所得（分離長期）

土地建物等の譲渡で譲渡年の1月1日における所有期間が5年超（令和元年12月31日以前取得）のもの

Ⅴ　生活に通常必要でない資産の災害等による損失の控除

生活に通常必要でない資産（居住者本人の所有のもの）について災害又は盗難若しくは横領による損失が生じた場合には、その損失の発生年分又はその翌年分の譲渡所得の金額（総合課税）の計算上、内部通算後の譲渡益から控除する。

※1　損失額の計算

損失発生直前の取得費相当額 － 損失発生直後の時価 － 廃材価額 － 保険金・損害賠償金

（注）災害等関連支出は、上記損失額の計算上何ら考慮されない。

※2　生活に通常必要でない資産

- 競走馬（事業用以外）等
- 別荘等
- 生活用動産のうち生活に通常必要でないもの

（注）社会通念上、生活に通常必要であっても1個又は1組の時価が30万円超の宝石等、書画、骨とう、美術工芸品は、生活に通常必要でない動産に該当する。

Ⅵ　取得費

1．取得費の原則

(1)　減価しない資産（ex. 土地、書画、骨とう）

取得費 ＝ 取得に要した金額 ＋ 設備費 ＋ 改良費
【A】

⑵　**減価する資産（ex. 建物、車両、機械）**

取得費　＝【A】－（業務供用期間の償却費の額の累積額 ＋ 非業務供用期間の減価の額）

減価の額　＝（【A】－ 残存価額）× 耐用年数の 1.5倍の年数に応ずる旧定額法の償却率※1 × 非業務供用期間に係る年数※2

※1　1年未満の端数………切り捨てる。

※2　1年未満の端数……… 6月未満の端数は切り捨て、6月以上の端数は切り上げる。

⑶　**特　例**

収入金額の5％を取得費とできる。

2．相続財産を譲渡した場合の取得費

相続又は遺贈により取得した財産（限定承認により取得したもの及び山林を除く。）を、相続税の申告期限の翌日から3年以内に譲渡した場合には、次の算式により計算した金額（譲渡益を限度）を取得費に加算する。

相続税額 × 譲渡資産の相続税評価額 ／ 相続税の課税価格（債務控除前、生前贈与加算後）

Ⅶ　総収入金額

1．計上時期

引渡基準（契約効力発生の日により申告があったときは、それを認める。）

2．譲渡所得の収入金額とされる補償金等

契約等に基づき譲渡所得の基因となるべき資産が消滅したことに伴い、一時に受ける補償金等の額は、譲渡所得に係る収入金額とされる。

Ⅷ　取得経費の範囲

1．固定資産の取得のための借入金の利子のうち、その固定資産の使用開始の日（取得後使用しないで譲渡した場合には譲渡の日）までの期間に対応する部分の金額（業務用資産に係るもので必要経費に算入されたものを除く。）

2．業務用以外の固定資産に係る登録免許税、不動産取得税等

3．建物付土地を取得した場合において、取得後おおむね1年以内に当該建物等の取壊しに着手するなど、当初から建物を取り壊して土地を利用する目的であることが明らかであると認められるときの建物の取得価額、取壊費用の合計額（廃材価額を除く。）

4．土地建物等の取得の際支出する立退料等

5．いったん締結した固定資産の取得に関する契約を解除して他の固定資産を取得することとした場合に支出する違約金の額（必要経費に算入されたものを除く。）

Ⅸ　譲渡費用の範囲

1．資産の譲渡に際して支出した仲介手数料、運搬費、登記若しくは登録に要する費用

2．土地を譲渡するためのその土地の上にある建物等の取壊費用、立退料、建物等の取得費相当額（廃材価額を除く。）

3．すでに売買契約を締結している資産をさらに有利な条件で他に譲渡するため、契約を解除したことに伴い支出する違約金

（注１）２以上の譲渡資産の譲渡費用で、個々の譲渡資産との対応関係の明らかでないものがある場合には、譲渡対価の額の比など、合理的な方法で配分する。

（注２）資産の保有期間中に支出した修繕費、固定資産税その他その資産の維持又は管理に要した費用は、その資産の使用収益に対応せしめるべき費用であるため、譲渡費用には該当しない。

X　借地権等の設定の対価たる権利金等

1．借地権等の設定に伴い取得した権利金等の所得分類

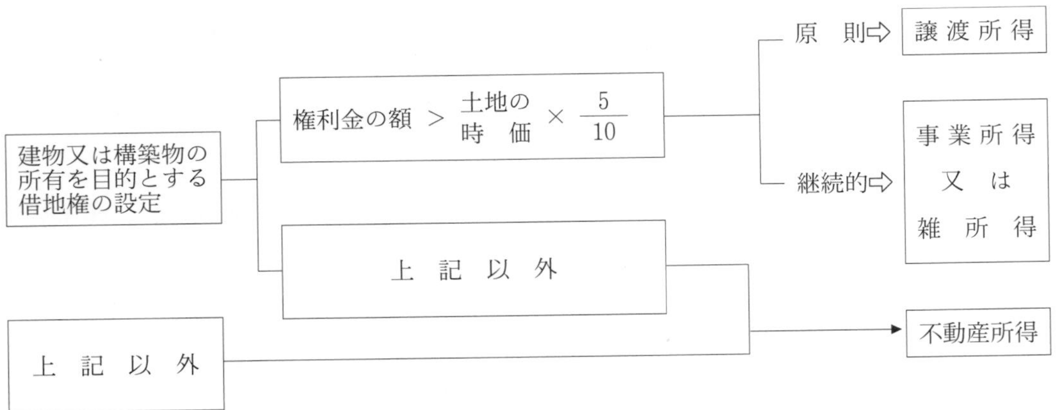

2．課税方法

種　類	所得の金額の計算	課税方法
譲渡所得	(1) 総収入金額 権利金の額……【A】 (2) 取得費……次の①と②のいずれか多い金額 ① その資産の取得費 × 【A】 / (【A】＋ 底地価額（底地価額が不明の場合には地代年額の20倍）) ② 【A】× 5％ (3) 譲渡費用……仲介手数料等 (4) (1) － (2) － (3)	短期譲渡所得の金額又は長期譲渡所得の金額として分離課税
事業所得又は雑所得	(1) 総収入金額……【A】 (2) 必要経費 譲渡所得の取得費及び譲渡費用の計算に準じて計算した金額 (3) (1) － (2)	総　合　課　税
不動産所得	(1) 総収入金額……権利金の額 (2) 必要経費………仲介手数料等 (3) (1) － (2)	総　合　課　税

XI　贈与等のみなし譲渡

相手	譲渡事由	贈与者等	受贈者等	設　　例	譲　渡　損　益
法人	贈　与 遺　贈 低額譲渡	時価課税		時価1,000千円、取得費300千円の土地をA法人に 〔A〕贈与した。 〔B〕200千円で譲渡した。 〔C〕400千円で譲渡した。	1,000千円－300千円 時　価 ＝700千円
法人	上記以外	通常課税		時価1,000千円、取得費300千円の土地をB法人に800千円で譲渡した。	800千円－300千円＝500千円
個人	限定承認の相続、包括遺贈	時価課税	時価取得	父の死亡による限定承認の相続により取得した相続時の時価1,000千円、父の取得費300千円の土地を1,200千円で譲渡した。	1,200千円－1,000千円 時価取得 ＝200千円
個人	上記以外の贈与、相　続 遺　贈	課税されない	取得時期 取得費 の引継ぎ	時価1,000千円、取得費300千円の土地を子に贈与した。	個人に対する贈与は課税されない。
個人	上記以外の贈与、相　続 遺　贈	課税されない	取得時期 取得費 の引継ぎ	父の死亡による相続（単純承認）により取得した相続時の時価1,000千円、父の取得費300千円の土地を1,200千円で譲渡した。	1,200千円－300千円 引き継ぐ ＝900千円
個人	低額譲渡 かつ 譲渡損	譲渡損はないものとみなされる	取得時期 取得費 の引継ぎ	時価1,000千円、取得費300千円の土地を200千円で譲渡した。	1,000千円×50%＞200千円 200千円－300千円＝△ 100千円 譲渡損はないものとみなされる。
個人	低額譲渡 かつ 譲渡益 （又は益0）	通常課税	実際の 取得費 取得時期	時価1,000千円、取得費300千円の土地を400千円で譲渡した。	1,000千円×50%＞400千円 400千円－300千円＝100千円
個人	上記以外	通常課税	実際の 取得費 取得時期	時価1,000千円、取得費300千円の土地を800千円で譲渡した。	800千円－300千円＝500千円

※　低額譲渡…時価の50%未満の対価による譲渡

問題 96 損失の取扱い

（制限時間８分）　重要度 A

次の資料に基づき、居住者甲の譲渡所得の金額を計算しなさい。

（ケース１）

(1)	骨とう品の短期譲渡損	△ 600,000円
(2)	車両の長期譲渡益	300,000円
(3)	土地の長期譲渡益	3,400,000円
(4)	建物の短期譲渡益	2,800,000円

（ケース２）

(1)	特許権の長期譲渡益	3,000,000円
(2)	建物の長期譲渡損	△ 800,000円
(3)	倉庫の短期譲渡益	900,000円
(4)	機械の短期譲渡損	△ 2,200,000円

（ケース３）

(1)	宝石の短期譲渡益	2,120,000円
(2)	車両の長期譲渡損	△ 150,000円
(3)	建物の短期譲渡益	6,100,000円
(4)	家庭用テレビの譲渡益	40,000円
(5)	別荘の長期譲渡損	△ 2,000,000円
(6)	生活に通常必要でない資産の災害損失	△ 300,000円

（ケース４）

(1)	建物の短期譲渡益	300,000円
(2)	美術品の長期譲渡益	1,000,000円
(3)	競走馬（事業用以外）の短期譲渡損	△ 1,200,000円
(4)	車両の長期譲渡損	△ 400,000円

⇨解答：275ページ

問題97 取得費等 （制限時間６分） 重要度 A

次に掲げる資料に基づき、居住者甲の本年分の譲渡所得の金額を計算しなさい。

譲渡資産	取得日	取得価額	譲渡日	譲渡対価	譲渡費用	備考
特許権	本年 3月	900,000円	本年３月	2,800,000円	100,000円	（注１）
別荘	平17年 7月	6,000,000円	本年８月	7,200,000円	300,000円	（注２）
同上の敷地	昭51年 1月	550,000円	本年８月	13,000,000円	600,000円	
骨とう品	令２年12月	450,000円	本年５月	740,000円	50,000円	

（注１）特許権は、自己の研究の成果として取得したものであり、取得後直ちに売却した。

（注２）別荘の同種減価償却資産の耐用年数は20年である。

（注３）旧定額法の償却率　20年……0.050　30年……0.034

⇨解答：277ページ

問題98 譲渡費用 （制限時間３分） 重要度 A

次の資料に基づき、居住者甲の本年分の譲渡所得の金額を計算しなさい。

(1) 甲所有の家事用物置（平成30年７月に7,000,000円で取得したもので同種減価償却資産の耐用年数24年）を本年５月に取り壊し、その敷地となっていた土地（先祖代々伝わるものであり、取得価額は不明である。）を20,000,000円で譲渡した。

(2) 上記建物の取壊しは譲渡の条件となっており、取壊費用800,000円を支出している。

(3) この土地はＢ不動産業者に譲渡したものであるが、当初Ａ不動産業者と売買契約を締結していたため、違約金1,000,000円を支出し、契約を破棄している。

旧定額法償却率　24年……0.042　36年……0.028

⇨解答：278ページ

問題99 みなし譲渡① （制限時間２分） 重要度 A

次のそれぞれの資産に係る取得時期及び取得費を求めなさい。

1．Ａは友人から平成30年に800,000円で譲り受けた宝石（譲り受けた時の価額2,000,000円）を本年譲渡した。この宝石は友人が平成21年に900,000円で取得したものである。

2．Ｂは叔父から令和２年に700,000円で譲り受けた絵画（譲り受けた時の価額1,800,000円）を本年譲渡した。この絵画は叔父が平成３年に600,000円で取得したものである。

⇨解答：278ページ

問題 100 みなし譲渡② （制限時間２分） 重要度 A

居住者甲が次の資産を贈与した場合の本年分の譲渡所得の金額を計算しなさい。

資 産	取 得 年	贈 与 先	贈与時の価額	取 得 費
土 地 A	平 成 16 年	国	8,000,000円	5,000,000円
土 地 B	平 成 26 年	お茶の水株式会社	4,000,000円	1,000,000円

⇨解答：279ページ

問題 101 みなし譲渡③ （制限時間４分） 重要度 A

次の資料に基づき、居住者甲の本年分の譲渡所得の金額を計算しなさい。

(1) 本年５月に刀剣（重要文化財として指定されている）を東京都に6,500,000円で譲渡した。
この刀剣は先祖代々引き継がれてきたものであり、取得価額は不明である。

(2) 本年10月に、骨とう品を次のように譲渡した。

譲渡資産	所有期間	譲 渡 先	取 得 価 額	譲 渡 対 価	譲渡時の価額
A	４年	友 人	600,000円	280,000円	280,000円
B	７年	友 人	2,200,000円	1,100,000円	2,400,000円
C	10年	D株式会社	1,300,000円	2,700,000円	6,000,000円

⇨解答：279ページ

問 題 102 まとめ問題

(制限時間11分)　重 要 度 A

次の資料に基づき、居住者甲の本年分の譲渡所得の金額を計算しなさい。

〈資料１〉資産の譲渡に関する事項

甲は本年中に次の資産を譲渡している。　(単位：円)

資　産	取得時期	譲渡対価	取得価額	譲渡費用	備　考
A　土　地	R３．11	10,000,000	(注１)	60,000	―
B　土　地	R３．４	3,000,000	2,500,000	40,000	(注２)
骨とう品	H30．５	3,600,000	1,000,000	―	(注３)
絵　　画	H26．２	2,800,000	(注４)	5,000	―
別　　荘	R２．１	8,000,000	5,000,000	30,000	(注５)
別荘の敷地	H４．９	22,000,000	1,200,000	50,000	(注５)

(注１) A土地は、令和３年11月に父からの相続（単純承認）により取得したものであり、父が平成２年に1,730,000円で購入したものである。

(注２) B土地は、友人が経営するC会社に譲渡したもので、譲渡時における時価は7,000,000円である。

(注３) 骨とう品は、父が平成23年に800,000円で取得したものを、甲が平成30年５月に1,000,000円で譲り受けたものである。なお、譲受時の時価は2,500,000円である。

(注４) 絵画は、叔父から平成26年２月に特定遺贈により取得したもので、叔父はこの絵画を平成２年に220,000円で取得したものである。

(注５) この別荘及び別荘の敷地を譲渡したのは本年９月である。別荘と同種の減価償却資産の耐用年数は35年である。

《参　考》旧定額法の償却率

35年……0.029　52年……0.020　53年……0.019

〈資料２〉資産の損失に関する事項

甲及び甲の妻は本年中に盗難により、次の資産に損害を受けた。　(単位：円)

所有者	資　産	取得費	時　価	保険金等
甲	骨とう品	1,700,000	1,800,000	400,000
甲の妻	貴金属	800,000	2,000,000	―
甲	絵　画	360,000	280,000	―

⇨解答：280ページ

問題 103 相続税額の取得費加算 （制限時間４分） 重要度 A

次の各設問について、各居住者の本年分の譲渡所得の金額を計算しなさい。

〔設問１〕

居住者甲は、令和３年８月に死亡した父から相続（単純承認）した土地Ａを13,650,000円で本年２月に譲渡した。

この土地は、父が30年前に5,000,000円で取得したものであり、相続時における相続税評価額は10,500,000円であった。

甲は、令和４年３月に、父の相続に係る相続税額9,200,000円を納付しており、この相続税の課税価格は150,000,000円（生前贈与加算額5,000,000円が含まれている。）である。

〔設問２〕

居住者乙は、本年１月に死亡した父から相続（単純承認）した土地Ｂを20,475,000円で本年12月に譲渡した。

この土地は、父が３年前に19,500,000円で取得したものであり、相続時における相続税評価額は20,000,000円であった。

甲は、本年10月に、父の相続に係る相続税額7,360,000円を納付しており、この相続税の課税価格は120,000,000円である。

⇨解答：282ページ

問題 104 借地権等の設定 （制限時間２分） 重要度 A

次の資料に基づき、居住者甲の本年分の譲渡所得の金額を計算しなさい。

居住者甲は20年前に12,000,000円で取得した土地について、本年10月１日に下記条件でＡ株式会社と賃貸契約を締結した。

(1) 賃貸期間　30年

(2) 賃貸条件　Ａ株式会社は、この土地の上に工場を建設する。

(3) 権利金　20,720,000円

（注）この土地の契約締結時の更地価額は41,000,000円、底地価額は10,500,000円である。

⇨解答：283ページ

問題 105 求償権の行使不能 （制限時間３分） 重要度 A

次の資料に基づき、居住者甲の本年分の譲渡所得の金額を計算しなさい。

甲は友人Ｃが銀行から事業資金を借り入れる際に、債務保証をしていたところ、友人Ｃが借入金を返済することができなかったため、銀行から保証債務の履行をせまられ、本年７月にその保証債務の履行のため土地（35年前に3,000,000円で取得）を7,000,000円で譲渡し、保証債務の履行として2,800,000円を銀行に支払った。なお、本年12月末現在、その求償権の行使が不能であることが明らかである。

なお、この土地の譲渡以外の甲の本年分の各種所得の金額は、給与所得の金額4,200,000円、不動産所得の金額3,000,000円である。

⇨解答：283ページ

Ⅱ　課税の繰延べ等

Ⅰ　固定資産の交換の場合の特例

1．対象事由

(1)　交換対象資産

次に掲げる固定資産の同一区分内での交換であること。

① 土　地（借地権等を含む。）　　④ 船　舶

② 建　物（附属設備等を含む。）　⑤ 鉱業権（租鉱権等を含む。）

③ 機械及び装置

(2)　所有期間

譲渡資産及び取得資産をそれぞれの所有者が１年以上所有していたこと。（交換のために取得したと認められるものを除く。）

(3)　取得資産を譲渡資産の譲渡直前の用途と同一の用途に供すること。

(4)　交換差金等

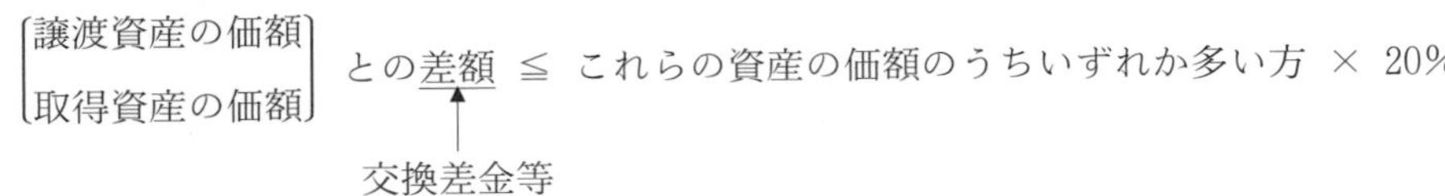

〔譲渡資産の価額／取得資産の価額〕との差額 ≦ これらの資産の価額のうちいずれか多い方 × 20%

（差額 ↑ 交換差金等）

2．譲渡所得の金額の計算及び取得資産の取得価額

区分	取得資産の価額≧譲渡資産の価額 （交換差金等を受取っていない場合）	取得資産の価額 ＜ 譲渡資産の価額 （交換差金等を受取っている場合）
譲渡所得の金額	譲渡はないものとみなす。	(1)　総収入金額【Ａ】 受取交換差金等 (2)　取得費・譲渡費用 （譲渡資産の取得費 ＋ 譲渡費用）× 【Ａ】／（受取交換差金等 ＋ 取得資産の価額）
取得資産の取得価額	（譲渡資産の取得費 ＋ 譲渡費用）＋ 交換差金等 ＋ 取得経費	（譲渡資産の取得費 ＋ 譲渡費用）× 取得資産の価額／（受取交換差金等 ＋ 取得資産の価額）＋ 取得経費

〔取得資産の取得時期〕

取得資産の取得時期は、譲渡資産の取得時期を引き継ぐ。

〔２以上の区分の資産を同時に交換した場合の取扱い〕

２以上の区分の資産を同時に交換した場合であっても、それぞれの区分ごとに交換があったものとみなして法58条の規定を適用する。

〔交換費用の区分〕

交換のために要した費用の額が「譲渡費用の額」と「取得経費の額」に関連する費用でいずれの費用であるか明らかでないときは、費用の額の50%ずつをそれぞれの費用とする。

Ⅱ　特定事業用資産の買換えの場合の特例

1．適用要件

事業の用に供している次の譲渡資産を譲渡し、その年の12月31日までに次の買換資産を取得（前年中先行取得又は翌年見込み取得あり）し、買換資産をその取得の日から１年以内にその者の事業の用（※１）に供する又はその見込みである場合

	譲　渡　資　産	買　換　資　産
3号	譲渡年１月１日における所有期間が10年超の土地等、建物又は構築物	土地等（※２、※３）、建物、構築物

※１　事　業

事業と称するに至らない不動産等の貸付けを含む。

※２　５倍の面積制限

買換資産である土地等の面積が譲渡資産である土地等の面積の５倍を超える場合には、その超える部分の面積に対応するものは、買換資産に該当しない。

※３　買換資産に該当しない土地等

① 300㎡未満の土地等

② 福利厚生施設の敷地

③ 駐車場（事業の遂行上必要な駐車場及び開発許可申請中の暫定的な駐車場を除く。）

2．譲渡所得の金額及び買換資産の取得価額

(1)　譲渡資産の収入金額【Ａ】≦買換資産の取得価額【Ｂ】の場合

①　譲渡所得の金額

イ　総収入金額

【Ａ】×20％

ロ　取得費・譲渡費用

（取得費＋譲渡費用）×20％※

※　５％基準の適用あり

ハ　イ－ロ＝譲渡損益

②　買換資産に付すべき取得価額

（取得費＋譲渡費用）×80％＋〔【Ｂ】－【Ａ】×80％〕

(2)　譲渡資産の収入金額【A】＞買換資産の取得価額【B】の場合

①　譲渡所得の金額

イ　総収入金額

【A】－【B】×80％＝（a）

ロ　取得費・譲渡費用

$$(\text{取得費}+\text{譲渡費用})^{※}\times\frac{(\mathrm{a})}{【\mathrm{A}】}$$

※　5％基準の適用あり

ハ　イ－ロ＝譲渡損益

②　買換資産に付すべき取得価額

$$(\text{取得費}+\text{譲渡費用})\times\frac{【\mathrm{B}】\times 80\%}{【\mathrm{A}】}+【\mathrm{B}】\times 20\%$$

3．買換資産が2以上ある場合の取得価額

まず、全体での付すべき取得価額を計算し、それを本来の取得価額の比によりあん分する。

$$\text{全体の付すべき取得価額}\times\frac{\text{個々の資産の本来の取得価額}}{\text{全体の本来の取得価額の合計額}}=\text{個々の資産の付すべき取得価額}$$

4．買換資産の取得時期

買換資産を譲渡した場合の短期・長期の判定は、譲渡資産の取得時期は引き継がず、実際の取得時期により行う。

Ⅲ　収用等に伴い代替資産を取得した場合の特例

1．対象資産……棚卸資産等以外の資産

2．対象事由

収用等により補償金を取得し、その補償金でその年12月31日までに代替資産を取得（一定の先行取得又は見込取得あり。）した場合

（注1）見込取得……収用等の日から2年以内に取得見込

（注2）代替資産の範囲

①　原　則……同種資産

②　一組の資産（ex. 居住用財産）

居住用財産（土地建物等）が収用された場合には、補償金で取得した居住用財産（土地建物等）を代替資産とすることができる。

③　**事業用資産**

収用等された資産が事業用資産である場合において、補償金で事業用の土地等又は減価償却資産を取得したときは、これらの資産を代替資産とすることができる。

事業……事業と称するに至らない不動産等の貸付等で相当の対価を得て継続的に行うものを含む。

3．譲渡所得の金額の計算及び取得資産の取得価額

	代替資産の取得価額 ≧ 純補償金等	代替資産の取得価額 ＜ 純補償金等
譲渡所得の金額	譲渡はないものとみなす。	(1)　総収入金額【A】 純補償金等 － 代替資産の取得価額 (2)　取得費 取得費 × $\frac{【A】}{純補償金等}$
付すべき取得価額	取得費 ＋（代替資産の取得価額 － 純補償金等）	取得費 × $\frac{代替資産の取得価額}{純補償金等}$

（注）純補償金等 ＝ 対価補償金 － 非補填譲渡費用

〔取得資産の取得時期〕

代替資産の取得時期は、譲渡資産の取得時期を引き継ぐ。

〔関連規定〕

収用等の特別控除（5,000万円）とは選択適用となる。

Ⅳ　居住用財産の買換えの場合の長期譲渡所得の特例

1．対象事由

次の譲渡資産を譲渡し、その年12月31日までに次の買換資産を取得（前年の先行取得、翌年の見込取得あり。）し、買換資産を譲渡年の翌年12月31日まで（見込取得の場合は取得年の翌年12月31日まで）に居住供用又はその見込である場合

(1)　譲渡資産

その年１月１日の所有期間が10年を超える居住用財産（その者の居住期間が10年以上であるもの）で譲渡対価の額が１億円以下であるもの

(2)　買換資産

国内にある居住の用に供する家屋（省エネ基準を満たさない家屋を除く）又はその敷地で次の要件を満たすもの

①　家屋の床面積が50㎡以上であること

②　土地の面積が500㎡以下であること

（注）居住用財産の定義

①　現に居住の用に供している家屋

②　①と共に譲渡されるその家屋の敷地

③　次に掲げる家屋又はその敷地で、居住の用に供されなくなった日から同日以後３年を経過する日の属する年の12月31日までに譲渡されたもの

イ　居住の用に供されなくなった家屋

ロ　イと共に譲渡されるその家屋の敷地

ハ　災害により滅失した居住用家屋（引き続き所有していたならばその年１月１日における所有期間が10年超になるもの）の敷地

２．譲渡所得の金額の計算及び取得資産の取得価額

<table>
<tr><th></th><th>買換資産の取得価額 ≧ 譲渡資産の収入金額</th><th>買換資産の取得価額 ＜ 譲渡資産の収入金額</th></tr>
<tr><td>譲渡所得の金額</td><td>譲渡はないものとみなす。</td><td>(1)　総収入金額【Ａ】
譲渡資産の収入金額－買換資産の取得価額
(2)　取得費・譲渡費用
$（取得費＋譲渡費用）\times \frac{【Ａ】}{譲渡資産の収入金額}$</td></tr>
<tr><td>付すべき取得価額</td><td>$\left(取得費＋\begin{matrix}譲渡\\費用\end{matrix}\right)＋\left(\begin{matrix}買換資産の\\取得価額\end{matrix}－\begin{matrix}譲渡資産の\\収入金額\end{matrix}\right)$</td><td>$（取得費＋譲渡費用）\times \frac{買換資産の取得価額}{譲渡資産の収入金額}$</td></tr>
</table>

〔取得資産の取得時期〕

買換資産の取得時期は、譲渡資産の取得時期の承継は行わず、実際の取得時期による。

〔特例の適用を受けた場合の関連規定〕

居住用財産の譲渡の特別控除（3,000万円）とは選択適用となる。

住宅借入金等特別控除の適用はない。

Ⅴ　譲渡所得の特別控除

１．収用交換等の場合 ⇨ 控除限度額5,000万円

⑴　個人が有する資産（棚卸資産を除く。）につき収用交換等による譲渡があった場合

※　収用等に伴い代替資産を取得した場合の課税の特例を選択した場合には適用できない。

※　最初に買取り等の申出があった日から６月を経過して譲渡した場合等には適用できない。

⑵　控除順序（①④は課税所得金額の計算上控除、②③は各種所得の金額の計算上控除）

①　短期譲渡所得の金額

②　総合課税の譲渡所得の金額

総収入金額 －（取得費 ＋ 譲渡費用）－ 5,000万円の特別控除額 － 50万円の特別控除額

③　山林所得の金額

総収入金額 － 必要経費 － 5,000万円の特別控除額 － 50万円の特別控除額

↓④　長期譲渡所得の金額

2．居住用財産を譲渡した場合 ⇨ 控除限度額3,000万円

(1) 要　件

① 居住用家屋又は居住用家屋 ＋ その敷地

②イ 居住の用に供されなくなった家屋
ロ 〃 ＋ その敷地
ハ 災害により滅失した居住用家屋の敷地
} で、その居住用家屋が居住の用に供されなくなった日から同日以後３年を経過する日の属する年の12月31日までに譲渡されたもの

※ 居住用財産の買換えの特例との選択適用

(2) 適用除外

① 配偶者、直系血族等特別の関係がある者に対して譲渡した場合

② 交換、収用等の特例、特定の事業用資産の買換えの特例の適用を受けた場合

③ 譲渡した年の前年又は前々年において、すでにこの特例の適用を受けている場合

(3) 控除順序（課税所得金額の計算上控除）

短期譲渡所得の金額 → 長期譲渡所得の金額

3．空き家を譲渡した場合 ⇨ 居住用財産の譲渡とみなされる（控除限度額3,000万円、相続人が３人以上いる場合は2,000万円）

(1) 要　件

① 相続等により被相続人居住用家屋及びその敷地を取得

② 相続等後３年経過後の年末までに①を譲渡

※ 相続等後譲渡時まで、他の用途に供してはならない。

※ 譲渡に際しては、被相続人居住用家屋につき、耐震改修を行うか取り壊す必要がある。

(2) 適用除外

① 譲渡対価が１億円を超える場合

② 相続税額の取得費加算の適用を受ける場合

4．平成21年又は22年取得の土地等を譲渡した場合 ⇨ 控除限度額1,000万円

(1) 要　件

個人が、平成21年１月１日から平成22年12月31日までの間に取得した土地等で、その年１月１日における所有期間が５年を超えるものを譲渡した場合（長期譲渡所得の金額から控除）

(2) 適用除外

① 配偶者等特別の関係がある者からの取得並びに相続、遺贈、贈与及び交換等によるもの

② 収用等により代替資産を取得した場合の特例、居住用財産の買換え特例、特定事業用資産の買換え特例等の適用を受ける場合

5．同一年に２以上の特別控除を受ける場合

(1) 控除限度額　5,000万円

(2) 控除額の多いものから控除する。

Ⅵ　課税の繰延のまとめ

1．取得資産の取得時期

取得資産を譲渡した場合に短期になるか長期になるかの区分

特　　　例	取得資産の取得時期
交換、収用等	譲渡資産の取得時期を引き継ぐ。
特定事業用・居住用その他	譲渡資産の取得時期を引き継がない。

ex．法58の交換の特例の場合

取得資産を譲渡した場合に短期になるか長期になるかの区分において、「A建物とB建物を等価で交換した」という場合には、B建物の取得価額はA建物の取得費及び譲渡費用の額の合計額とし、交換時から償却を開始する。したがって、A建物の取得価額、償却費の額の累積額、取得時期をそのまま承継するわけではない。

2．計算上の留意点

特　　　例	計算上の留意点
特定事業用・収用等 居住用	取得資産（業務用）特別償却等の適用がない。 取得資産（居住用）住宅借入金等特別控除の適用がない。

●措置法のダブル適用なし

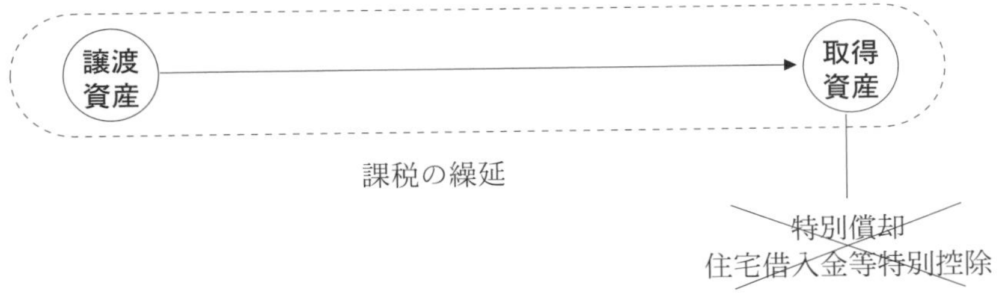

※　ただし、措法33の収用等の課税の繰延べの場合は、住宅借入金等特別控除の適用あり。

●措置法のダブル適用にならない

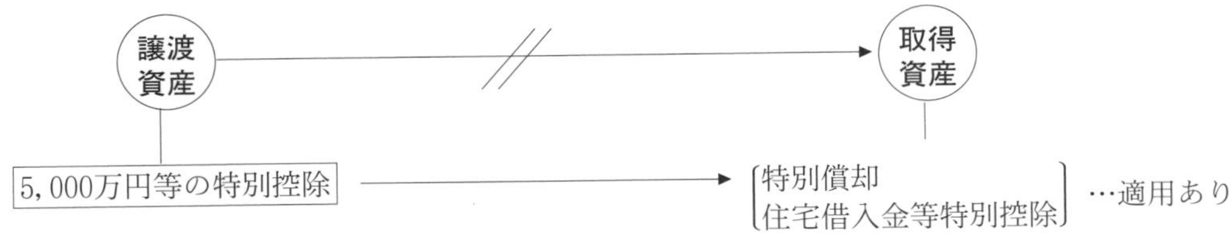

※　ただし、自己の居住用財産を売却して3,000万円の特別控除を受けた場合は住宅借入金等特別控除は適用できない。

問題 106 交換①

（制限時間10分） 重要度 A

居住者甲と乙は、本年10月に次の資産を交換した。甲の本年分の譲渡所得の金額及び甲が取得した資産の取得時期と取得価額を計算しなさい。

交換資産	譲渡資産			取得資産の時価
	取得年	取得費	時価	
土地	平成26年	8,000,000円	40,000,000円	34,000,000円
建物	平成26年	10,000,000円	12,000,000円	14,000,000円
合計	―――	18,000,000円	52,000,000円	48,000,000円

（注１）甲は、取得資産を譲渡資産の譲渡直前の用途と同一の用途に供している。

（注２）乙所有の土地及び建物は、いずれも平成15年に取得したものである。

（注３）甲は、交換差金4,000,000円を乙から受け取っている。

（注４）甲は交換費用1,300,000円を要しているが、譲渡資産に係るものは、土地500,000円、建物150,000円、取得資産に係るものは、土地460,416円、建物189,584円である。

⇨解答：284ページ

問 題 107 交換②

(制限時間10分) 重 要 度 A

物品販売業を営む居住者甲は、その所有する店舗及び敷地を、友人乙が５年前に取得した隣町にある店舗及び敷地とそれぞれ交換し、交換の際に交換差金として1,500,000円受け取った。

交換資産の内訳は次のとおりである。

	交 換 譲 渡 資 産			交換取得資産の 時 価
	取 得 日	直前簿価	時 価	
店 舗	平成23年	3,500,000円	4,500,000円	5,500,000円
敷 地	平成17年	6,000,000円	15,000,000円	12,500,000円
合 計	———	9,500,000円	19,500,000円	18,000,000円

なお、交換により取得した資産は、それぞれ交換により譲渡した資産の交換直前の用途と同一の用途に供している。

また、交換費用として650,000円を要しているが、交換譲渡資産に係るものは店舗75,000円、敷地250,000円、交換取得資産に係るものは店舗99,306円、敷地225,694円である。

〔設問１〕上記の資料に基づき、居住者甲の本年分の譲渡所得の金額を計算しなさい。

〔設問２〕〔設問１〕に基づき、取得資産に付すべき取得価額を計算しなさい。

⇨解答：285ページ

問 題 108 交換③

(制限時間７分) 重 要 度 C

居住者甲は次の資産の交換を行った。甲の本年分の譲渡所得の金額を計算しなさい。

なお、交換差金等以外の法58の適用要件はすべて満たしており、譲渡資産は20年前に取得したものである。

資 産	譲 渡 資 産		取得資産の時価
	取 得 費	時 価	
建 物	4,000,000円	10,000,000円	13,000,000円
土 地	5,000,000円	15,000,000円	12,000,000円
合 計	9,000,000円	25,000,000円	25,000,000円

⇨解答：285ページ

問題 109 交換④ （制限時間 6 分） 重要度 A

居住者甲は、本年10月31日にＡ町に所在する業務用の事務所建物の敷地と居住者乙が所有するＢ町の土地とを下記の内容で交換することとした。甲の本年分の譲渡所得の金額を計算するとともに、交換取得資産の取得価額及び譲渡した際に保有期間を判定する場合の取得日を求めなさい。

1．Ａ町所在の土地（平成14年５月10日取得）及び建物

⑴　土地の交換時の時価　39,000,000円　　取得価額　15,600,000円

⑵　この土地の上にある事務所建物（取壊時の取得費相当額909,250円）は、交換に際し取り壊し、除去して引き渡す条件であるため、本年10月20日に307,550円の費用をかけて取り壊した。

2．Ｂ町所在の土地

⑴　交換時の時価　34,000,000円

⑵　この土地は、乙が平成18年３月から業務の用に供していたものであり、交換のために取得したものではない。

3．交換条件その他

⑴　乙は、この交換に際して甲へ時価の差額5,000,000円を金銭で支払った。

⑵　甲は、Ｂ町土地の上に交換取得後直ちに事務所建物を新築し、事務所の用に供した。

⇨解答：286ページ

問題 110 平成21年、22年に取得した土地等の特例 （制限時間 2 分） 重要度 A

次の資料に基づき、居住者甲の本年分の課税所得金額を計算しなさい。

居住者甲は、本年８月に土地Ａを45,000,000円で譲渡した。

土地Ａは、平成21年10月に30,000,000円で不動産販売業者から取得したものであり、譲渡直前まで空き地であった。

⇨解答：287ページ

問題 111 特定事業用資産の買換え① （制限時間10分） 重要度 A

次のそれぞれの〔設例〕につき、特定事業用資産の買換えの適用がある場合の譲渡所得の金額及び買換資産に付される取得価額を計算しなさい。

なお、課税の繰延べ割合は80%である。

〔設例１〕

(1) 譲渡資産	
① 譲渡価額	20,000千円
② 取得費	5,000千円
(2) 買換資産の取得価額	15,000千円
(3) 譲渡費用	1,000千円

〔設例２〕

(1) 譲渡資産	
① 譲渡価額	18,000千円
② 取得費	2,000千円
(2) 買換資産の取得価額	18,000千円
(3) 譲渡費用	500千円

〔設例３〕

(1) 譲渡資産	
① 譲渡価額	30,000千円
② 取得費	3,000千円
(2) 買換資産の取得価額	40,000千円
(3) 譲渡費用	600千円

⇨解答：288ページ

問題112 特定事業用資産の買換え② （制限時間５分） 重要度 B

以下の資料に基づき、居住者甲の本年分の譲渡所得の金額を計算しなさい。

甲は所有する倉庫の敷地（昭和51年に4,500,000円で取得。200㎡）を本年３月に160,000,000円で譲渡した。なお、倉庫は本年２月譲渡のために取壊（取壊直前の未償却残額1,000,000円）しており、また、その際取壊費用として200,000円支出している。

また、甲は本年中に土地（1,500㎡）を150,000,000円、倉庫を50,000,000円で取得し直ちに使用しているため、甲は租税特別措置法第37条（特定事業用資産の買換えの特例）の適用を受けたいと考えている。

なお、課税の繰延べ割合は80％である。

⇨解答：289ページ

問題113 特定事業用資産の買換え③ （制限時間５分） 重要度 A

居住者甲は、本年９月、１に掲げる資産を売却し、２に掲げる資産に買換えている。

甲は、この譲渡につき租税特別措置法第37条（特定の事業用資産の買換えの場合の譲渡所得の課税の特例）の適用を受けたいと考えている。以下の資料に基づき、甲の本年分の譲渡所得の金額を計算しなさい。

なお、課税の繰延べ割合は80％である。

１．譲渡資産

種類	売却代金	取得時期	取得価額等
事業所	6,500,000円	平成23年１月	売却時の取得費 2,440,000円 譲渡費用 399,500円
事務所の敷地（面積150㎡）	50,000,000円	平成19年３月	取得価額 20,000,000円 譲渡費用 3,000,000円

２．取得資産

種類	取得価額	取得時期	事業供用時期
事業所（耐用年数24年）	15,200,000円	本年12月	翌年２月
事務所の敷地（面積 500㎡）	30,000,000円	本年12月	翌年２月

⇨解答：289ページ

問題 114 収用等① （制限時間10分） 重要度 A

居住者甲は本年９月に土地収用法により、次に掲げる資産を収用された。

資　　産	取得時期	取　得　費	対価補償金	譲渡費用を補填するための補助金	譲渡費用
土　　地	昭和63年	2,400,000円	36,000,000円	800,000円	1,200,000円
建　　物	平成24年	16,360,000円	18,200,000円	200,000円	400,000円

甲は、上記対価補償金をもって本年10月に土地（取得価額30,000,000円）、建物（取得価額20,000,000円）を取得している。

上記資料に基づき、代替資産が原則法による場合と一組法による場合のそれぞれの甲の本年分の譲渡所得の金額を計算しなさい。なお、収用交換等の特別控除については考慮する必要はない。

⇨解答：290ページ

問題 115 収用等② （制限時間６分） 重要度 C

次の資料に基づき、居住者甲の本年分の課税所得金額を計算しなさい。

1．本年３月に、東京都から森林公園を造成する旨の申出があり、甲所有の山林が土地収用法により収用された。なお、甲は代替資産を取得するつもりはない。

	取得年月	譲　渡　益
土　地　部　分	令和２年１月	28,200,000円
山　林　部　分	令和２年１月	23,400,000円

2．甲の本年分の不動産所得の金額　　2,750,000円

3．所得控除額　　2,135,500円

⇨解答：291ページ

問題 116 収用等③　(制限時間６分)　重要度 A

次の資料に基づき、居住者甲の本年分の課税長期譲渡所得金額を、〔Ⅰ〕収用等に伴い代替資産を取得した場合の課税の特例、〔Ⅱ〕収用交換等の場合の特別控除のそれぞれの場合について計算しなさい。

(1) 甲は、本年８月に小学校用地として土地を買収され補償金96,000,000円を受け取り、その補償金で57,000,000円の代替土地を取得した。

(2) 買収された土地は15年前に25,000,000円で取得したものである。

(3) 譲渡に要した費用は1,500,000円であるが、譲渡費用を補填するための補償金を500,000円受け取っている。

⇨解答：292ページ

問題 117 居住用財産①　(制限時間６分)　重要度 A

次の資料に基づき、居住者甲の本年分の課税所得金額を計算しなさい。

〈資　料〉

甲は本年８月に、居宅及びその敷地を48,000,000円で譲渡し、以前から所有していた土地に居宅を新築して転居した。譲渡資産に関する資料は次のとおりである。

譲渡資産	取得時期	譲渡価額	取得費	譲渡費用
居　宅	令和３年	5,000,000円	3,400,000円	150,000円
敷　地	平成12年	43,000,000円	1,800,000円	500,000円

（注１）甲は、いままでに居住の用に供していた土地建物等を譲渡したことはない。

（注２）甲の本年分の所得控除額は1,799,500円である。

⇨解答：293ページ

問題 118 居住用財産② （制限時間８分） 重要度 A

各設問につき、各居住者の本年分の課税所得金額を最も有利となるように計算しなさい。なお、所得控除等について考慮する必要はない。

〔設問１〕

居住者甲は居住の用に供していた土地と家屋を、本年６月に52,000,000円で譲渡し、同年７月に19,000,000円で土地付建物を購入し、同月より居住の用に供している。

譲渡資産に関する資料は次のとおりである。

譲渡資産	所有期間	取得費	譲渡金額	譲渡費用
土地	20年	11,000,000円	42,000,000円	1,040,000円
建物	４年	7,500,000円	10,000,000円	

〔設問２〕

居住者乙は、本年５月の父の死亡により、父が生前一人で居住していた家屋及び建物（いずれも昭和47年に父が取得）を単純承認に係る相続（相続人は乙一人）により取得したが、直ちにその家屋を取り壊した上で敷地を40,000,000円で譲渡している。

取り壊した家屋（被相続人等居住用家屋に該当する。）の取得費相当額は1,300,000円、取り壊し費用は800,000円であり、敷地の取得費は4,500,000円、譲渡費用は230,000円である。

なお、父の相続に際し、相続税3,600,000円を納付している。（相続税の課税価格は62,000,000円、譲渡した敷地の相続税評価額は23,000,000円である。）

⇨解答：294ページ

問題 119 居住用財産③ （制限時間８分） 重要度 A

居住者甲は、前年５月に火災で全焼した居住用家屋の敷地を、本年２月に譲渡時の時価である90,000,000円で譲渡した。甲は、その譲渡代金をもって、本年12月に要件を満たす居住用家屋（床面積120㎡）及びその敷地（面積200㎡）を60,000,000円で取得し、直ちに居住の用に供している。この譲渡に際し、譲渡のための仲介手数料として5,400,000円を支出している。

甲が譲渡した敷地は、甲の祖父が昭和51年に家屋とともに取得したものを、平成26年に祖父からの特定遺贈で取得したものであるが、取得価額は不明である。なお、甲はこの家屋を取得後、全焼するまでの間、自己の居住の用に供していた。

上記の資料に基づき、甲に最も有利になるように本年分の算出税額を計算しなさい。

⇨解答：295ページ

問題 120 居住用財産④ （制限時間８分） 重要度 A

居住者甲は本年初に事業が成功し、資金に余裕ができたことから、かねてから考えていた転居を実行することにし、それまで居住していた家屋及びその敷地（家屋及び敷地は20年前に取得し以後居住の用に供していたもので、これらの資産の譲渡直前の取得費は7,500,000円である。）を本年４月に50,000,000円で売却（その際に2,500,000円の費用を要している。）し、同年５月に土地付住宅（要件を満たすもの）を41,000,000円で購入し、直ちに居住の用に供した。

上記の資料に基づき、甲に最も有利となるように本年分の算出税額を計算しなさい。

（注）取得した土地の面積は140㎡、家屋の床面積は160㎡である。なお、所得控除等については考慮する必要はない。

⇨解答：296ページ

問題 121 特別控除 （制限時間５分） 重要度 B

次の資料に基づき、居住者甲の本年分の課税所得金額を計算しなさい。

〈資料１〉各種所得の金額

⑴ 事業所得の金額　2,500,000円

⑵ 譲渡所得の金額

① 分離短期　4,800,000円（居住用）

② 分離長期　63,250,000円（収用等　34,500,000円、居住用　28,750,000円）

※ 課税の繰延を選択したものはない。

〈資料２〉所得控除の合計

3,246,700円

⇨解答：296ページ

Ⅲ　有価証券の譲渡

株式等の譲渡による所得

先物取引、ゴルフ会員権の譲渡

- 先物取引…………事業所得、譲渡所得及び雑所得として分離課税（先物取引に係る雑所得等の金額）
- ゴルフ会員権……譲渡所得（総合短期・総合長期）

上記以外の株式等

一般株式等……申告分離課税（譲渡益 × 15%）
上場株式等……申告分離課税（譲渡益 × 15%）

1．申告分離課税

① 一般株式等の譲渡による事業所得、譲渡所得又は雑所得については、他の所得と区分して「一般株式等に係る譲渡所得等の金額」という別課税標準により次の税率による所得税が課税される。

一般株式等に係る課税譲渡所得等の金額 × 15%

※1　原則として他の所得との損益通算はできない。（②において同じ。）

※2　一般株式等に係る譲渡損失の金額は、上場株式等の譲渡所得等の金額の計算上控除することはできない。

※3　純損失の繰越控除は控除できない。（②において同じ。）

※4　雑損失の繰越控除は控除できる。（②において同じ。）

※5　所得控除は控除できる。（②において同じ。）

※6　課税所得金額は「一般株式等に係る課税譲渡所得等の金額」となる。

② 上場株式等の譲渡による譲渡所得、事業所得又は雑所得については、他の所得と区分して、「上場株式等に係る譲渡所得等の金額」という別課税標準により次の税率による所得税が課税される。

上場株式等に係る課税譲渡所得等の金額 × 15%

※1　上場株式等に係る譲渡損失の金額は、上場株式等に係る配当所得等の金額の計算上控除することができる。

※2　上場株式等に係る譲渡損失の金額は、一般株式等に係る譲渡所得等の金額の計算上控除することはできない。

※3　課税所得金額は「上場株式等に係る課税譲渡所得等の金額」となる。

《上場株式等の範囲》

(1) 金融商品取引所に上場されている株式等 (2) 公募投資信託の受益権 (3) 特定投資法人の投資口 (4) 国債及び地方債 (5) 外国債及び外国地方債 (6) 会社以外の法人が特別の法律により発行する債券 (7) 公募公社債 (8) 外国公社債で一定のもの　など

(1) 譲渡所得の金額の計算

総収入金額 －（取得費 ＋ 譲渡費用 ＋ 負債の利子）

※1　50万円の特別控除なし。

※2　負債の利子

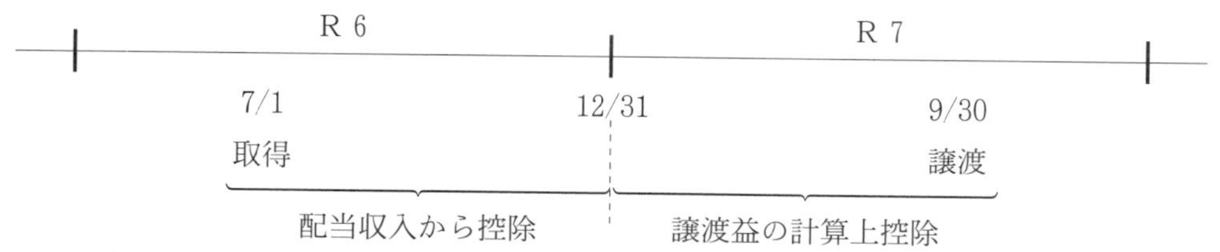

(2) 特定口座内保管上場株式等の特例

① 特定口座内保管上場株式等の譲渡をした場合には、一定の方法により、特定口座内保管上場株式等の譲渡による譲渡所得等の金額とその他の株式等の譲渡による譲渡所得等の金額とを区分して、これらの金額を計算する。

② 特定口座源泉徴収選択届出書を提出した特定口座につき、特定口座内保管上場株式等の譲渡による譲渡所得等の金額を有する場合には、これを除外したところにより確定申告することができる。

③ 源泉徴収選択口座内に、譲渡損失と配当等がある場合において、譲渡損失の金額を申告する場合には、配当等についても申告（総合課税又は申告分離課税）しなければならない。

(3) 特定中小会社の株式の特例

① 特定中小会社の発行する株式（特定株式）を払込みにより取得した場合において、上場等の日の前日までの期間（適用期間）内にその株式について次の損失が生じたときは、その損失の金額はその特定株式の譲渡損失の金額とみなして、まず一般株式等に係る譲渡所得等の金額の計算上控除し、控除しきれない金額は上場株式等に係る譲渡所得等の金額計算上控除する。

イ　特定中小会社が解散し、その清算が結了したことによりその株式が価値を失ったことに伴い生じた損失

ロ　特定中小会社が破産手続開始の決定を受けたことによりその株式が価値を失ったことに伴い生じた損失

※　他の株式等の譲渡益と通算してもなお通算しきれない部分の金額は一定要件のもと3年間の繰越控除が認められる。

②　特定株式及び設立特定株式を払込みにより取得した場合には、一定の方法により、その年分の一般株式等に係る譲渡所得等の金額又は上場株式等に係る譲渡所得等の金額の計算上、その特定株式（その年12月31日において有するものに限る。）の取得に要した金額の合計額（この規定適用前の一般株式等に係る譲渡所得等の金額及び上場株式等に係る譲渡所得の金額を限度とする。）を控除する。

なお、この規定により控除した金額（設立特定株式又は一部の特定株式は、控除した金額のうち20億円を超える部分の金額）は、その特定株式の取得価額から控除する。

※　特定新規中小会社の寄附金控除の規定と選択適用

(4)　特定管理株式の特例

特定管理株式が株式としての価値を失ったことによる損失が生じた場合として次の事実が発生したときは、その損失の金額は譲渡損失の金額とみなして上場株式等に係る譲渡所得等の金額の計算上控除する。

①　その株式会社が解散し、その清算が結了したこと

②　破産法の規定による破産手続開始の決定を受けたことなど

2．みなし配当と株式等に係る譲渡所得等

(1)　合併（適格合併を除く）の場合

①　みなし配当額

$$\text{交付金銭等の額} - \frac{\text{資本金等の額}}{\text{発行済株式総数}} \times \text{所有する株式数}$$

②　株式等に係る譲渡所得等の金額

イ　収入金額とみなされる金額

交付金銭等の額　－　みなし配当額

ロ　控除する取得価額

旧株（被合併法人の株式）の従前の取得価額の合計額

(2) 解　散

① みなし配当額

$$交付金銭等の額 - \frac{資本金等の額 \times 払戻等割合^{※}}{発行済株式総数} \times 所有する株式数$$

$$※\ 払戻等割合 = \frac{交付金銭等の額の総額}{その法人の資産の帳簿価額 - その法人の負債の帳簿価額} \left(\begin{array}{l}小数点3位\\未満切上\end{array}\right)$$

② 株式等に係る譲渡所得等の金額

イ 収入金額とみなされる金額

交付金銭等の額 － みなし配当額

ロ 控除する取得価額

旧株の従前の取得価額の合計額 × 払戻等割合

(3) 発行法人に対する株式の譲渡（自己株式の取得）

① みなし配当額

$$交付金銭等の額 - \frac{資本金等の額}{発行済株式総数} \times 譲渡した株式数$$

※ みなし配当の認識をせず、すべて株式等に係る譲渡所得等とする場合

イ 上場株式の譲渡で、発行法人の証券市場からの買付けによるもの

ロ 相続等で取得した非上場株式の発行法人に対する譲渡で、相続税額の取得費加算の適用があるもの

② 株式等に係る譲渡所得等の金額

イ 収入金額とみなされる金額

交付金銭等の額 － みなし配当額

ロ 控除する取得価額

譲渡した株式の取得価額の合計額

3．非課税口座内の少額上場株式等に係る配当所得及び譲渡所得等の非課税

① 譲渡による所得の非課税

非課税口座内において保管の委託等がされている上場株式等を譲渡した場合の譲渡益は非課税とされ、譲渡損はないものとみなす。

② 配当等の非課税

①の非課税口座に係る上場株式等に係る配当等は非課税とされる。

4．国外転出時課税

⑴ 要　件

① 国外転出時等又は非居住者への贈与等の時における有価証券等の価額及び未決済取引等の金額の合計額が１億円以上

② 国外転出時又は贈与等時前10年以内における国内に住所又は居所を有していた期間の合計が５年超

※ １億円以上の判定には、非課税口座で保管されている有価証券等を含む。

⑵ 取扱い

国外転出時等における価額で有価証券等の譲渡又は未決済取引等の決済があったものとみなす。

※ 譲渡とみなされたことにより上場株式等の譲渡損失が生じた場合には、申告分離課税を選択した利子所得及び配当所得との損益通算並びに繰越控除の適用がある。

問題 122 有価証券の譲渡による所得（その１）（制限時間４分） 重要度 A

居住者甲は本年中に次の有価証券を譲渡している。

甲の本年分の譲渡所得の金額を有利となるように計算しなさい。

種　　類	譲渡価額	取得価額
A株式（上場株式）	4,900,000円	6,200,000円
B株式（非上場株式）	5,000,000円	2,500,000円
C公募株式等証券投資信託	6,500,000円	5,000,000円
D日本国債	2,200,000円	1,980,000円

（注）A株式は、源泉徴収選択口座において保管されていたものである。

⇨解答：297ページ

問題 123 有価証券の譲渡による所得（その２）（制限時間６分） 重要度 A

居住者甲は、本年中に次の有価証券を譲渡している。

甲の本年分の譲渡所得の金額を計算しなさい。

種　　類	譲渡価額	取得価額	譲渡費用	取得のための借入金の利子	所有期間
A　株　式（上場株式）	8,000,000円	6,200,000円	180,800円	53,000円	2年
B　株　式（非上場株式）	6,000,000円	3,532,500円	135,600円	132,000円	3年
C　株　式（非上場株式）	5,800,000円	5,000,000円	127,600円	42,000円	2年
D　株　式（上　場）	2,800,000円	1,000,000円	133,280円	——	2年
E　国　債	1,980,000円	2,200,000円	43,120円	——	1年

（注１）C株式は、その株式に係る発行法人がゴルフ場を経営しており、その株式を所有することがそのゴルフ場を一般の利用者に比して有利な条件で継続的に利用する権利を有する者となるための要件とされている。

（注２）株式を取得するための借入金の利子は、すべて本年１月１日から譲渡時までに対応するものである。

（注３）D株式は非課税口座により保管されていたものである。

⇨解答：298ページ

問題 124 有価証券の譲渡による所得（その３）（制限時間３分）

重要度 A

A株式会社（上場会社ではない。）の解散により、株主甲はその所有株式5,000株に対して3,800,000円（税引前の金額）の残余財産の分配を受けた。

なお、解散直前におけるA㈱の発行済株式総数は200,000株、資本金等の額124,000,000円、払戻等割合は1.000であり、甲はこのA株式を３年前に2,600,000円で取得している。

この場合における甲の本年分の各種所得の金額を計算しなさい。

⇨解答：299ページ

問題 125 有価証券の譲渡による所得（その４）（制限時間３分）

重要度 A

次の資料に基づき、本年分の課税標準を計算しなさい。

〔資　料〕

(1)	利子所得の金額（申告分離課税を選択したもの）	50万円
(2)	配当所得の金額（申告分離課税を選択したもの）	△　10万円
(3)	配当所得の金額（総合課税を選択したもの）	△　30万円
(4)	事業所得の金額	700万円
(5)	上場株式等に係る譲渡所得等の金額の計算上生じた損失の金額	△　550万円

⇨解答：299ページ

問題126 有価証券の譲渡による所得（その5）（制限時間8分） 重要度 A

次の資料に基づき、居住者甲の本年分の課税標準を、甲の所得税額が最も有利になるように計算しなさい。なお、課税総所得金額に係る超過累進税率は40%とする。

また、持株割合が3%以上である株式は保有しておらず、金額はすべて税引前の金額である。

〔資　料〕

甲の本年中の株式等の状況は、次のとおりである。

1．A証券会社に保有する源泉徴収選択口座内の上場株式等の譲渡損失の金額が300,000円あり、これを、同口座に受け入れた上場株式等の配当等の金額（配当所得となるもの）140,000円と差引計算している。

2．B上場株式の譲渡益が80,000円、剰余金の配当が110,000円ある。

3．非上場株式の譲渡益が200,000円ある。

4．本年6月に特定管理株式であるC株式の価値が喪失している。

なお、この株式は2年前に特定口座を通じて500,000円で取得していたものである。

⇨解答：300ページ

問題127 有価証券の譲渡による所得（その6）（制限時間3分） 重要度 C

本年A特定中小会社（非上場）が破産手続開始の決定を受けたため、居住者甲保有のA特定株式120株の価値が喪失した。

なお、甲はA特定株式120株をA特定中小会社設立時に1株につき55,000円を払い込んで取得したものであるが、措法37の13（取得に要した金額の控除）の適用は受けていない。

甲の本年分の有価証券の譲渡による所得は、非上場株式の譲渡益5,000,000円と上場株式の譲渡益2,000,000円である。

この場合における甲の本年分の譲渡所得の金額を計算しなさい。

⇨解答：301ページ

問題 128 有価証券の譲渡による所得(その7)(制限時間5分) 重要度 A

居住者甲は、時価にして3億円以上の有価証券を所有しているが、本年中に次の有価証券を譲渡(贈与)している。

甲の本年分の譲渡所得の金額を計算しなさい。

なお、甲は国外に住所及び居所を有したことはない。

種　類	譲渡対価	取得費	譲渡費用	備　考
A上場株式	5,000,000円	2,700,000円	23,000円	(注1)
B受益権	1,800,000円	1,130,000円	67,000円	(注2)
C上場株式	3,800,000円	1,670,000円	14,000円	(注3)
D非上場株式	———	2,800,000円	———	(注4)

(注1) A株式は、丙証券会社の特定口座(源泉徴収選択口座)により保管されていたものである。

(注2) B受益権は、私募株式等証券投資信託に係るものである。

(注3) C株式は、丁証券会社の特定口座(簡易申告口座)により保管されていたものである。

(注4) D株式は、非居住者である長男に贈与している。
なお、贈与時の時価は5,300,000円である。

⇨解答:302ページ

第11章

一　時　所　得

1．一時所得とされるもの

利子所得から譲渡所得までの所得以外の所得のうち、営利を目的とする継続行為から生じた所得以外の一時の所得で、労務その他の役務又は資産の譲渡の対価としての性質を有しないもの

2．一時所得の例示

(1) 懸賞の賞金品、福引の当選金品等（業務上のものを除く。）

(2) 競馬の馬券の払戻金、競輪の車券の払戻金等（雑所得に該当するものを除く。）

(3) 生命保険契約等に基づく一時金（業務上のものを除く。）及び損害保険契約等に基づく満期返戻金等

(4) 法人からの贈与により取得する金品（業務上のもの等を除く。）

(5) 人格のない社団等の解散により受けるいわゆる清算分配金等

(6) 借家人が賃貸借の目的とされている家屋の立退きに際して受ける立退料（所定のものを除く。）

(7) 売買契約が解除された場合に、契約の当事者が取得する手付金等（業務上のものを除く。）

(8) 遺失物拾得者又は埋蔵物発見者が受ける報労金

(9) 遺失物の拾得又は埋蔵物発見により新たに所有権を取得する資産

(10) 地方税法の規定により交付を受ける報奨金（固定資産税の前納報奨金等）

(11) ふるさと納税の返礼品

3．課税されないもの

(1) 宝くじの当選金

(2) 相続、遺贈又は個人からの贈与による所得

(3) 心身又は資産に加えられた損害を補填する性質の損害保険金、損害賠償金等

4．一時所得の金額

総収入金額 － 支出した金額 － 特別控除額（50万円限度）

5．収入金額計上時期

・原　則…………………………………………支払を受けた日

・生命保険契約に基づく一時金等…………支払を受けるべき事実が生じた日

6．収入金額の評価

広告宣伝のための賞品

通常の販売価額（現金正価）× 60%

※　商品券は券面額等で評価する。

7．生命保険契約等に基づく一時金等

(1) 総収入金額

生命保険契約等又は損害保険契約等に基づいて支払われる一時金又は満期返戻金	＋	支払開始日以後に支払われる剰余金等

(2) 支出した金額

① 生命保険契約等に係る支出した金額

イ　一時金のみ支払われる場合

保険料等の総額 － 支払開始日前に支払われる剰余金等………【A】

ロ　一時金の他に年金が支払われる場合

$$【A】-【A】\times \frac{年金の支払総額又は支払総額の見込額【B】}{【B】+ 一時金の額}$$ （2位未満切上）

② 損害保険契約等に係る支出した金額

保険料等の総額（各種所得の金額の計算上必要経費に算入された金額を除く。）	－	支払開始日前に支払われる剰余金等

※　保険料の負担者と保険金の受取人が異なる場合には相続税又は贈与税の課税対象となり、所得税は原則として非課税である。

8．懸賞クイズ等の当選金品の一部を寄附した場合

懸賞クイズ等の当選金品の一部を公益施設等に寄附する定めがある場合における、その定めに基づき寄附した金品は、「支出した金額」に含まれる。

寄附が条件……支出した金額（特定寄附金に該当しても寄附金控除は適用できない。）
寄附が任意……特定寄附金に該当すれば寄附金控除を適用する。

9．源泉徴収

広告宣伝のための賞金品　（賞金品 － 50万円）× 10%（10.21%）

問題 129 一時所得（その１）～範囲～ （制限時間１分） 重要度 A

次のうち、一時所得に該当するものを選びなさい。

⑴ クイズに当選して取得した金品（業務には関係のないものである。）

⑵ 事業用備品購入に際し取得した福引の当選金品

⑶ 生命保険契約に基づく一時金（甲が保険料を負担したものである。）

⑷ 人格のない社団の解散により受ける清算分配金

⑸ 法人から贈与により取得する金品（業務には関係ないものである。）

⑹ 確定給付企業年金法に基づき支給を受ける一時金（退職に基因するものである。）

⑺ 損害保険契約に基づく満期返戻金

⑻ 売買契約を買主に破棄されたことにより没収した手付金（業務には関係ないものである。）

⑼ 居住しているアパートを退去する際に受けた立退料（借家権の譲渡対価には該当しないものである。）

⇨解答：303ページ

問題 130 一時所得（その２） （制限時間２分） 重要度 A

Ａ株式会社に勤務する居住者甲は、本年中に給与所得以外に次のような所得があった。甲の本年分の一時所得の金額を計算しなさい。

⑴ 年末恒例の福引に当選し、100,000円取得した。

⑵ 本年10月の天皇賞で、馬券50,000円を購入し、1,250,000円の払戻しを受けた。
この払戻し金は雑所得には該当しないものである。

⑶ 通勤途中に遺失物を拾得し、報労金150,000円を受けた。

⇨解答：303ページ

問題 131 一時所得（その３）～広告宣伝の賞品～ （制限時間２分） 重要度 A

食品会社に勤務する居住者甲は、広告宣伝のために行われた懸賞に当選し、本年６月に現金正価900,000円の自動車を取得した。源泉徴収税額4,084円は甲が主催会社に後日振込んでいる。甲の本年分の一時所得の金額を計算しなさい。

⇨解答：304ページ

問題 132 一時所得（その4）～当選金の寄附～ （制限時間3分） 重要度 A

居住者甲はA社の広告宣伝のためのクイズに当選し、賞金680,000円（税引前）を受け取った。この金額は日本赤十字社に対する寄附金120,000円控除後の金額である。なお、寄附金については、当選金の一部を、日本赤十字社に対して寄附することが当初からの条件となっていた。この場合の甲の本年分の一時所得の金額及び源泉徴収税額（復興特別所得税を含む。）を計算しなさい。

⇨解答：304ページ

問題 133 一時所得（その5）～生命保険金①～ （制限時間3分） 重要度 A

居住者甲は、本年中に満期の到来した次の生命保険契約の保険金を受け取った。

甲の本年分の一時所得の金額を計算しなさい。

種 類	保険料払込人	保険金受取人	支払保険料の総額	分配を受けた剰余金	保険金
A 生 命	甲	甲	760,000円	120,000円	1,000,000円
B 生 命	甲	甲	1,150,000円	250,000円	2,000,000円
C 生 命	父	甲	600,000円	40,000円	800,000円

（注）A生命の剰余金は、保険金とともに取得し、B生命の剰余金は満期日前に取得したものである。

⇨解答：305ページ

問題 134 一時所得（その6）～生命保険金②～ （制限時間2分） 重要度 A

居住者甲は、本年中に死亡保険金5,000,000円を受け取った。

この保険契約の被保険者は甲の母、保険契約者は、当初甲の父であったが、父が5年前に死亡したため、相続人である甲がこの契約を引き継いだものであり、父の死亡後は甲が保険料を負担している。

この保険契約に係る支払保険料の総額は3,600,000円（うち、父の支払額2,000,000円）である。

⇨解答：305ページ

問題 135　一時所得（その７）～満期返戻金①～

（制限時間２分）　重要度　A

製造業を営む居住者甲は、事業用機械装置を保険目的とする損害保険契約（契約期間10年）の満期返戻金3,500,000円を本年５月に受け取った。この契約に係る払込掛金総額は2,200,000円であるが、このうち1,100,000円は積立保険料である。この場合の甲の本年分の一時所得の金額を計算しなさい。

⇨解答：306ページ

問題 136　一時所得（その８）～満期返戻金②～

（制限時間２分）　重要度　A

居住者甲は、本年２月に、自宅を保険目的とする長期損害保険契約の満期返戻金2,000,000円を受け取った。この保険契約について甲が支払った保険料の総額は2,185,000円（うち1,898,000円は積立保険料）である。

甲の本年分の一時所得の金額を計算しなさい。

⇨解答：306ページ

問題 137　一時所得（その９）～違約金～

（制限時間２分）　重要度　A

次の資料に基づき、販売業を営む居住者甲の本年分の一時所得の金額を計算しなさい。

⑴　甲の所属する同業者団体が本年５月に解散したことにより、その残余財産の分配として370,000円を取得した。この同業者団体は人格のない社団に該当するものである。

⑵　本年８月に、M不動産株式会社との間で、分譲住宅を購入する契約を締結し、その手付金として甲は800,000円を支払った。しかし、本年９月に同社より契約解除の申出があり、甲は手付金の倍返しとして1,600,000円を取得した。

⇨解答：307ページ

第12章

雑　所　得

１．雑所得とされるもの

利子所得から一時所得以外の所得

２．公的年金等以外の雑所得の例示

(1)　法定果実であるが利子等、配当等に該当しないもの等（その他雑所得）

① 法人の役員等の社内預金の利子

② いわゆる学校債、組合債の利子

③ 定期積金等のいわゆる給付補填金

④ 還付加算金等

⑤ 人格のない社団等から受ける収益の分配金

⑥ 株主等である地位に基づき受ける経済的利益で配当所得とされないもの

⑦ 生命保険契約等に基づく年金

(2)　業務に係る雑所得

① 動産、採石権、鉱業権、金銭の貸付けに係る所得

② 工業所有権の使用料に係る所得

③ 原稿料、作曲料、放送謝金、著作権の使用料、講演料等に係る所得

④ 保有期間５年以内の山林の伐採又は譲渡による所得

⑤ 暗号資産の譲渡による所得

※ 帳簿書類の保存がない場合は、原則として雑所得となる。

３．雑所得の金額 ＝ (1) ＋ (2)

(1)　その他 ＝ 総収入金額 － 必要経費

(2)　公的年金等 ＝ 収入金額 － 公的年金等控除額

４．生命保険契約等に基づく年金

(1)　総収入金額

$$\text{生命保険契約等に基づいて支払を受ける年金} + \text{支払開始日以後に支払われる剰余金等}$$

(2)　必要経費

$$\text{その年に支払を受ける年金の額} \times \frac{\text{保険料等の総額(注)} - \text{支払開始日前の支払剰余金等の額}}{\text{年金の支払総額又は支払総額の見込額}} \quad \text{（２位未満切上）}$$

（注）当該生命保険契約等が年金のほか一時金を払う内容のものである場合の年金に係る保険料の算式

$$\text{保険料又は掛金の総額} \times \frac{\text{年金の支払総額又は支払総額の見込額〔A〕}}{\text{〔A〕} + \text{一時金の額}} \quad \text{（２位未満切上）}$$

5．公的年金等に係る雑所得の金額

(1) 公的年金等の範囲

① 過去の勤務に基づき使用者であった者から支給される年金

② 一時恩給以外の恩給及び国民年金法、厚生年金保険法等に基づく年金

③ 確定給付企業年金法の規定に基づいて支給を受ける年金等

(2) 公的年金等に係る雑所得の金額

① 公的年金等の収入金額

自己負担の保険料（掛金）がある場合の確定給付企業年金法の規定に基づく雑所得の収入金額

$$年金の額【A】-【A】\times\frac{自己負担の保険料（掛金）の額}{年金の支給総額}（2位未満切上）$$

② 公的年金等控除額……巻頭参照

6．先物取引に係る所得

先物取引を行い、かつ、その差金等決済を行った場合には、その差金等決済に係る事業所得、譲渡所得及び雑所得については、他の所得と区分して「先物取引に係る雑所得等の金額」という別課税標準により15％の税率による所得税が課税される。

※1 他の所得との損益通算はできない。

※2 純損失の繰越控除はできない。

※3 雑損失の繰越控除はできる。

※4 所得控除はできる。

※5 合計所得金額を構成する。

※6 課税所得金額は「先物取引に係る課税雑所得等の金額」となる。

7．定期積金の給付補填金等の分離課税制度

「第3章 利子所得等」参照

8．貸倒損失

- 雑所得の基因となる資産（貸付金の元本）→ 雑所得の金額を限度として必要経費算入
- 総収入金額に係る債権（未収利息）→ 総収入金額計上年分に遡って、一定限度額を減額

9．源泉徴収

⑴　原稿料等、報酬等、契約金等

１回の支払金額が100万円までは10％（10.21％）、100万円超の部分は20％（20.42％）

⑵　生命保険契約等に基づく年金

（年金受給額　－　必要経費）× 10％（10.21％）
25万円以上の場合に限る。

⑶　公的年金等に基づく年金

（収入金額　－　所定の金額）×　５％（5.105％）又は10％（10.21％）

10．新株予約権の行使による経済的利益の所得区分

内容		所得区分
給与所得者等	職務等に関連して与えられたもの等	給与所得
	（特定新株予約権に該当する場合）	（非課税）
	退職により与えられたもの	退職所得
業務に関連して与えられたもの		事業所得又は雑所得
特別な場合		一時所得
上記以外のもの（原　則）		雑所得

※　株主等として与えられた場合は、課税関係は生じない。

11．家内労働者の特例

家内労働者、外交員など、特定の者に継続的に人的役務の提供を行うことを業務とする事業所得又は雑所得を有する者の必要経費は、次のうちいずれか多い金額とすることができる。

⑴　55万円（給与所得の金額の計算上控除された金額を除く。）

⑵　実額経費

問題 138 雑所得（その１）

（制限時間２分）　重要度 A

次の資料に基づき、Ａ建設会社に勤務する居住者甲の本年分の雑所得の金額を計算しなさい。

なお、甲はＡ社の役員である。

(1) 勤務先Ａ社より社内預金利息150,000円（本年対応分）を受け取った。

(2) 社内の友人に対して金銭を貸し付けたことにより受け取った利息60,000円がある。

⇨解答：308ページ

問題 139 雑所得（その２）

（制限時間３分）　重要度 A

次の資料に基づき、居住者甲の本年分の雑所得の金額を計算しなさい。

なお、いずれも事業として行っているものではない。

(1) ４年前に1,200,000円で取得した山林を伐採して譲渡した。

譲渡価額　2,100,000円

譲渡費用　170,000円

(2) 甲は趣味で競走馬を有しており、本年中に獲得した賞金総額は3,400,000円（税引前の金額）である。

なお、本年中に競走馬に要した費用の額は2,600,000円である。

(3) 甲は、暗号資産への投資を行っており、本年中に5,000コインを１コイン当たり108円で売却している。

なお、本年中の譲渡原価は460,000円である。

⇨解答：308ページ

問題 140 雑所得（その３）

（制限時間２分）　重要度 A

居住者甲は本年中に次に掲げる収入があった。この場合の甲の本年分の雑所得の金額を計算しなさい。

なお、甲は文筆を事業として行っていない。

(1) 業界紙に寄稿し、原稿料収入314,265円（１回で支払を受けたもので、復興特別所得税を含む源泉徴収税額控除後の手取額）があった。

(2) Ａ新聞社に投稿し、原稿料収入1,156,535円（１回で支払を受けたもので、復興特別所得税を含む源泉徴収税額控除後の手取額）があった。

なお、取材のための費用が210,000円かかっている。

⇨解答：309ページ

問題141　雑所得（その４）～公的年金等～

（制限時間６分）　重要度　A

次のそれぞれの〔設問〕に基づき、本年分の雑所得の金額を計算しなさい。（収入金額はすべて税引前の金額である。）

〔設問１〕

居住者甲（67歳）は本年中に厚生年金として4,700,000円の支給を受けている。

なお、公的年金等に係る雑所得以外の所得に係る合計所得金額は500万円である。

〔設問２〕

居住者乙（64歳）は本年中に勤務先であった会社から、過去の勤務に基づき年金4,200,000円の支給を受けている。

なお、公的年金等に係る雑所得以外の所得に係る合計所得金額は1,500万円である。

〔設問３〕

居住者丙（60歳）は本年中に確定給付企業年金法に基づき支給される年金3,800,000円を受け取っている。この年金は、10年の有期年金であり、支給総額は40,000,000円である。また、上記年金契約に基づき、丙が某会社に勤務中負担した掛金総額は1,998,000円である。

なお、公的年金等に係る雑所得以外の所得に係る合計所得金額は2,100万円である。

⇨解答：310ページ

問題142　雑所得（その５）～生命保険年金①～

（制限時間２分）　重要度　A

居住者甲は、本年中に生命保険年金840,000円（税引前の金額）及び剰余金30,000円の支払を受けている。

この保険契約について甲が負担した保険料の総額は5,754,000円、年金の受給総額は8,400,000円である。

甲の本年分の雑所得の金額及び年金に係る源泉徴収税額（復興特別所得税を含む金額）を計算しなさい。

⇨解答：310ページ

問題143 雑所得（その６）～生命保険年金②～

（制限時間４分） 重要度 A

次の資料に基づき、居住者甲の本年分の一時所得の金額及び雑所得の金額を計算しなさい。

甲は、本年６月にかねてより契約していた生命保険契約に基づいて年金200,000円（その年金の支払総額は2,000,000円）を受け取り、同時に一時金として1,600,000円を受け取った。

この生命保険契約は満期日に一時金として1,600,000円を支払い、満65歳に達した本年から10年間、毎年６月に200,000円ずつ支払う契約となっている。

なお、支給時までに800,000円の保険料を支出している。

⇨解答：311ページ

問題144 雑所得（その７）～新株予約権①～

（制限時間２分） 重要度 A

居住者甲は、本年８月に会社法第238条２項の決議に基づきＡ株式会社の新株予約権を与えられ、2,000株を取得した。なお、甲はＡ株式会社の使用人及び役員ではなく、Ａ株式会社との取引関係もない。甲の本年中の各種所得の金額を計算しなさい。

発行価額	50円
払込期日の新株の価額	420円

⇨解答：311ページ

問題145 雑所得（その８）～新株予約権②～

（制限時間２分） 重要度 B

居住者甲の本年分の各種所得の金額を計算しなさい。

甲は、会社法第238条２項の決議に基づきＡ株式会社から無償で付与された新株予約権を、本年６月にＡ株式会社に対して8,000,000円で譲渡した。

なお、甲はＡ株式会社とは雇用関係や業務上の関係はない。

⇨解答：312ページ

問題 146　雑所得（その９）～先物取引～　（制限時間３分）　重要度 A

次の資料に基づき、居住者甲の本年分の課税標準を計算しなさい。

なお、先物取引による所得は雑所得として分離課税されるものである。

(1)　本年分の給与所得の金額　8,000,000円

(2)　本年中の商品先物取引による利益　5,400,000円

(3)　本年中の外国為替証拠金取引による損失　2,000,000円

(4)　前年において生じた外国為替証拠金取引による損失　2,458,000円

なお、前年において他の先物取引による利益は生じなかった。また、この損失額は、適法に本年に繰り越されているものである。

⇨解答：312ページ

問題 147　雑所得（その10）～事業上以外の債権の回収不能～　（制限時間２分）　重要度 A

居住者甲は友人に対する貸付金1,000,000円を有していたが、その元本債権1,000,000円及び前年分の未収利息50,000円が本年回収不能となった。甲は本年中、雑所得に係る総収入金額が530,000円、必要経費が180,000円あるが、元本債権及び利息の回収不能額については何らの処理もされていない。上記資料に基づき、甲の本年分の雑所得の金額を計算しなさい。

⇨解答：313ページ

問題 148　雑所得（その11）～家内労働者の特例～　（制限時間２分）　重要度 A

居住者甲は、本年中にパート収入400,000円（税引前の金額）があり、その他に雑所得に該当する内職収入870,000円を得ている。内職に係る実額経費は75,000円である。

なお、上記の内職は、特定の者に継続的に役務提供を行うものである。

甲の本年分の雑所得の金額を計算しなさい。

⇨解答：313ページ

第13章

課 税 標 準

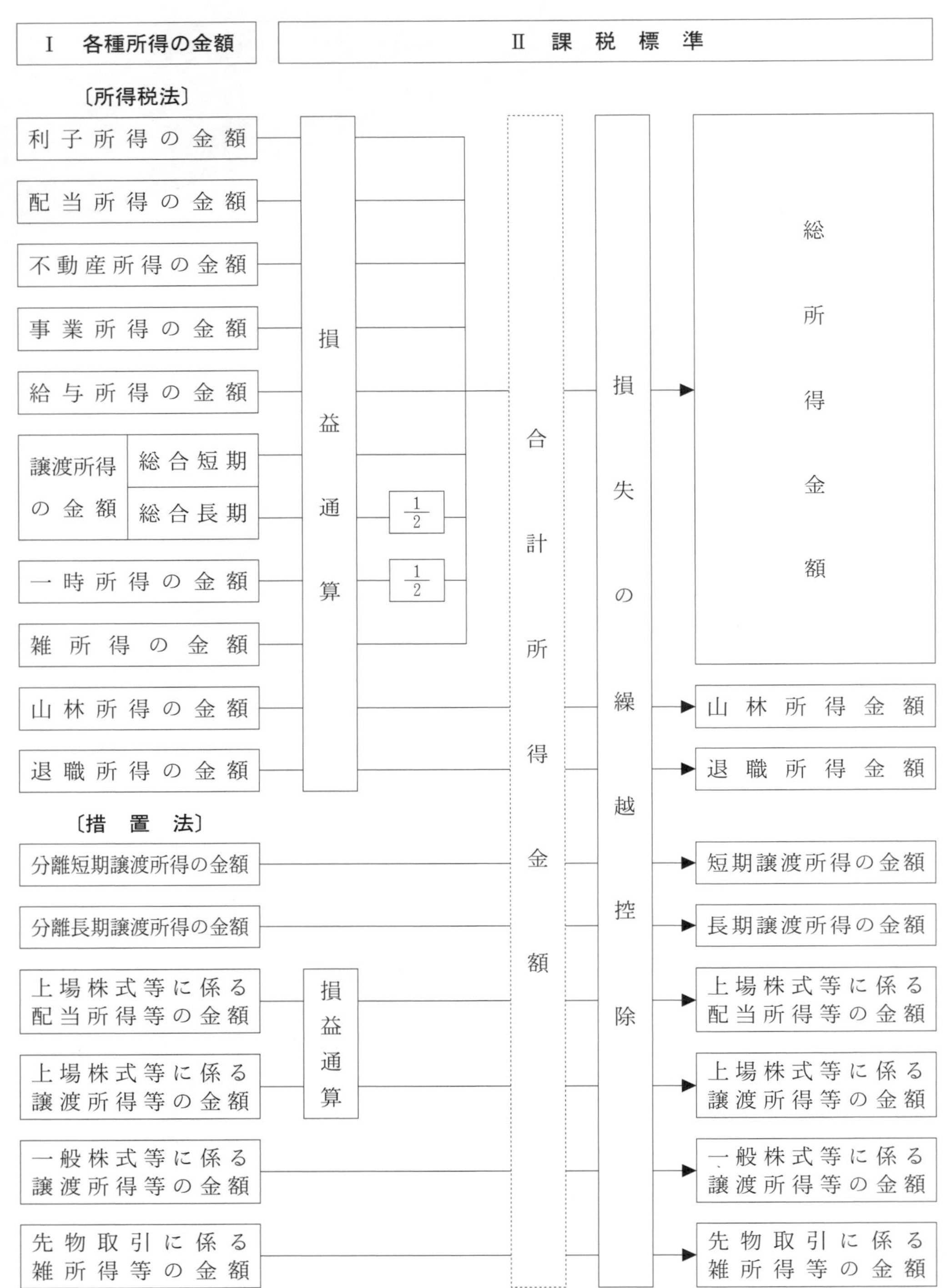
Ⅰ　各種所得の金額
Ⅱ　課　税　標　準
〔所得税法〕
利子所得の金額
配当所得の金額
不動産所得の金額
事業所得の金額
給与所得の金額
譲渡所得の金額
総合短期
総合長期
一時所得の金額
雑所得の金額
山林所得の金額
退職所得の金額
損益通算
1/2
1/2
〔措置法〕
分離短期譲渡所得の金額
分離長期譲渡所得の金額
上場株式等に係る配当所得等の金額
上場株式等に係る譲渡所得等の金額
損益通算
一般株式等に係る譲渡所得等の金額
先物取引に係る雑所得等の金額
合計所得金額
損失の繰越控除
総所得金額
山林所得金額
退職所得金額
短期譲渡所得の金額
長期譲渡所得の金額
上場株式等に係る配当所得等の金額
上場株式等に係る譲渡所得等の金額
一般株式等に係る譲渡所得等の金額
先物取引に係る雑所得等の金額

I　損益通算

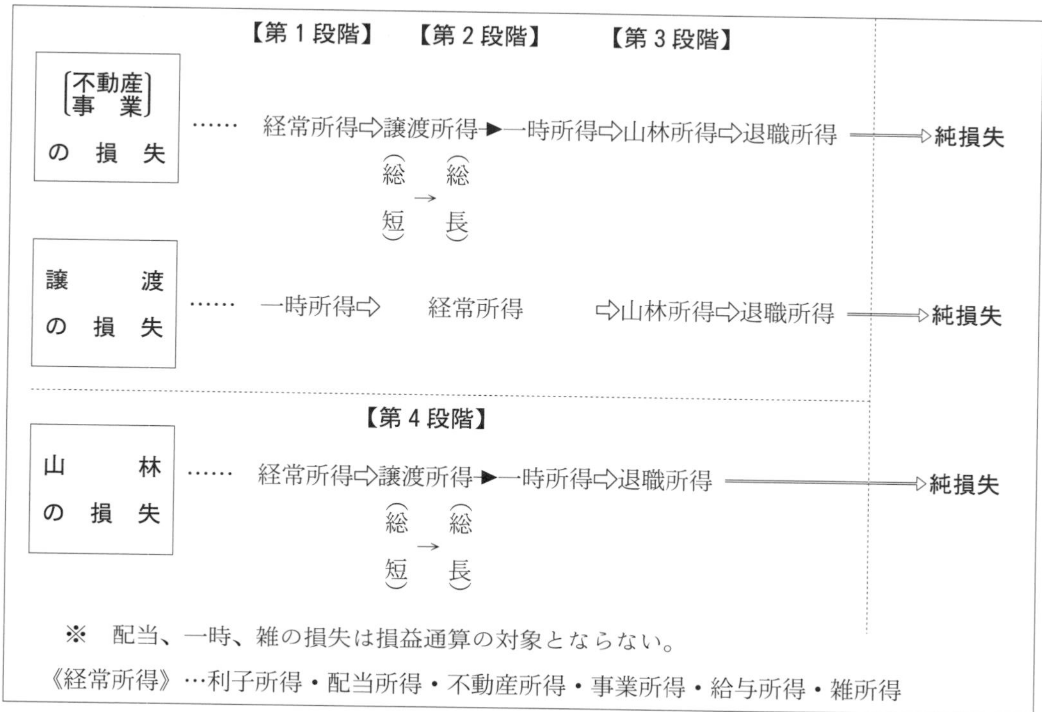

1．生活に通常必要でない資産に係る損失の金額の損益通算

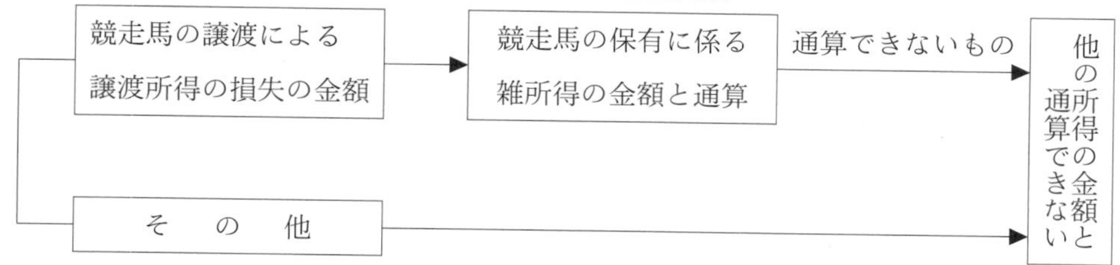

2．変動所得の損失の金額、被災事業用資産の損失の金額がある場合の控除の順序

その他の損失の金額
被災事業用資産の損失の金額
変動所得の損失の金額

3．措置法により分離課税とされるものに係る損失

措置法により分離課税とされるもの（土地建物等、株式等、先物取引）に係る損失の金額は、他の所得の金額との損益通算はできない。

（注１）土地建物等のうち、一定の居住用財産の譲渡損失の金額については、損益通算できる。

（注２）株式等のうち、一定の上場株式等の譲渡損失の金額については、申告分離課税を選択した利子所得の金額及び配当所得の金額と損益通算できる。

4．居住用財産の特例

(1) 居住用財産の譲渡損失の金額（買換え時の特例）

次の要件を満たす場合には、その譲渡損失の金額は損益通算できる。

譲　渡　資　産	買　換　資　産
その年1月1日における所有期間が5年超の居住用財産	(1) 床面積が50㎡以上の居住用家屋又はその敷地で国内にあるものの取得（譲渡年の前年1月1日から譲渡年の翌年12月31日まで） (2) (1)の資産を居住の用に供した又はその見込みであること（取得年の翌年12月31日まで） (3) (1)の資産の取得年の12月31日において、(1)の資産に係る償還期間が10年以上の住宅借入金等を有すること

(2) 特定居住用財産の譲渡損失の金額（オーバーローン時の特例）

次の要件を満たす場合には、①譲渡損失の金額と、②住宅借入金等の金額の合計額から譲渡対価の額を控除した金額のいずれか少ない金額を損益通算できる。

譲　渡　資　産	買　換　資　産
(1) その年1月1日における所有期間が5年超の居住用財産 (2) (1)の資産の譲渡契約締結日の前日に、(1)の資産に係る償還期間が10年以上の住宅借入金等を有すること	買換資産の取得は要件ではない

5．土地取得に係る負債利子の特例

不動産所得の損失の金額のうち、不動産所得を生ずべき業務用土地等を取得するために要した負債利子の額があるときは、その損失の金額のうち、その負債の利子の額相当額は損益通算できない。

6．国外中古建物の特例

国外中古建物から生ずる不動産所得の損失の金額があるときは、その損失の金額は損益通算等できない。

Ⅱ　損失の繰越控除

1．純損失の繰越控除

その年の前年以前3年（特定非常災害に係るものは5年）内の各年において生じた純損失の金額（前年以前に控除されたもの及び純損失の繰戻しによる還付の計算の基礎となったものを除く。）は一定の順序により、その年分の課税標準の計算上控除する。

【繰越控除される純損失の金額】

純損失の金額が生じた年分の所得税につき青色申告書を提出したかどうかにより異なる。

① 青色申告書を提出……純損失の金額の全額

② 青色申告書以外の確定申告書を提出……純損失の金額のうち変動所得の損失の金額及び被災事業用資産の損失の金額のみ

※ 純損失の繰越控除の順序

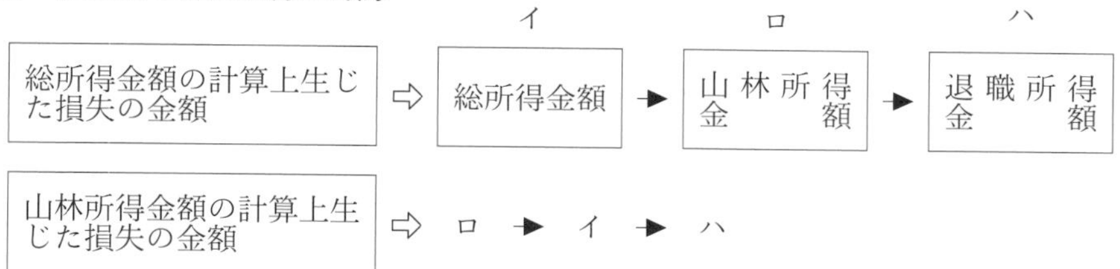

※ 短期譲渡所得の金額 ニ　長期譲渡所得の金額 ホ　上場株式等に係る配当所得等の金額 ヘ　一般株式等に係る譲渡所得等の金額 ト　上場株式等に係る譲渡所得等の金額 チ　先物取引に係る雑所得等の金額 リ　は純損失の繰越控除はできない。

2．雑損失の繰越控除

その年の前年以前3年（特定非常災害に係るものは5年）内の各年において生じた雑損失の金額（雑損控除又はこの規定により前年以前に控除されたものを除く。）は一定の順序により、その年分の課税標準の計算上控除する。

※ 控除の順序　イ ➡ ニ ➡ ホ ➡ ヘ ➡ ト ➡ チ ➡ リ ➡ ロ ➡ ハ

3．前年以前3年内の各年において生じた純損失及び雑損失の控除の順序（5年のものはない場合）

発生年	R4	R5	R6
純損失の金額	①	③	⑤
雑損失の金額	②	④	⑥

4．居住用財産に係る譲渡損失の繰越控除

その年の前年以前3年内の年において生じた通算後譲渡損失の金額（この規定により、前年以前に控除されたものを除く。）は、一定の順序により、その年分の課税標準の計算上控除する。

※1 控除の順序　ホ ➡ ニ ➡ イ ➡ ロ ➡ ハ

※2 繰越控除を受けようとする年分の合計所得金額が3,000万円を超える場合には適用しない。

5．上場株式等に係る譲渡損失の繰越控除

その年の前年以前3年内の各年において生じた上場株式等に係る譲渡損失の金額（この規定により、前年以前に控除されたものを除く。）は、「上場株式等に係る譲渡所得等の金額」及び「上場株式等に係る配当所得等の金額」の計算上控除する。

6．特定株式に係る譲渡損失の繰越控除

その年の前年以前3年内の各年において生じた特定株式に係る譲渡損失の金額（この規定により、前年以前に控除されたものを除く。）は、「一般株式等に係る譲渡所得等の金額」及び「上場株式等に係る譲渡所得等の金額」の計算上順次控除する。

7．先物取引の差金等決済に係る損失の繰越控除

その年の前年以前3年内の各年において生じた先物取引の差金等決済に係る損失の金額（この規定により、前年以前に控除されたものを除く。）は、「先物取引に係る雑所得等の金額」の計算上控除する。

問題 149 課税標準（その１）～損益通算①～

（制限時間12分）　重要度 A

次のそれぞれの設問を解答しなさい。

〔設問１〕

次の資料に基づき、総所得金額を計算しなさい。

(1) 不動産所得　　1,000,000円
(2) 事業所得　　△ 1,200,000円
(3) 譲渡所得（総短）　△ 500,000円
(4) 一時所得　　900,000円
(5) 雑所得　　400,000円

〔設問２〕

次の資料に基づき、課税標準を計算しなさい。

(1) 配当所得　　△ 130,000円
(2) 不動産所得　　△ 1,100,000円
※ 土地に係る負債の利子300,000円を必要経費に算入している。
(3) 事業所得　　2,050,000円
(4) 山林所得　　1,000,000円
(5) 譲渡所得（総短）　△ 1,750,000円
(6) 一時所得　　1,240,000円

〔設問３〕

次の資料に基づき、課税標準を計算しなさい。

(1) 配当所得　　100,000円
(2) 事業所得　　△ 500,000円
(3) 譲渡所得
　（総合短期）　700,000円
　（分離長期）　1,500,000円
　（総合長期）　2,500,000円
(4) 一時所得　　△ 300,000円
(5) 山林所得　　△ 2,000,000円

⇨解答：314ページ

問題 150 課税標準（その2）～損益通算②～

（制限時間5分）　重要度 A

次の資料に基づき、居住者甲の課税標準を計算しなさい。

配当所得の金額（総合課税）	50,000円
不動産所得の金額	880,000円
事業所得の金額	3,500,000円
事業以外の用に供されている競走馬の短期譲渡損	△ 2,900,000円
総合課税の短期譲渡益	1,600,000円
雑所得の金額	1,040,000円

※　雑所得の金額には競走馬の保有に係るもの900,000円が含まれている。

⇨解答：315ページ

問題 151 課税標準（その3）

（制限時間4分）　重要度 A

次の資料に基づき、居住者甲の本年分の課税標準を計算しなさい。

なお、甲は5年前より青色申告書を連続して提出している。

前　年	純損失の金額（山林所得金額の計算上生じたもの）	200,000円
本　年	譲渡所得の金額（総合短期）	1,000,000円
	譲渡所得の金額（分離長期）	430,000円
	配当所得の金額	△ 140,000円
	退職所得の金額	8,000,000円
	一時所得の金額	80,000円
	不動産所得の金額	△ 290,000円

⇨解答：316ページ

問題 152 課税標準（その４） （制限時間４分） 重要度 A

次の資料に基づき、居住者甲の本年分の課税標準を計算しなさい。

なお、甲は10年前より青色申告書を提出している。

また、特定非常災害に係る損失はない。

前々年	純損失の金額（山林所得金額の計算上生じたもの）		200,000円
前　年	純損失の金額（総所得金額の計算上生じたもの）		120,000円
本　年	事業所得		500,000円
	不動産所得	△	300,000円
	譲渡所得（分離短期）		7,000,000円
	一時所得		100,000円
	退職所得		3,000,000円

⇨解答：316ページ

問題 153 課税標準（その５） （制限時間６分） 重要度 A

次の資料に基づき、居住者甲の本年分の課税標準を計算しなさい。

〈資料１〉甲の本年分の各種所得の金額の内訳

配当所得	△　600,000円	譲渡所得	
不動産所得	△ 2,700,000円	（分離短期）	3,300,000円
事業所得	5,100,000円	（総合短期）	500,000円
給与所得	1,200,000円	（総合長期）	2,000,000円
退職所得	700,000円	一時所得	△　500,000円
		雑所得	300,000円

〈資料２〉前年以前から繰越された損失の金額（特定非常災害に係るものはない）

１．前々年分

雑損失の金額	900,000円
総所得金額に係る純損失の金額	1,200,000円
（うち被災事業用資産の損失の金額	500,000円）

２．前年分

総所得金額に係る純損失の金額	1,900,000円
（うち被災事業用資産の損失の金額	1,000,000円）

（注）甲は前年分の所得税から青色申告書提出の承認を受けている。なお、甲は毎年申告期限までに確定申告書を提出している。

⇨解答：317ページ

問題 154 課税標準（その６）　（制限時間６分）　重要度 A

次の資料に基づき、居住者甲の本年分の課税標準を計算しなさい。

1．本年分の所得の内訳

(1) 不動産所得の金額　3,600,000円

(2) 譲渡所得の金額（譲渡損益）

（総合長期）　1,800,000円

（総合短期）　△ 2,500,000円（競走馬の譲渡に係るものである。）

(3) 雑所得の金額

競走馬の保有に係るもの　500,000円

その他の雑所得の金額　700,000円

(4) 山林所得の金額　5,600,000円

2．前年以前から繰越されてきた損失の金額（特定非常災害に係るものはない）

(1) 前々年分（白色申告）

① 純損失の金額（総所得金額の計算上生じたもの）　2,200,000円

（うち被災事業用資産の損失の金額　1,100,000円）

② 雑損失の金額　170,000円

(2) 前年分（青色申告）

純損失の金額（山林所得金額の計算上生じたもの）　3,140,000円

⇨解答：318ページ

問題155 課税標準（その7） （制限時間8分） 重要度 A

次の各設問について、居住者甲及び乙の本年分の課税標準を計算しなさい。

〔設問1〕

(1) 居住者甲は、本年8月に、それまで居住していた住宅とその敷地を譲渡した。

譲渡資産	取得時期	取得費	譲渡代金	譲渡費用
住　　宅	平成19年8月	12,590,000円	10,000,000円	1,050,000円
住宅の敷地	平成19年1月	30,280,000円	28,000,000円	

(2) 甲は、(1)の譲渡代金及び銀行からの借入金（償還期間20年）15,000,000円をもって、マンション（床面積120㎡）を取得し、本年9月より居住の用に供している。

当該借入金の年末残高は、14,875,000円である。

(3) (1)以外の甲の本年分の所得は、次のとおりである。

① 一時所得の金額　3,000,000円（特別控除後の金額）

② 給与所得の金額　5,000,000円

〔設問2〕

(1) 居住者乙（青色申告者）は、本年9月に居住用財産（8年前に取得し、居住の用に供してきたもの）を3,500,000円で譲渡し、譲渡損8,500,000円が生じている。この居住用財産は、住宅借入金により取得したものであり、譲渡日の前日における住宅借入金の残高は6,000,000円であった。

(2) 乙は、本年1月にゴルフ会員権を2,000,000円で譲渡している。このゴルフ会員権は、6年前に1,200,000円で購入したものであり、譲渡の際に60,000円の仲介手数料を支払っている。

(3) 乙は、物品販売業を営んでおり、本年分の事業所得の金額は16,428,000円（青色申告特別控除額控除後の金額）である。

⇨解答：318ページ

問題 156 課税標準（その８） （制限時間５分） 重要度 A

次の資料に基づき、居住者甲の本年分の課税標準を計算しなさい。

1．本年分の所得の状況

(1) 不動産所得の金額 20,805,000円

(2) 短期譲渡所得の金額 3,200,000円

(3) 長期譲渡所得の金額 1,500,000円

(4) 山林所得の金額 2,800,000円

2．前年における居住用財産の譲渡に関する資料

甲は、前年２月に、居住用財産を譲渡し、住宅借入金をもって住宅及びその敷地を取得しており、通算後譲渡損失の金額が7,000,000円生じている。この通算後譲渡損失の金額を本年に繰り越すための手続は適法に行われている。

なお、住宅借入金（償還期間15年）の本年末における残高は19,280,000円である。

⇨解答：320ページ

問題 157 課税標準（その９） （制限時間４分） 重要度 B

次の資料に基づき、居住者甲の本年分の課税標準を計算しなさい。

1．居住者甲は本年、次の株式等を譲渡している。

銘　柄	取得年月	取得価額	譲渡対価	譲渡費用
A上場株式	H21.10	2,500,000円	3,000,000円	40,000円
B非上場株式	H26. 2	2,000,000円	4,500,000円	99,000円

2．甲は前年にも株式等の譲渡をしており、C特定中小会社の特定株式の譲渡損1,250,000円及び上場株式の譲渡損700,000円が生じている。

これらは、いずれも繰越控除の対象となるものである。

⇨解答：321ページ

第14章

所 得 控 除

<table>
<tr><th>種　類</th><th>適　用　要　件</th><th>控　除　額</th></tr>
<tr><td>雑損控除</td><td>⑴　資産の所有者
・自　己
・同一生計親族で課税標準の合計額が48万円以下のもの
⑵　対象資産
・生活に通常必要な資産
・事業的規模以外の業務用資産
⑶　損失の発生原因
災害・盗難・横領
※　災害等関連支出をした場合を含む。
（支出年分の損失となるが、災害等のあった翌年３月15日以前に支出したものは災害等のあった年分に計上できる。）</td><td>損失額－足切限度額
（注１）損失額《時価ベース》
〔直前時価※－直後時価〕－保険金等－廃材価額＋災害等関連支出
※　減価する資産の場合には損失直前の取得費相当額とすることもできる。
（注２）足切限度額
⑴　災害関連支出≦５万円
課税標準の合計額 × 10％
⑵　災害関連支出＞５万円
次のうちいずれか低い金額
イ　損失額 －（災害関連支出 － ５万円）
ロ　課税標準の合計額 × 10％
⑶　災害関連支出＝損失額
次のうちいずれか低い金額
イ　５万円
ロ　課税標準の合計額 × 10％</td></tr>
<tr><td rowspan="2">医療費控除
（⑴又は⑵）</td><td>⑴　自己又は同一生計親族の医療費を支払った場合
(注)健康増進剤、美容整形の費用は該当しない。健康診断の費用はこれにより重大な疾病が発見され、治療した場合以外は該当しない。</td><td>支出医療費－保険金等－〔課税標準の合計額 × ５％／10万円〕いずれか少ない方
※　限度額 200万円</td></tr>
<tr><td>⑵　その年中に健康の保持増進等の一定の取り組みを行っている居住者が、自己又は同一生計親族に係る特定一般用医薬品等（スイッチ OTC 医薬品）購入費を支払った場合</td><td>特定一般用医薬品等購入費 － 12,000円
※　限度額　88,000円</td></tr>
<tr><td>社会保険料控除</td><td>自己又は同一生計親族の負担すべき社会保険料を支払った場合又は給与から控除された場合</td><td>全　　額</td></tr>
</table>

種類	適用要件	控除額
小規模企業共済等掛金控除	次の掛金を支払った場合 イ　小規模企業共済法第2条第2項に規定する一定の共済契約の掛金 ロ　心身障害者扶養共済の掛金 ハ　確定拠出年金法に規定する掛金	全額

生命保険料控除

(1)　新生命保険契約

一般の生命保険料、介護医療保険料と個人年金保険料ごとに区分し、次の算式により計算した金額の合計額

支払った生命保険料	控除額
20,000円以下	全額
20,000円超　40,000円以下	20,000円＋（支払保険料－20,000円）× $\frac{1}{2}$
40,000円超　80,000円以下	30,000円＋（支払保険料－40,000円）× $\frac{1}{4}$
80,000円超	40,000円

(2)　旧生命保険契約

一般の生命保険料と個人年金保険料ごとに区分し、次の算式により計算した金額の合計額

支払った生命保険料	控除額
25,000円以下	全額
25,000円超　50,000円以下	25,000円＋（支払保険料－25,000円）× $\frac{1}{2}$
50,000円超 100,000円以下	37,500円＋（支払保険料－50,000円）× $\frac{1}{4}$
100,000円超	50,000円

(3)　新生命保険契約と旧生命保険契約の双方について、生命保険料控除を受ける場合

一般の生命保険料又は個人年金保険料の別に、上記(1)により計算した控除額と上記(2)により計算した控除額の合計額（それぞれ、4万円限度）

※　新生命保険契約と旧生命保険契約の双方に加入している場合には、一般の生命保険料又は個人年金保険料の別に、次のうちいずれか多い金額を選択することができる。

①　上記(1)の取扱いのみ（40,000円限度）

②　上記(2)の取扱いのみ（50,000円限度）

種　　類	適　用　要　件	控　除　額
	③　上記(3)の取扱い（40,000円限度） ※　新生命保険契約と旧生命保険契約の双方に加入している場合において、一般の生命保険料、介護医療保険料及び個人年金保険料に係るそれぞれの控除額の合計額が120,000円を超える場合には、控除額は120,000円とする。	
地震保険料控除	自己又は同一生計親族の有する居住用家屋又は家財等の地震等損害を保険目的とする保険料	全額（５万円限度）
寄附金控除	**(1)　居住者が次の特定寄附金を支出した場合** イ　国又は地方公共団体に対するもの ロ　指定寄附金 ハ　日本赤十字社、日本学生支援機構等に対するもの ニ　政党等に対するもの ホ　認定ＮＰＯ法人に対するもの ※　学校の入学に関するもの、最終的に国等に帰属しないもの等は除く。 ※　政党等、認定ＮＰＯ法人、公益社団法人等に対するものは税額控除との選択適用になる。 **(2)　居住者が特定新規中小会社の株式を取得した場合** …その株式の取得価額（800万円限度）を特定寄附金 ※　特定株式の取得に要した金額の控除などと選択適用	支出特定寄附金 課税標準の合計額×40% いずれか少ない方−2,000円
障害者控除	自己が障害者である場合又は障害者である同一生計配偶者若しくは扶養親族がある場合	①　一般障害者　→　27万円 ②　特別障害者　→　40万円 ③　同居特別障害者　→　75万円
寡婦控除	自己が寡婦である場合	27万円
ひとり親控除	自己がひとり親である場合	35万円
勤労学生控除	自己が勤労学生である場合	27万円

<table>
<tr><th>種　類</th><th>適　用　要　件</th><th colspan="3">控　　除　　額</th></tr>
<tr><td rowspan="5">配偶者控除</td><td rowspan="5">居住者が控除対象配偶者を有する場合</td><td rowspan="2">居住者の合計所得金額</td><td colspan="2">控　除　額</td></tr>
<tr><td>一般控除対象配偶者</td><td>老人控除対象配偶者</td></tr>
<tr><td>900万円以下</td><td>38万円</td><td>48万円</td></tr>
<tr><td>900万円超950万円以下</td><td>26万円</td><td>32万円</td></tr>
<tr><td>950万円超1,000万円以下</td><td>13万円</td><td>16万円</td></tr>
<tr><td rowspan="12">配　偶　者
特別控除</td><td rowspan="12">同一生計の配偶者で合計所得金額が48万円超133万円以下であるもの（青色事業専従者等を除く）を有する場合
※　居住者の合計所得金額が1,000万円を超える場合には適用しない。</td><td></td><td colspan="2">居住者の合計所得金額900万円以下</td></tr>
<tr><td>配偶者の合計所得金額</td><td colspan="2"></td></tr>
<tr><td>48万円超　95万円以下</td><td colspan="2">38万円</td></tr>
<tr><td>95万円超　100万円以下</td><td colspan="2">36万円</td></tr>
<tr><td>100万円超　105万円以下</td><td colspan="2">31万円</td></tr>
<tr><td>105万円超　110万円以下</td><td colspan="2">26万円</td></tr>
<tr><td>110万円超　115万円以下</td><td colspan="2">21万円</td></tr>
<tr><td>115万円超　120万円以下</td><td colspan="2">16万円</td></tr>
<tr><td>120万円超　125万円以下</td><td colspan="2">11万円</td></tr>
<tr><td>125万円超　130万円以下</td><td colspan="2">6 万円</td></tr>
<tr><td>130万円超　133万円以下</td><td colspan="2">3 万円</td></tr>
<tr><td colspan="3">※　居住者の合計所得金額900万円超950万円以下の場合
→　上記控除額の 3 分の 2 （1 万円未満切上）
※　居住者の合計所得金額950万円超1,000万円以下の場合
→　上記控除額の 3 分の 1 （1 万円未満切上）</td></tr>
<tr><td>扶養控除</td><td>居住者が控除対象扶養親族を有する場合</td><td colspan="3">①　一般扶養親族 → 38万円
②　老人扶養親族 → 48万円
（同居老親等の場合は10万円を加算）
③　特定扶養親族 → 63万円</td></tr>
<tr><td rowspan="4">基礎控除</td><td rowspan="4">居住者の合計所得金額が2,500万円以下である場合</td><td>居住者の合計所得金額</td><td colspan="2">控除額</td></tr>
<tr><td>2,400万円以下</td><td colspan="2">48万円</td></tr>
<tr><td>2,400万円超　2,450万円以下</td><td colspan="2">32万円</td></tr>
<tr><td>2,450万円超　2,500万円以下</td><td colspan="2">16万円</td></tr>
</table>

（注１）特別障害者

⑴　精神上の障害により事理を弁識する能力を欠く常況にある者

⑵　身体障害者手帳に１級又は２級と記載されている者

⑶　常に就床を要し、複雑な介護を必要とする者等

（注２）同居特別障害者

同一生計配偶者（扶養親族）のうち

①　特別障害者で

②　居住者、その配偶者又はその同一生計親族のいずれかとの同居を常況

（注３）同一生計配偶者

居住者の配偶者で、その居住者と生計を一にするもの（青色事業専従者で給与の支払いを受けるもの及び事業専従者を除く。）のうち、合計所得金額が48万円以下である者をいう。

（注４）控除対象配偶者

同一生計配偶者のうち、合計所得金額が1,000万円以下である居住者の配偶者をいう。

（注５）扶養親族

同一生計の親族（配偶者を除く。）、里子、養護受託老人で合計所得金額が48万円以下であるもの（青色事業専従者等を除く。）をいう。

（注６）控除対象扶養親族

扶養親族のうち、次に掲げる者をいう。

⑴　居住者のうち16歳以上のもの

⑵　非居住者のうち次に掲げるもの

①　16歳以上30歳未満の者

②　30歳以上70歳未満の者のうち次に掲げるもの

イ　留学生

ロ　障害者

ハ　その居住者からその年中に生活費等の支払いを38万円以上受けている者

③　70歳以上の者

（注７）老人控除対象配偶者・老人扶養親族

控除対象配偶者又は控除対象扶養親族で年齢70歳以上のもの

（注８）特定扶養親族

控除対象扶養親族で年齢19歳以上23歳未満のもの

（注９）同居老親等

老人扶養親族のうち
- ①　居住者又はその配偶者の直系尊属（父・母等）
- ②　居住者又はその配偶者のいずれかとの同居を常況

（注10）寡婦

次に掲げる者でひとり親に該当しないものをいう。

① 夫と離婚後婚姻をしていない者のうち、次に掲げる要件を満たすもの

イ 扶養親族を有すること

ロ 合計所得金額が500万円以下であること

ハ 事実婚と同様の事情にあると認められる者がいないこと

② 夫と死別後婚姻をしていない者等のうち、上記①ロ及びハを満たすもの

（注11）ひとり親

現に婚姻をしていない者等のうち、次に掲げる要件を満たすものをいう。

① 課税標準の合計額が48万円以下である同一生計の子を有すること

② 合計所得金額が500万円以下であること

③ 事実婚と同様の事情にあると認められる者がいないこと

⑴ 所得控除の順序

① まず雑損控除から行う。あとは同順位である。

② 総所得金額 ➡ 措置法の課税標準 ➡ 山林所得金額 ➡ 退職所得金額から順次控除する。

⑵ 所得控除のポイント

① 原則として支出年分の所得控除となる（現金主義）。

② 青色事業専従者、事業専従者は控除対象配偶者、扶養親族等には該当しない。

③ 親族が申告不要を選択したものは、その親族の合計所得金額を構成しない。

⑶ 雑損控除の親族の判定

① 生計を一にする親族かどうかの判定

資産そのものにつき生じた損失 ➡ その損失が生じた日
災害等関連支出 ➡ その損失が生じた日又は現実にその支出をした日

② 48万円以下であるかどうかの判定 ➡ その年12月31日の現況

⑷ 医療費控除の親族の判定

医療費を支出すべき事由が生じた時又は医療費を支払った日

⑸ 生命保険料控除等

① 親族の判定 ➡ 支払った日の現況

② 使用者が負担した場合 ➡ 対象とならない（給与等とされる場合を除く。）。

⑹ 国等に対する財産の寄附

特定寄附金の額は取得費と譲渡費用の合計額となる。

⑺ 扶養親族等の判定の時期

原　則 ➡ その年12月31日
年の中途で死亡（出国）の場合 ➡ その死亡（出国）時

(8)　年の中途で居住者の配偶者が死亡し、その年中にその居住者が再婚した場合の特例

原則としてその死亡した配偶者又は再婚した配偶者のうちどちらか１人に限り配偶者控除の適用が認められる。

(9)　２人以上の居住者がある場合の扶養親族等の帰属

生計を一にする親族のうちに居住者が２人以上あり、配偶者が１人の居住者の控除対象配偶者に該当し、同時に他の居住者の扶養親族にも該当する場合又は２人以上の居住者の扶養親族に該当する者がある場合には、これらのうちいずれか一に該当するものとみなされる。

問題 158　雑損控除（その１）　（制限時間６分）　重要度 A

次のそれぞれの資料に基づき、雑損控除額を計算しなさい。

（単位：円）

	(1)	(2)	(3)	(4)
住宅家財等の損失額	2,000,000	3,000,000	1,500,000	——
災害関連支出の額	30,000	200,000	320,000	500,000
保険金等の額	1,500,000	500,000	——	——
課税標準の合計額	6,000,000	29,000,000	12,000,000	4,000,000

⇨解答：322ページ

問題 159　雑損控除（その２）　（制限時間５分）　重要度 A

次の資料に基づき、居住者甲の本年分の雑損控除額を計算しなさい。

(1)　甲の本年分の課税標準は、総所得金額3,000,000円、長期譲渡所得の金額2,500,000円である。

(2)　本年10月に火災に遭い、次の資産を焼失している。

資　産	所有者	被害直前時価	被害直前未償却残額
住　宅	甲	7,000,000円	5,000,000円
宝　石	甲	260,000円	280,000円
家　財	妻	600,000円	600,000円

(3)　妻の本年分の雑所得の金額は900,000円だが、雑損失の繰越控除額500,000円がある。

⇨解答：323ページ

問題 160 雑損控除（その3） （制限時間5分） 重要度 A

次の資料に基づき、居住者甲の本年分の雑損控除額を計算しなさい。

〈資　料〉

1．本年に甲の居住用家屋が焼失し、次の損害を受けている。

被害資産	所有者	被害直前の時価	保険金
居住用家屋	甲	9,600,000円	5,000,000円
衣服（数点）	甲の妻	70,000円	——
骨とう品	甲	4,000,000円	3,000,000円

（注）居住用家屋に係る災害関連支出510,000円を支出している。

2．甲の本年分の課税標準の合計額は8,000,000円、甲の妻（同一生計）の本年分の課税標準の合計額は400,000円である。

⇨解答：324ページ

問題 161 医療費控除 （制限時間4分） 重要度 A

居住者甲は本年中に下記の医療費を支出した。甲の本年分の医療費控除額を計算しなさい。

甲との続柄	同一生計の有無	摘要	支払医療費	保険金等の補填額
甲の父	有	入院治療代	550,000円	200,000円
〃	〃	入院交通費	20,000円	—
〃	〃	病院に支払った食事代	60,000円	—
甲の長男	〃	人間ドックのための費用（注3）	70,000円	—
本人	〃	健康増進のための薬代	21,000円	—
甲の妻	〃	美容整形費用	205,000円	—
〃	〃	歯の治療代	102,000円	—
甲の孫	無	入院治療代	80,000円	—
計			1,108,000円	200,000円

（注1）上記のほか、本年中に支払うべき甲に係る治療代40,000円が未払である。

（注2）甲の本年分の課税標準の合計額は6,423,500円である。

（注3）人間ドックの結果、何ら異常は発見されていない。

⇨解答：324ページ

問題 162 社会保険料控除・小規模企業共済等掛金控除 （制限時間１分） 重要度 A

居住者甲の本年分の社会保険料控除額・小規模企業共済等掛金控除額を計算しなさい。

(1) 甲は小規模企業共済法第２条第２項に規定する一定の共済契約による掛金を本年中に54,000円支払っている。

(2) 甲は本年中に給料・賞与1,880,000円（手取額）の支払を受けた。その際控除された源泉徴収税額は127,000円、市県民税は65,000円、社会保険料は108,000円であった。

⇨解答：325ページ

問題 163 生命保険料控除（その１） （制限時間２分） 重要度 A

居住者甲の生命保険料控除額を計算しなさい。

支払先	支払保険料	負担者	受取人	被保険者
A生命保険	70,000円	甲（本人）	甲	甲の妻
B生命保険	30,000円	〃	甲	甲

（注１） B生命保険は、個人年金保険契約である。

（注２） A生命保険、B生命保険は、本年契約を締結している。

⇨解答：325ページ

問題 164 生命保険料控除（その２） （制限時間６分） 重要度 A

次の各設問について、各居住者の生命保険料控除額を計算しなさい。

なお、いずれの保険契約も、保険金の受取人は各居住者本人であるものとする。

〔設問１〕

居住者甲は、本年中に、A生命保険契約（平成19年に契約したもの。個人年金契約には該当しない。）の保険料90,000円を支払った。

〔設問２〕

居住者乙は、本年中に、B生命保険契約（旧個人年金契約である。）の保険料120,000円とC生命保険契約（新個人年金契約である。）の保険料40,000円を支払った。

〔設問３〕

居住者丙は、本年中に、D生命保険契約（旧個人年金契約である。）の保険料40,000円とE生命保険契約（新個人年金契約である。）の保険料60,000円を支払った。

〔設問４〕

居住者丁は、本年中に、F生命保険契約（平成14年に契約したもの。個人年金契約ではない。）の保険料90,000円、G生命保険契約（平成19年に契約したもの。個人年金契約である。）の保険料200,000円及びH生命保険契約（平成29年に契約したもの。介護医療保険である。）の保険料70,000円を支払った。

⇨解答：326ページ

問題 165 地震保険料控除 （制限時間１分） 重要度 A

甲は本年中に家計費から次のものを支出している。甲の本年分の地震保険料控除額を計算しなさい。

・A地震保険の保険料　　70,000円

　これは、甲の住宅を保険目的とする地震保険契約に基づく保険料である。

⇨解答：327ページ

問題 166 前納保険料　（制限時間 3 分）　重要度 B

居住者甲の本年分の社会保険料控除額及び生命保険料控除額を有利になるように計算しなさい。

(1) 甲は、本年４月に、国民年金保険料189,000円を支払った。これは、本年４月から来年３月までの１年分の保険料を前納したものである。

(2) 甲は、本年８月に、生命保険料（本年契約したもの。一般の生命保険契約に該当する。）150,000円を支払った。これは、本年８月から来年７月までの月払いの保険料を１年分前納したものである。

(3) 甲は、本年10月に、生命保険料（本年契約したもの。個人年金保険契約に該当する。）90,000円を支払った。この保険は、毎年10月に１年分の保険料を支払う契約になっている。

⇨解答：327ページ

問題 167 寄附金控除（その１）　（制限時間 3 分）　重要度 A

居住者甲の本年分の寄附金控除額を計算しなさい。

なお、甲の本年分の課税標準の合計額は9,600,000円である。

寄附先	金額	支払年月日	その他
日本学生支援機構	700,000円	本年８．10	
東京都	土地　31坪	本年２．28	取得価額50万円、時価200万円
神田明神社	100,000円	本年12．21	祭礼寄附（注）
日本赤十字社	3,000,000円	翌年１．15	
K大学	1,000,000円	本年３．21	長男の入学に関する寄附

（注）指定寄附金に該当するものではない。

⇨解答：328ページ

問題 168 寄附金控除（その２）　（制限時間 2 分）　重要度 C

居住者甲の本年分の寄附金控除額を計算しなさい。

(1) 甲は、本年２月に特定新規中小会社が発行した株式（取得価額2,000,000円）を払込みにより取得した。

甲は、この株式を本年中に譲渡しておらず、寄附金控除の適用を受ける。

(2) 甲は、本年６月に、日本赤十字社に対し現金300,000円を寄附した。

(3) 甲の本年分の課税標準の合計額は10,000,000円である。

⇨解答：328ページ

問題169　物的控除（その1）　（制限時間8分）　重要度　A

次の資料に基づき、居住者甲の本年分の所得控除額を計算しなさい。

〈資　料〉

1．甲は、家計費から次のものを支出している。

(1)　国民健康保険料（甲及び甲と生計を一にする親族に係るもの）　210,000円

(2)　小規模企業共済法第2条第2項に規定する一定の共済契約の掛金　360,000円

(3)　国民年金掛金（甲及び同一生計である甲の妻の分）　108,000円

(4)　生命保険料（いずれも本年契約したものである。）

①　甲の妻を受取人とする契約（個人年金）　85,000円

②　甲の長女（別生計）を受取人とする契約（一般）　56,000円

(5)　地震保険料

居住用家屋及び家財を保険契約とするもの　20,000円

(6)　寄附金　100,000円

これは甲の長男（同一生計）が大学に入学する際に支出したものである。

(7)　医療費（甲及び甲と生計を一にする親族に係るもの）　450,000円

すべてスイッチOTC医薬品の購入費用である。

なお、甲は健康増進のための一定の取組みをしている。

2．甲は本年盗難により、次の被害を受けている。

資　　産	盗難時の時価
現　　金	200,000円
衣　類（数十点）	700,000円

3．人的な所得控除額は考慮しないものとする。

4．甲の本年分の課税標準の合計額は6,000,000円である。

⇨解答：329ページ

問題 170 物的控除（その２） （制限時間10分） 重要度 A

次に掲げる資料に基づき、居住者甲（青色申告者）の本年分の課税所得金額を計算しなさい。

1．甲の本年分の各種所得の金額

配当所得の金額	300,000円
不動産所得の金額	△ 1,200,000円
事業所得の金額	4,800,000円
譲渡所得の金額	
（分離短期）	3,500,000円
（総合長期）	1,700,000円
一時所得の金額	400,000円

2．甲の前年分の所得状況（特定非常災害に係る損失はない）

前年分に生じた雑損失の金額　800,000円

前年分に生じた純損失の金額　1,200,000円（総所得金額の計算上生じたもの）

3．甲は、家計費から次のものを支出している。

(1) 国民健康保険料（甲及び甲と生計を一にする親族に係るもの）　260,000円

(2) 甲に係る確定拠出年金の掛金　600,000円

(3) 国民年金掛金（甲及び甲の妻（同一生計）の分）　192,000円

(4) 地震保険料

居住用家屋及び家財を保険契約とするもの　24,000円

(5) 寄附金

① 甲の長男（同一生計）が大学に入学する際に支出したもの　200,000円

② 認定特定非営利活動法人に対するもの　400,000円

※ 寄附金控除を選択するものとする。

(6) 医療費（甲及び甲と生計を一にする親族に係るもの）　430,500円

4．甲は、本年盗難により、次の被害を受けている。

資　産	盗難時の時価
現　金	300,000円
衣類（数十点）	800,000円

5．人的な所得控除は考慮しないものとする。

⇨解答：330ページ

問題 171 人的控除（その１） （制限時間６分） 重要度 A

次の資料に基づき障害者控除額、配偶者控除額及び配偶者特別控除額をケースごとに求めなさい。

なお、いずれのケースでも、配偶者は年齢70歳未満で居住者と生計を一にし、かつ同居しており、特別障害者である。

（ケース１）

(1) 居住者の合計所得金額　9,000,000円

(2) 配偶者の合計所得金額　240,000円

（ケース２）

(1) 居住者の合計所得金額　12,000,000円

(2) 配偶者の合計所得金額　0円

（ケース３）

(1) 居住者の合計所得金額　8,000,000円

(2) 配偶者の合計所得金額　1,020,000円

⇨解答：331ページ

問題 172 人的控除（その２） （制限時間６分） 重要度 A

居住者甲（年齢65歳）と生計を一にし、かつ、同居している者は次のとおりである。甲の本年分の所得控除額を計算しなさい。なお、甲の合計所得金額は7,500,000円である。

(1) 配偶者Ａ（52歳）　所得なし（身体障害者手帳に２級と記載されている。）

(2) 長　女Ｂ（23歳）　給与所得の金額880,000円

(3) 長　男Ｃ（21歳）　配当所得の金額400,000円（身体障害者手帳に３級と記載されている。）

(4) 二　男Ｄ（19歳）　学生、テレビのクイズに当選し賞金650,000円を取得している。

(5) 　父　Ｅ（89歳）　無職、所得なし

（注）甲の母Ｆが本年５月に死亡している。なお、Ｆは死亡時において85歳であり、死亡時まで甲と生計を一にし、かつ、同居していたが、常に就床を要し複雑な介護を要する状況であった。また、Ｆ自身の本年分の所得はなかった。

⇨解答：332ページ

問題 173 人的控除（その3）　（制限時間6分）　重要度 A

居住者甲（年齢67歳・青色申告者）と本年12月31日現在、同一生計でしかも同居している者は次のとおりである。甲の本年分の所得控除額を計算しなさい。なお、甲の合計所得金額は9,650,000円である。

甲との続柄	年齢	所得の状況
甲の妻	50歳	配当所得の金額　160,000円
甲の長男	25歳	給与所得の金額　1,200,000円
甲の長女	20歳	大学生、アルバイトによる給与所得の金額 160,000円及び配当所得の金額30,000円あり。
甲の次男	23歳	甲の営む物品販売業に従事し、甲より青色事業専従者給与1,030,000円の支給を受けている。

（注）甲の母が本年6月に死亡している。

なお、甲の母は死亡時において89歳であり、死亡時まで甲と同一生計でしかも同居しており、常に就床を要し、複雑な介護を要する状況であった。母自身に本年所得はなかった。

⇨解答：333ページ

問題 174 総合問題（その１）

（制限時間10分） 重要度 B

居住者甲の本年分の課税所得金額を計算しなさい。

(1) 甲は10年前に夫と死別した後、食品販売業を経営しており、本年分の所得は事業所得の金額12,000,000円、不動産所得の金額△1,500,000円である。

なお、甲には事実婚と同様の事情にあると認められる者はいない。

(2) 前年分の所得は事業所得の金額が6,000,000円、不動産所得の金額が△7,000,000円であった。

(3) 甲は10年前より青色申告をしている。

(4) 本年末現在、甲及び甲と同居し、かつ、生計を一にする者は次のとおりである。

① 甲（65歳）

② Ａ（22歳）……… 甲の長女、給与所得の金額 400,000円

③ Ｂ（20歳）……… 甲の二男、海外に留学中（非居住者）、所得なし。

④ Ｃ（85歳）……… 甲の母、所得なし、身体障害者手帳に３級と書かれている。

なお、甲には、上記のほかに長男Ｄ（38歳）がいるが、Ｄは５年前から甲と生計を別にしている。

(5) 居住用家屋の地震保険料 30,000円

(6) 生命保険料（いずれも本年契約したものである。）

（内訳）				
	Ｘ保険契約（一般）	30,000円	受取人	Ｄ
	Ｙ保険契約（一般）	20,000円	受取人	Ａ及び甲の恩師（50％ずつ）

(7) 甲の母校である県立高校の校舎改築のため寄附を依頼され、本年12月31日に寄附金申込者台帳に寄附の申込の登録をしている。なお、寄附金500,000円は、翌年１月５日に支払った。

⇨解答：334ページ

問題 175 総合問題（その２）　（制限時間10分）　重要度 A

次の資料に基づき、物品販売業を営む居住者甲（69歳）の本年分の所得控除額を計算しなさい。

(1) 国民健康保険料　167,000円

(2) 国民年金保険料　86,000円

(3) 神社（祭礼寄附）への寄附金　50,000円

これは、指定寄附金に該当するものではない。

(4) 県立高校への寄附金　100,000円

(5) 医療費の内訳

被受診者	摘　　　要	支払医療費
甲	人間ドックのための費用（注）	120,000円
甲の妻	美容整形に要した費用	150,000円
孫B	入院治療代	140,000円
養護受託老人	歯の治療代	169,000円

（注）検査の結果異常が発見されたため、引き続き治療にあたっている。

(6) 住宅・家財に係る地震保険料　60,000円

(7) 本年12月31日現在甲と生計を一にし、かつ、同居を常況とする親族は次のとおりである。

親　族	年　齢	摘　　　要
妻	67歳	給与所得の金額　650,000円あり
甲の長男	37歳	給与所得の金額 1,300,000円あり
孫A	15歳	無収入
孫B	13歳	無収入、障害者（特別障害者には該当しない。）
養護受託老人	75歳	無収入
甲の父	90歳	国民年金　1,500,000円あり（公的年金等控除額1,100,000円）
甲の母	88歳	所得なし、特別障害者

(8) 甲の本年分の合計所得金額及び課税標準の合計額は6,200,000円である。

⇨解答：335ページ

第15章

税 額 計 算

1．課税所得金額に係る税額

Ⅰ　課税総所得金額【A】又は課税退職所得金額【C】に対する税額

【A】又は【C】× 超過累進税率

Ⅱ　課税山林所得金額【B】に対する税額

【B】× $\frac{1}{5}$ × 超過累進税率 × 5……「5分5乗方式」

Ⅲ　課税長期譲渡所得金額【D】に対する税額

【D】× 15％

Ⅳ　課税短期譲渡所得金額【E】に対する税額

【E】× 30％

Ⅴ　一般株式等に係る課税譲渡所得等の金額【F】に対する税額

【F】× 15％

Ⅵ　上場株式等に係る課税譲渡所得等の金額【G】に対する税額

【G】× 15％

Ⅶ　先物取引に係る課税雑所得等の金額【H】に対する税額

【H】× 15％

Ⅷ　上場株式等に係る課税配当所得等の金額【I】に対する税額

【I】× 15％

Ⅸ　土地建物等の譲渡による税額が軽減される場合

(1)　課税長期譲渡所得金額に係る税額が軽減される場合

①　優良住宅地等のための譲渡をした場合

イ　当該課税長期譲渡所得金額【D】≦ 2,000万円

【D】× 10％

ロ　【D】＞ 2,000万円

200万円 ＋（【D】－ 2,000万円）× 15％

② 居住用財産を譲渡した場合

所有期間が10年を超える居住用家屋及びその敷地の譲渡（居住用財産の買換（交換）の特例を受けるものを除く。）をした場合

イ 当該課税長期譲渡所得金額【D】≦ 6,000万円

【D】× 10%

ロ 【D】＞ 6,000万円

600万円 ＋（【D】－ 6,000万円）× 15%

(2) 課税短期譲渡所得金額に係る税額が軽減される場合

課税短期譲渡所得金額【E】× 15%

※ 上記(1)①、(2)に該当する主なもの

(1) 土地等の譲渡で国、地方公共団体に対するもの

(2) 独立行政法人都市再生機構等に対する土地等の譲渡で当該譲渡に係る土地等が当該業務を行うために直接必要であると認められるもの

(3) 土地等の譲渡で収用交換等によるもの

2．復興特別所得税

基準所得税額（※）×2.1%

（※）基準所得税額

外国税額控除適用前の所得税額

第15章 税額計算

問題 176 税額計算（その１）　（制限時間７分）　重要度 A

次の資料に基づき、計算過程を明らかにしながら算出税額を計算しなさい。

〔設問１〕

(1)	課税総所得金額	8,960,000円
(2)	課税長期譲渡所得金額	76,355,000円

〔設問２〕

(1)	課税総所得金額	9,340,000円
(2)	課税短期譲渡所得金額	20,567,000円

〔設問３〕

(1)	課税総所得金額	6,080,000円
(2)	課税短期譲渡所得金額	2,800,000円
(3)	課税長期譲渡所得金額	94,700,000円
(4)	課税山林所得金額	12,406,000円
(5)	課税退職所得金額	5,250,000円

⇨解答：336ページ

問題 177 税額計算（その２）～優良住宅地等～　（制限時間２分）　重要度 A

次の資料に基づき、算出税額を計算しなさい。

(1)	課 税 総 所 得 金 額	6,000,000円
(2)	課税長期譲渡所得金額	125,000,000円
内訳	一般課税長期譲渡所得金額	50,000,000円
	優良住宅地等に係る課税長期譲渡所得金額	75,000,000円

⇨解答：337ページ

問題 178 税額計算（その3）　（制限時間4分）　重要度 A

次の資料に基づき、算出税額を計算しなさい。

(1) 課税総所得金額　5,000,000円

(2) 課税短期譲渡所得金額　20,000,000円

(3) 課税長期譲渡所得金額　180,000,000円

（内　訳）

一般課税長期譲渡所得金額	60,000,000円
優良住宅地等に係る課税長期譲渡所得金額	50,000,000円
居住用財産（所有期間10年超）に係る課税長期譲渡所得金額（3,000万円特別控除後）	70,000,000円

⇨解答：337ページ

MEMO

第16章

税額控除

1．配当控除

(1) 配当控除の対象となる配当所得

① 剰余金の配当、利益の配当、剰余金の分配及び特定株式投資信託の収益の分配……〔A〕

② 特定株式投資信託以外の証券投資信託（外貨建等証券投資信託を除く）の収益の分配……〔B〕

③ 一般外貨建等証券投資信託の収益の分配……………………………………………………〔C〕

(2) 配当控除の対象とならない配当所得〔D〕

① 総合課税されないもの

② 外国法人から受けるもの

③ 基金利息

④ 特定受益証券発行信託の収益の分配

⑤ 特定外貨建等証券投資信託の収益の分配

⑥ 特定目的会社からの配当

⑦ 投資法人からの配当　など

(3) 配当控除額

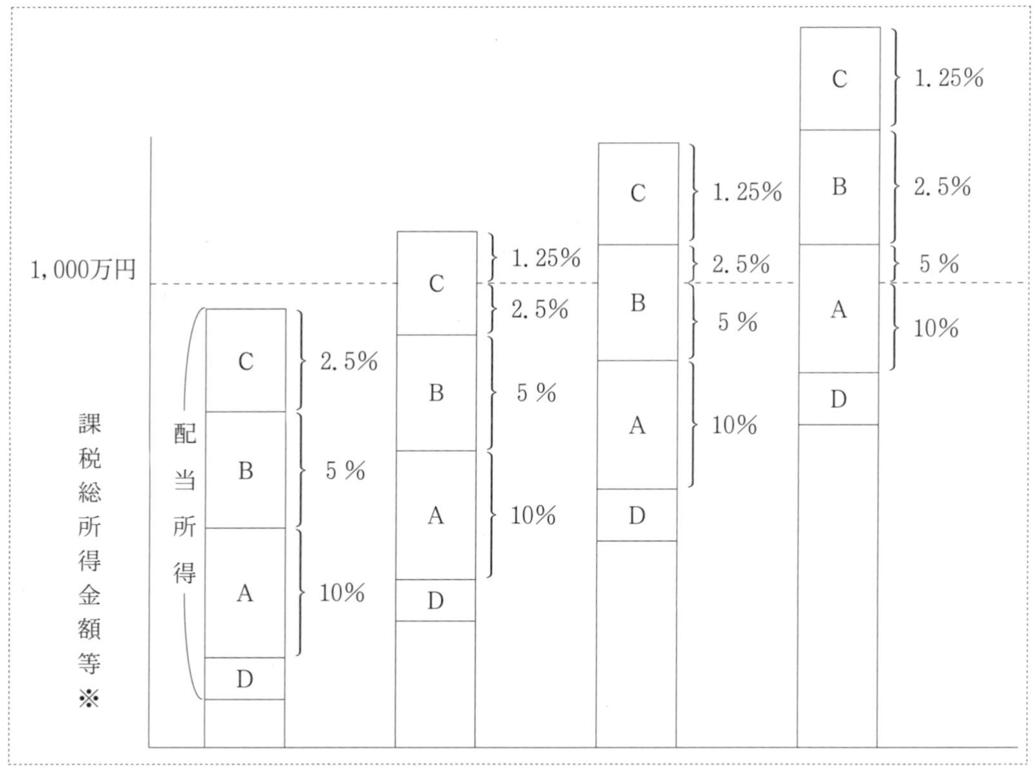

※　課税総所得金額等

課税山林所得金額及び課税退職所得金額以外の課税所得金額の合計額

2．住宅借入金等特別控除

⑴　要　件

①　一般の中古住宅等を取得又は工事費用100万円超の増改築等をして、６月以内に居住の用に供し、床面積基準（50㎡以上等）を満たすこと

②　償還期間10年以上の割賦償還の住宅借入金等があること

⑵　控除年

居住開始年以後10年間、合計所得金額2,000万円以下の年

⑶　控除額

年末借入金残高（2,000万円を限度）×0.7％＝控除額（百円未満切捨）

3．認定住宅等の住宅借入金等特別控除

⑴　要　件

①　認定住宅等に該当する居住用家屋等を取得して、６月以内に居住の用に供し、床面積基準（50㎡以上等）を満たすこと

②　償還期間10年以上の割賦償還の住宅借入金等があること

⑵　控除年

居住開始年以後13年間（一定の場合は10年間）、合計所得金額2,000万円以下の年

⑶　控除額

年末借入金残高（一定額を限度）×0.7％＝控除額（百円未満切捨）

※　限度額

①　居住用家屋の新築等、買取再販住宅の取得

イ　認定住宅　…　4,500万円（特例対象個人は5,000万円）

ロ　ＺＥＨ水準省エネ住宅　…　3,500万円（特例対象個人は4,500万円）

ハ　省エネ基準適合住宅　…　3,000万円（特例対象個人は4,000万円）

（注）特例対象個人とは、年齢19歳未満の扶養親族を有する者などをいう。

②　買取再販住宅以外の既存住宅の取得　…　3,000万円

4．認定住宅等新築等特別控除

⑴　要　件

認定住宅等の新築等をして、６月以内に居住の用に供し、床面積基準（50㎡以上）を満たすこと

⑵　控除年

居住開始年（控除しきれない場合は翌年繰越）、合計所得金額2,000万円以下

⑶　控除額

構造又は設備に係る標準的な費用の額（650万円限度）×10％＝控除額（百円未満切捨）

５．住宅特定改修特別控除

⑴　要　件

①　個人が一定の増改築等をして、６月以内に居住の用に供し、床面積基準（50㎡以上）を満たすこと

※　バリアフリー工事を対象とする場合には、特定個人（50歳以上などの要件を満たす個人）でなければならない。

※　子育て対応工事を対象とする場合には、特例対象個人でなければならない。

②　対象となる工事費用が50万円を超えること

⑵　控除年

居住開始年（１年のみ）、合計所得金額2,000万円以下

⑶　控除額（①＋②）

①　原則控除額

標準的な費用の額（一定額を限度）×10％＝控除額（百円未満切捨）
※　限度額
イ　バリアフリー改修工事　…　200万円
ロ　省エネ改修工事　…　250万円（太陽光発電装置の設置を含む場合は350万円）
ハ　多世帯同居改修工事　…　250万円
ニ　子育て対応改修工事　…　250万円

②　特例控除額

イ　（標準的な費用の額－上記①の限度額）＋所定の工事以外の工事費用の額
ロ　次のいずれか少ない金額
a　標準的な費用の額
b　1,000万円－標準的な費用の額（上記①の限度額を上限）
ハ　イ又はロのいずれか少ない金額×５％＝控除額（百円未満切捨）

６．住宅耐震改修特別控除

⑴　要　件

居住用家屋の一定の耐震改修を行った場合

⑵　控除額（百円未満切捨）

補助金等控除後の標準的な費用の額（250万円限度）×10％

7．中小事業者が機械等を取得した場合等の税額控除

中小事業者に該当する青色申告者で所定の者が新品の特定機械装置等を取得等して指定事業の用に供した場合

※　特別償却と選択適用

税額控除額 ＝ 次の(1)又は(2)のいずれか低い金額

(1)　取得価額 × 7％

(2)　供用年の事業所得に係る所得税額 × 20％

8．公益社団法人等寄附金特別控除

個人が公益社団法人等に対して寄附をした場合には、その寄附金については寄附金控除に代えて税額控除の適用を受けることができる。

税額控除額＝次の(1)又は(2)のいずれか低い金額（百円未満切捨）

(1)　（公益社団法人等に対する寄附金の額※1 － 2,000円※2）× 40％

※1　課税標準の合計額 × 40％ － 他の特定寄附金の額を限度とする。

※2　他の特定寄附金がある場合には他の特定寄附金の額を控除した残額とする。

(2)　その年分の算出税額 × 25％

9．認定ＮＰＯ法人等寄附金特別控除

個人が認定特定非営利活動法人（認定ＮＰＯ法人）等に対して寄附をした場合には、その寄附金については寄附金控除に代えて税額控除の適用を受けることができる。

税額控除額＝次の(1)又は(2)のいずれか低い金額（百円未満切捨）

(1)　（認定ＮＰＯ法人等に対する寄附金の額※1 － 2,000円※2）× 40％

※1　課税標準の合計額 × 40％ － 他の特定寄附金の額を限度とする。

※2　他の特定寄附金がある場合には他の特定寄附金の額を控除した残額とする。

(2)　その年分の算出税額 × 25％ － 公益社団法人等寄附金特別控除額

10．政党等寄附金特別控除

個人がした政党又は政治資金団体に対する寄附で、政治資金規正法により報告されたものがある場合には、その寄附金については寄附金控除に代えて税額控除の適用を受けることができる。

税額控除額 ＝ 次の(1)又は(2)のいずれか低い金額（百円未満切捨）

(1)　（政党等に対する寄附金の額※1 － 2,000円※2）× 30％

※1　課税標準の合計額 × 40％ － 他の特定寄附金の額を限度とする。

※2　他の特定寄附金がある場合には他の特定寄附金の額を控除した残額とする。

(2)　その年分の算出税額 × 25％

11. 外国税額控除

税額控除額＝次の(1)又は(2)のいずれか低い金額

(1) その外国所得税額

(2) $\text{その年分の所得税額（配当控除及び措置法上の税額控除適用後の金額）} \times \frac{\text{その年分の国外所得総額}}{\text{その年分の合計所得金額}} \left(\frac{100}{100} \text{を限度} \right)$

※ 3年間の繰越控除が認められる。

問題 179　配当控除（その1）　（制限時間2分）　重要度 A

次の資料に基づき、居住者甲の配当控除額を計算しなさい。

(1)　課税総所得金額　9,000,000円

(2)　(1)の基礎に含まれる配当所得の金額 2,800,000円の明細

①　剰余金の配当　1,500,000円

②　基金利息　700,000円

③　特定株式投資信託の収益の分配　600,000円

⇨解答：338ページ

問題 180　配当控除（その2）　（制限時間2分）　重要度 A

次の資料に基づき、居住者甲の配当控除額を計算しなさい。

(1)　課税総所得金額　6,000,000円

このうちには、配当所得の金額1,200,000円（内訳：剰余金の配当1,000,000円、基金利息200,000円）が含まれている。

(2)　課税短期譲渡所得金額　5,000,000円

(3)　課税山林所得金額　2,500,000円

⇨解答：338ページ

問題 181　配当控除（その3）　（制限時間3分）　重要度 A

次の資料に基づき居住者甲の配当控除額を計算しなさい。

(1)　課税総所得金額　10,600,000円

(2)　(1)の基礎に含まれる配当所得の金額の内訳

①　A株式会社（内国法人）の剰余金の配当　100,000円

②　B株式会社（外国法人）の剰余金の配当　120,000円

③　一般外貨建等証券投資信託の収益の分配　50,000円

④　証券投資信託（特定株式投資信託及び外貨建等証券投資信託に該当しない）の収益の分配　300,000円

⑤　特定株式投資信託の収益の分配　200,000円

⇨解答：338ページ

問 題 182 住宅借入金等特別控除（その１）（制限時間３分）

重 要 度	A

次の場合における住宅借入金等特別控除額を計算しなさい。

なお甲（特例対象個人ではない。）の本年分の合計所得金額は1,000万円であり、本年３月１日より居住の用に供している。

(1) 新築した家屋（認定住宅）の取得価額　2,600万円

(2) 借入金の額　1,988万円（年末残高、すべて償還期間10年以上のローンによるもの）

　① 民間金融機関からの借入金の額　1,300万円

　② 公的機関からの借入金の額　　　　700万円

(3) 床面積　150㎡

⇨解答：339ページ

問 題 183 住宅借入金等特別控除（その２）（制限時間３分）

重 要 度	B

次の資料に基づき、本年分の住宅借入金等特別控除額を計算しなさい。

甲は、本年２月に8,500,000円の費用をかけて自己所有の家屋（床面積150㎡）に増改築を行った。その際、銀行から8,500,000円の住宅借入金（償還期間12年）の借入れをしている。なお、この住宅借入金の本年末残高は8,125,500円、甲の本年分の合計所得金額は1,800万円である。

⇨解答：339ページ

問 題 184 認定住宅等新築等特別控除　（制限時間３分）

重 要 度	B

次の資料に基づき居住者甲の本年分の認定住宅等新築等特別控除額を計算しなさい。

甲は、本年４月に認定長期優良住宅（120㎡）の新築をし、直ちに居住の用に供している。

この住宅の取得価額は48,500,000円、構造又は設備に係る標準的な費用の額は5,436,000円である。

なお、甲の本年分の合計所得金額は12,700,000円である。

⇨解答：339ページ

問題 185 住宅特定改修特別控除 （制限時間４分） 重要度 B

次の資料に基づき、居住者甲の住宅特定改修特別控除額を計算しなさい。

なお、本年分の合計所得金額は16,000,000円である。

〔資　料〕

甲は、本年１月に住宅（床面積180㎡）に省エネ改修工事を含む増改築等を行い、直ちに居住の用に供している。

工事費用は、次のとおりである。

(1)　省エネ改修工事　　4,200,000円（標準費用3,860,000円）

(2)　上記以外の工事費用　2,900,000円

⇨解答：339ページ

問題 186 住宅耐震改修特別控除 （制限時間１分） 重要度 B

居住者甲の住宅耐震改修特別控除額を計算しなさい。

甲は本年２月に、自己が居住の用に供している住宅について、耐震改修のため修繕を行い1,689,600円を支出（標準的な費用は、1,500,400円である。）している。

なお、この修繕は住宅耐震改修特別控除の要件を満たすものである。

⇨解答：340ページ

問題 187 外国税額控除 （制限時間２分） 重要度 A

次の資料に基づき、本年分の外国税額控除額を計算しなさい。

ただし、復興特別所得税については考慮しないものとする。

(1)　国外において生じた所得総額　500,000円

(2)　(1)について課税された外国所得税額　50,000円

(3)　本年分の合計所得金額　12,880,000円

(4)　本年分の所得税額　2,344,000円

(5)　配当控除額　100,000円

⇨解答：340ページ

問題 188　政党等寄附金特別控除　（制限時間３分）　重要度 A

次の資料に基づき、居住者甲の政党等寄附金特別控除額を計算しなさい。

なお、甲の総所得金額は5,000,000円、課税総所得金額は3,000,000円である。

甲は本年中に次の寄附金を支出している。

① 政党に対する寄附金　600,000円

これは政治資金規正法により報告されたものである。

② 日本赤十字社に対する寄附金　1,050,000円

⇨解答：340ページ

問題 189　公益社団法人等寄附金特別控除・認定NPO法人等寄附金特別控除　（制限時間４分）　重要度 A

次の資料に基づき、居住者甲の本年分の公益社団法人等寄附金特別控除及び認定 NPO 法人等寄附金特別控除を計算しなさい。

(1) 社会福祉法人Ｎ会に対する寄附金　1,125,800円

(2) 認定 NPO 法人Ｍ会に対する寄附金　3,000,000円

(3) 甲の本年分の課税標準の合計額　10,000,000円

(4) 甲の本年分の税額控除前の所得税額　1,875,000円

⇨解答：341ページ

第17章

特殊論点

1．平均課税

(1) 平均課税による課税総所得金額に対する税額の計算

① 平均課税の適用の有無の判定

変動所得の金額[※1] ＋ 臨時所得の金額 ≧ 総所得金額 × 20％

※1 変動所得の金額が前々年及び前年の変動所得の金額の合計額の2分の1以下の場合には、臨時所得の金額のみで判定する。

② 平均課税対象金額

（その年分の変動所得の金額 － 前年分及び前々年分の変動所得の金額の合計額の2分の1相当額）＋ その年分の臨時所得の金額

③ 調整所得金額（千円未満切捨）

課税総所得金額 － 平均課税対象金額 × $\frac{4}{5}$

※ 課税総所得金額が平均課税対象金額以下の場合……課税総所得金額 × $\frac{1}{5}$

④ 特別所得金額

課税総所得金額 － 調整所得金額

⑤ ③に対する税額

調整所得金額 × 超過累進税率……【A】

⑥ ④に対する税額

特別所得金額 × $\frac{【A】}{調整所得金額}$（2位未満切捨）

⑦ ⑤ ＋ ⑥

(2) 変動所得

年々の変動の著しい所得のうち次のものをいい、事業所得又は雑所得に含まれる。

① 漁獲又はのりの採取から生ずる所得

② はまち、まだい、ひらめ、かき、うなぎ、ほたて貝又は真珠（真珠貝を含む。）の養殖から生ずる所得

③ 原稿又は作曲の報酬に係る所得

④ 著作権の使用料に係る所得

(3) 臨時所得

臨時に発生する所得のうち次のものその他これらに類する所得をいい、不動産所得、事業所得又は雑所得に含まれる。

① 3年以上の期間、専属して役務の提供をすることにより一時に受ける契約金で、報酬の年額の2倍に相当する金額以上であるものに係る所得

② 3年以上の期間、不動産等、工業所有権を使用させることにより一時に受ける権利金等で使用料の年額の2倍に相当する金額以上であるものに係る所得（譲渡所得に該当するものを除く。）

③ 業務の全部又は一部の休止、転換又は廃止することになった者が、その業務に係る3年以上の期間の不動産所得、事業所得又は雑所得の補償として受ける補償金に係る所得

④ 業務の用に供する資産の全部又は一部につき鉱害等により被害を受けた者が、その業務に係る3年以上の期間の不動産所得、事業所得又は雑所得の補償として受ける補償金に係る所得

(4) 変動所得の金額又は臨時所得の金額の計算上控除すべき青色申告特別控除額

$$\text{不動産所得の金額又は事業所得の金額の計算上控除される青色申告特別控除額} \times \frac{\text{変動所得の金額又は臨時所得の金額}}{\text{青色申告特別控除前の不動産所得の金額又は事業所得の金額}}$$

2．非居住者の計算

(1) 課税対象　→　国内源泉所得

※ 主な国内源泉所得

	国内源泉所得の種類
①	恒久的施設に帰せられるべき所得（恒久的施設の譲渡により生ずる所得を含む。）
②	国内に資産の運用等により生ずる所得（下記に該当するものを除く。）その他一定のもの
③	国内にある土地建物等の譲渡の対価
④	国内にある不動産等の貸付けの対価
⑤	日本国の国債、地方債若しくは内国法人が発行する債券の利子
⑥	国内にある営業所に預けられた預貯金の利子その他一定のもの
⑦	内国法人から受ける配当等
⑧	国内において行う勤務等に基因する給与等又は公的年金等
⑨	退職手当等のうち居住者期間の勤務に基因するもの
⑩	その他その源泉が国内にある所得として一定のもの

⑵　主な課税方法（恒久的施設を有しない場合）

所　　　得	課税方法
土地建物等の譲渡対価	源泉徴収の上、分離課税 （源泉徴収10%）
不動産の賃貸料など	源泉徴収の上、総合課税 （源泉徴収20%）
利　　子　　等	源泉分離課税 （源泉徴収15%）
配　　当　　等	源泉分離課税 （源泉徴収20%・15%）
給与、公的年金等、 一定の報酬など	源泉分離課税 （源泉徴収20%）
退　職　手　当　等	源泉分離課税 （源泉徴収20%）

※　復興税込みの源泉徴収税率は、表中の源泉徴収税率×102.1%となる。

⑶　総合課税される場合等の所得控除等

①　所得控除

雑損控除、寄附金控除及び基礎控除のみ適用される。

※　他の所得控除は、適用できない。

②　税額控除

外国税額控除は適用されない。

問題 190 平均課税（その１）

（制限時間18分）　重要度 A

次の各設問に基づき、各々の本年分の算出税額を計算しなさい。

〔設問１〕

（単位：円）

	本年分	前年分	前々年分
臨時所得	1,500,000	0	0
変動所得	700,000	0	0

総所得金額　12,000,000円

課税総所得金額　10,200,000円

〔設問２〕

（単位：円）

	本年分	前年分	前々年分
臨時所得	1,500,000	0	0
変動所得	700,000	0	0

総所得金額　11,000,000円

課税総所得金額　9,350,000円

〔設問３〕

（単位：円）

	本年分	前年分	前々年分
臨時所得	2,290,000	0	0
変動所得	880,000	1,250,000	530,000

総所得金額　10,980,000円

課税総所得金額　9,775,000円

〔設問４〕

（単位：円）

	本年分	前年分	前々年分
臨時所得	15,860,000	0	3,230,000
変動所得	7,540,000	△230,000	1,585,000

総所得金額　24,360,000円

課税総所得金額　21,532,000円

課税山林所得金額　30,000,000円

⇨解答：342ページ

問題 191 平均課税（その２）　（制限時間10分）　重要度 A

次の資料に基づき、本年分の申告納税額を計算しなさい。

なお、復興特別所得税は考慮しない。

1．各種所得の金額

配当所得　510,000円（すべて非上場株式に係る剰余金の配当による所得で源泉所得税102,000円控除前の金額である。）

事業所得　7,932,700円（うち、変動所得の金額2,100,000円）

一時所得　750,000円

2．前年から繰越されてきた雑損失の金額が807,000円ある。

3．所得控除の合計額730,000円

4．前年以前に生じた変動所得の金額はない。

5．青色申告者ではない。

⇨解答：345ページ

問題 192 非居住者　（制限時間15分）　重要度 B

非居住者甲の本年分の所得税及び復興特別所得税の申告納税額を計算しなさい。

なお、甲は、国内に恒久的施設を有しない非居住者に該当する。

〔資　料〕

1．甲（白色申告者）の本年中の所得は、次のとおりである。

(1) 内国法人Ａ社（非上場）からの配当　500,000円（税引前の金額）

(2) 外国法人Ｂ社（上場）からの配当　300,000円

上記金額は、外国所得税 30,000円控除前の金額である。

(3) 国内にあるＣ土地の譲渡代金　50,000,000円（税引前の金額）

これは、７年前に 30,000,000円で購入した土地に係るものである。

(4) 国内にあるアパートの賃貸料　1,500,000円（税引前の金額）

法人に賃貸しているもので、これに係る必要経費は 500,000円である。

2．甲は、本年中に次の支出をしている。

(1) 甲の医療費　200,000円

(2) 特定寄附金　197,000円

⇨解答：346ページ

TAX ACCOUNTANT

解答編

第１章　所得分類

問題１　所得分類（その１）

解答

⑴ 配当所得（法24①）
⑵ 不動産所得（法26①）
⑶ 事業所得（法27①）
⑷ 譲渡所得（法33①、令25）
⑸ 利子所得（法23①）
⑹ 雑所得（基通35－２⑹）
⑺ 退職所得（法30①）
⑻ 利子所得（法23①）
⑼ 雑所得（法35①③）
⑽ 事業所得（基通27－５⑴）
⑾ 一時所得（基通34－１⑽）
⑿ 山林所得（法32①）
⒀ 譲渡所得（法33①、基通32－２）
⒁ 一時所得（法34①）
⒂ 給与所得（法28①）

問題２　所得分類（その２）

解答

⑴ 利子所得（法23①）
⑵ 事業所得（基通27－５⑴）
⑶ 配当所得及び譲渡所得
（法25①、措法37の10③）
⑷ 不動産所得（法26①）
⑸ 事業所得（基通26－８）
⑹ 一時所得（基通34－１⑿）
⑺ 事業所得（基通27－５⑹）
⑻ 雑所得（基通35－１⑻）
⑼ 一時所得（基通34－１⑷）
⑽ 給与所得（法28①）
⑾ 事業所得（令94①）
⑿ 雑所得（基通35－１⑷）
⒀ 譲渡所得（令82）
⒁ 事業所得又は雑所得（基通35－２）
⒂ 一時所得（基通34－１⑷）
⒃ 雑所得（基通35－２⑷）
⒄ 雑所得（基通35－１⑺）
⒅ 不動産所得（法26①、基通27－２）
⒆ 譲渡所得（法33①）
⒇ 一時所得又は雑所得（基通34－１⑵）

問　題　3　所得分類（その３）

解　答

⑴　非課税（措法5）

⑵　一時所得又は雑所得
（基通34－１⑹、35－１⑹）

⑶　非課税（法９①九）

⑷　給与所得又は非課税
（基通23～35共－６、措法29の２）

⑸　事業所得、譲渡所得又は雑所得（令81二）

⑹　一時所得（基通34－１⑻）

⑺　非課税（法９①十）

⑻　退職所得（基通30－５）

⑼　一時所得（基通34－１⑿）

⑽　事業所得（法27①）

⑾　雑所得（法35①）

⑿　利子所得（法23①）

⒀　事業所得又は雑所得（基通27－２）

⒁　一時所得（基通34－１⑴）

⒂　雑所得（法35③）

⒃　退職所得（基通31－１）

⒄　非課税（法９①十七）

⒅　事業所得又は給与所得（基通28－９の２）

第２章　保険金・損害賠償金等

問題４　損害賠償金

解答

⑴　非課税である。ただし、医療費控除額の計算上、支出した医療費の額から控除される。

⑵　非課税である。

⑶　非課税である。ただし、資産損失の必要経費算入額の計算上、損失額から控除される。

⑷　事業所得の総収入金額に算入される。

⑸　事業所得の総収入金額に算入される。

第３章　利子所得等

問題　5　利子所得等（その１）～範囲①～

解答

(1)、(2)、(3)、(5)、(7)、(9)、(10)

《参　考》

雑所得	(4)、(6)、(11)、(15)	（基通35－１、２）
配当所得	(8)、(13)	（法24①）
事業所得	(12)、(14)	（基通27－５）

問題　6　利子所得等（その２）～範囲②～

解答

(1)、(3)（基通23－１(3)）、(4)、(6)、(9)、(10)

《参　考》

一時所得	(2)	
配当所得	(5)、(7)、(8)	（法24①）

問題　7　利子所得等（その３）～非課税～

解答

Ⅰ　各種所得の金額

摘　　要	金　　額	計　　算　　過　　程　　（単位：円）
利子所得	0	（普通）25,000（源分） （合同運用信託）125,000（源分） ※　ゆうちょ銀行の貯金の利子は非課税

問題 8　利子所得等（その4）～金融類似商品～

解答

Ⅰ　各種所得の金額

摘要	金額	計算過程　（単位：円）
利子所得	0	外貨預金　4,000（源分） 定期積金満期後利子　8,000（源分）
雑所得	0	為替差益　20,000（源分） 給付補填金　96,000（源分）
一時所得	0	一時払　30,000（源分） 懸賞金　20,000（源分）

問題 9　利子所得等（その5）～課税方法～

解答

Ⅰ　各種所得の金額

摘要	金額	計算過程　（単位：円）
利子所得	0	定期預金　15,000（源分） 公募公社債投資信託　69,000（申不） 国債　38,000（申不） 公募公社債等運用投資信託　42,000（申不） Ａ特定公社債　26,000（申不） Ｂ私募債　57,000（源分）

解答への道

利子所得のうち、特定公社債の利子、公募公社債投資信託及び公募公社債等運用投資信託の収益の分配については、申告不要とすることができる。

第3章　利子所得等

問題 10　利子所得等（その６）～申告分離課税～

解答

Ⅰ　各種所得の金額

摘　　要	金　　額	計　　算　　過　　程　　　（単位：円）
利子所得（申告分離）	60,000	公募公社債投資信託の収益の分配　60,000（申分）
譲渡所得（上場株式等）	△50,000	公募公社債投資信託　△50,000

Ⅱ　課税標準

摘　　要	金　　額	計　　算　　過　　程　　　（単位：円）
上場株式等に係る配当所得等の金額	10,000	60,000－50,000＝10,000
上場株式等に係る譲渡所得等の金額	0	

解答への道

利子所得のうち、特定公社債の利子、公募公社債投資信託及び公募公社債等運用投資信託の収益の分配については、上場株式等に係る配当所得等の金額として、他の所得と区分して、15％の税率による課税を選択することができる。

この場合、上場株式等に係る譲渡所得等の金額の計算上生じた損失の金額がある場合には、その損失の金額は、上場株式等に係る配当所得等の金額の計算上控除することができる。

問題 11　利子所得等（その7）～同族会社私募債～

解答

Ⅰ　各種所得の金額

摘　　要	金　　額	計　　算　　過　　程　　　（単位：円）
利　子　所　得	600,000	A社債の利子　600,000 公募公社債投資信託　50,000（申不）

解答への道

同族会社の同族株主が支払を受ける私募社債の利子は、総合課税とされる。

問題 12　利子所得等（その8）～外国公社債の利子～

解答

Ⅰ　各種所得の金額

摘　　要	金　　額	計　　算　　過　　程　　　（単位：円）
利　子　所　得 （申告分離）	200,000	A社債の利子　200,000（申分） C国債の利子　150,000（申不）

解答への道

⑴　外国法人であるA社の社債利子は、国内の取扱者を経由したものではないため、源泉徴収されず、申告不要とすることはできない。特定公社債に該当するため、課税方法は申告分離課税となる。なお、支払いを受ける際に控除された外国所得税については、外国税額控除の適用があることに留意する。

⑵　外国債は特定公社債に該当し、国内の取扱者を経由して支払いを受けたものであるため、源泉徴収された上で申告不要とすることができる。

第 4 章　配当所得

問題 13　配当所得（その１）～負債の利子～

解答

Ⅰ　各種所得の金額

摘　　要	金　　額	計　　算　　過　　程　　(単位：円)
配当所得	230,000	(1)　収入金額 130,000＋180,000＝310,000 (2)　負債の利子 30,000＋50,000＝80,000 (3)　(1)－(2)＝230,000

《参　考》

(1)　人格のない社団等から受ける収益の分配金及び損金経理された株主優待券は、雑所得とされる（基通35－１）。

(2)　無配の株式に係る負債の利子についても、他の配当がある場合には控除することができる。

問題 14　配当所得（その２）～申告不要①～

解答

Ⅰ　各種所得の金額

摘　　要	金　　額	計　　算　　過　　程　　(単位：円)
配当所得	175,000	Ａ　株　式　45,000　（申不） 55,000 Ｂ　株　式　120,000 私募公社債等　25,000　（源分） 55,000＋120,000＝175,000

解答への道

Ａ株式会社の配当は、計算期間が６月であるため、配当の額が５万円 $\left(=10\text{万円}\times\frac{6}{12}\right)$ 以下であるものは、申告不要とできる。

なお、私募公社債等運用投資信託の収益の分配は、源泉分離課税とされる。

問題 15　配当所得（その3）～申告不要②～

解答

Ⅰ　各種所得の金額

摘要	金額	計算過程　（単位：円）
配当所得	192,000	(1) 収入金額（合計　252,000） ① A社　30,000（申不） ② C社（3月27日）　52,000 ③ C社（9月28日）　50,000（申不） ④ D社（1月15日）　220,000（申不） ⑤ D社（7月15日）　280,000（申不） ⑥ E社　200,000 ※　B社配当は、前年分の所得 (2) 負債の利子 $120,000 \times \frac{6}{12} = 60,000$ (3) (1)－(2)＝192,000

解答への道

(1) 記名式の株式等に係る配当所得の収入計上時期は、実際に支払を受けた日ではなく、効力発生日であるため、B社出資の配当は、前年分の所得となる。

(2) 無記名株式等に係る配当所得の収入計上時期は、実際に支払を受けた日となるため、D社配当のうち、前年に支払が確定しているものも、支払を受けた本年分の所得となる。

問題 16　配当所得（その4）～みなし配当①～

解答

（単位：円）

1．（120－80）×10,000株＝400,000

2．$\{(1,300\times1,200株+26,792) - \frac{45,000,000}{150,000株}\times2,000株\}\div0.7958=1,240,000$

第4章　配当所得

問題 17　配当所得（その5）～みなし配当②～

解答

（単位：円）

1．M株式

配当所得の金額

$$885,000-\frac{80,000,000}{500,000\text{株}}\times 6,000\text{株}=\triangle 75,000\quad \therefore\ 0$$

源泉徴収税額

0

2．R株式

配当所得の金額

$$1,350\times 200\text{株}-\frac{1,492,506,000}{2,000,000\text{株}-2,000\text{株}}\times 200\text{株}=120,600$$

源泉徴収税額

120,600×15.315％＝18,469

解答への道

(1)　みなし配当がマイナスになった場合には、みなし配当はゼロとする。

(2)　1株あたりの資本金等の額を計算するにあたり、発行済株式総数に自己株式が含まれる場合には、自己株式を控除した株式数により計算することに留意する。

問題 18　配当所得（その６）～税引後の金額からの持ち戻し～

解答

（単位：円）

１．配当所得の金額

⑴　収入金額（合計　745,000）

①　A 株式　99,475÷0.7958＝125,000

②　B 株式上期　119,370÷0.7958＝150,000

③　B 株式下期　198,950÷0.7958＝250,000

④　C 株式　175,307÷0.79685＝220,000

⑵　負債の利子

100,000

⑶　⑴－⑵＝645,000

２．確定申告により精算される源泉徴収税額

125,000×20.42％＋150,000×20.42％＋250,000×20.42％＋220,000×15.315％＝140,898

解答への道

⑴　非上場株式の配当は、20.42％源泉徴収されるため、税引後の手取り額から税引前の金額に戻すためには、手取り額を0.7958で割り戻して求める。

⑵　上場株式の配当は、20.315％（所得税15.315％＋住民税５％）源泉徴収されるため、税引後の手取り額から税引前の金額に戻すためには、手取り額を0.79685で割り戻して求める。

⑶　C 社株式は、全株を本年譲渡していることから、負債の利子は株式等に係る譲渡所得等の金額の計算上控除する。そのため、配当所得の金額の計算上控除することはできない。

問 題 19　配当所得（その7）～課税方法の判定～

解 答

I　各種所得の金額

摘　　要	金　　額	計　　算　　過　　程　　（単位：円）
配 当 所 得	310,000	(1) 収入金額（合計 430,000） ① A社 400,000（申不） ② B社 60,000 ③ C社 270,000 ④ 特定株式投資信託 120,000（申不） ⑤ 特定投資法人 150,000（申不） ⑥ 基金利息 100,000 ⑦ E社 80,000（申不） ⑧ 私募公社債等 50,000（源分） (2) 負債の利子 120,000 (3) (1)－(2)＝310,000

解答への道

課税総所得金額3,000万円の税率が40％であるため、非上場株式、上場株式ともに、申告不要とできるものは、申告不要としたほうが有利である。

問題 20　配当所得（その8）～申告分離課税～

解答

I　各種所得の金額

摘　要	金　額	計　算　過　程　（単位：円）
配当所得		1　総　合
（総　合）	160,000	(1)　収入金額（合計　220,000）
（申告分離）	550,000	①　A社　40,000
		②　A社　55,000
		③　基金利息　125,000
		(2)　負債の利子
		60,000
		(3)　(1)－(2)＝160,000
		2　申告分離
		(1)　収入金額（合計　550,000）
		①　B社　150,000
		②　C社　400,000
		(2)　負債の利子
		0
		(3)　(1)－(2)＝550,000
譲渡所得（上場株式等）	△500,000	

II　課税標準

摘　要	金　額	計　算　過　程　（単位：円）
総所得金額	160,000	550,000－500,000＝50,000（上記）
上場株式等に係る配当所得等の金額	50,000	
上場株式等に係る譲渡所得等の金額	0	

解答への道

非上場株式の配当金は、課税総所得金額の税率が23%であるため、配当控除を考慮すると総合課税としたほうが有利である。

上場株式の配当金は、上場株式の譲渡損失との通算をするため、申告分離課税としたほうが有利である。

問題 21　配当所得（その９）～外国株式の配当～

解　答

Ⅰ　**各種所得の金額**

摘　要	金　額	計　算　過　程　（単位：円）
配当所得	500,000	(1) 収入金額 ① A社　500,000 ② C社 120,000－24,000≦100,000 120,000（申不） ③ E社　300,000（申不） (2) 負債の利子 0 (3) (1)－(2)＝500,000

解答への道

1．A社配当は、国内の取扱者を経由して支払いを受けたものではないため、源泉徴収されず申告不要とすることはできない。

なお、B国において控除された外国所得税については、外国税額控除の適用を受けることに留意する。

2．C社配当は、国内の取扱者を経由して支払いを受けたものであり、非上場株式の配当金で外国所得税控除後の配当等の額が10万円以下であることから申告不要とすることができる。

3．E社配当は、国内の取扱者を経由して支払いを受けたものであり、上場株式の配当金であるため、金額に関係なく申告不要とすることができる。

第５章　不動産所得

問題22　不動産所得（その１）～範囲～

解答

(1)、(2)、(3)、(5)、(8)、(9)

《参　考》

①　事業所得に該当するもの　(4)（基通26－８）

②　事業所得又は雑所得に該当するもの　(6)、(7)、(10)（基通35－２）

問題23　不動産所得（その２）～収入金額の計上時期①～

解答

（単位：円）

〔設問１〕

２月分～３月分	50,000×４（室）×２カ月＝	400,000
４月分～翌年１月分	60,000×４（室）×10カ月＝	2,400,000
		2,800,000

〔設問２〕

地　代　$1,200,000 \times \frac{8}{12} = 800,000$

〔設問３〕

家　賃	１月分～４月分	300,000×４カ月＝	1,200,000
	５月分～12月分	450,000×８カ月＝	3,600,000
地　代		50,000×12カ月＝	600,000
更新料			2,000,000
			7,400,000

〔設問４〕

２月～９月分	160,000×８カ月＝	1,280,000

解答への道

(1)　帳簿書類を備えて継続的に前受・未収の経理をしていない場合には支払日基準により収入を計上することになる。翌月分を当月末日までに受領することになっているときは、翌年１月分は、本年12月31日までに受領することになるため、本年において収入計上することとなる。

(2)　更新料の収入計上時期は、契約の効力発生日による。（基通36－６）

⑶　家賃値上げについて借主との係争等をしている場合で借主が旧家賃等を供託しているときは、その供託金額については、支払日基準等により収入計上をする必要がある。(基通36－５)。

⑷　賃貸借契約存否の係争（明渡請求）がある場合には、係争期間中の賃貸料については収入計上せず、解決時に係争期間中の賃貸料をまとめて計上する。

問　題　24　不動産所得（その３）～収入金額の計上時期②～

解　答

Ⅰ　各種所得の金額

摘　　要	金　　額	計　　算　　過　　程　　（単位：円）
不動産所得	5,623,000	⑴　総収入金額 8,000,000＋48,000※＋75,000＝8,123,000 ※　賃借人Ａ　160,000×30％＝48,000 ⑵　必要経費 2,500,000 ⑶　⑴－⑵＝5,623,000

解答への道

⑴　敷金は、明渡時に30％償却することが契約時に確定しているため、契約した年において30％相当額を収入計上する。

⑵　敷金の未償却額（70％）は、明渡時に修繕費と相殺するものであるため、修繕費の額が確定したところで修繕費と相殺した金額を収入計上する。

問　題　25　不動産所得（その４）～収入金額の計上時期③～

解　答

（単位：円）

総収入金額

1,800,000＋（700,000＋110,000×５）＋720,000＝3,770,000

解答への道

⑴　甲は賃貸料について翌月分を当月末までに受け取ることとしており、前受未収等の経理はしていないため、翌年１月分の賃貸料は未収であるが本年分の収入金額に計上する。

⑵　Ｂ貸家は値上請求であるため、供託金額110,000円の５カ月分（本年９月分～翌年１月分）を収入金額に計上する。

なお、差額部分については年末現在係争中であるため、処理する必要はない。

(3) C貸家は明渡請求であるため、判決、和解等があった日に収入金額に計上する。

したがって、年末現在係争中であるため、係争部分については処理する必要はない。

問　題　26　不動産所得（その５）～必要経費～

解　答

（単位：円）

必要経費

4,238,000＋750,000＋1,200,000＋1,500,000＋300,000＋1,234,000＋5,482,000＋1,970,000＋656,000＝17,330,000

解答への道

(1) 貸付不動産に係る登記費用、不動産取得税は、その支出年の必要経費に算入する。

(2) 開業日以後に支払う借入金の利子は、固定資産の取得価額に算入せず、必要経費に算入する。

(3) 貸家の取壊しに伴い支出する立退料、取壊費用は、資産損失額に含めず、法37の必要経費として取り扱う。

(4) 貸家の取壊損失は、事業的規模であるため、全額を必要経費に算入する。

問　題　27　不動産所得（その６）～借地権等の設定～

解　答

（単位：円）

(1) 判　定

$1,950,000 \leqq 13,000,000 \times \frac{5}{10}$

∴　不動産所得に該当

(2) 総収入金額　　150,000×７カ月＋1,950,000＝3,000,000

解答への道

権利金が土地の時価の10分の５以下であるため不動産所得として課税される。

第5章 不動産所得

問題 28　不動産所得（その7）～定期借地権①～

解答

（単位：円）

総収入金額

$350,000+12,000,000\times0.3\%\times\frac{7}{12}=371,000$

※　$12,000,000\times0.3\%\times\frac{7}{12}=21,000$は事業所得の必要経費となる。

解答への道

保証金のうち、預貯金などの金融資産に運用される部分については経済的利益を計上する必要はない。また、総収入金額に算入される経済的利益は、問題の指示による適正な利率を用いて計算する。

問題 29　不動産所得（その8）～定期借地権②～

解答

（単位：円）

総収入金額

$50,000\times4+150,000\times4=800,000$

解答への道

前受地代方式により定期借地権契約を締結した場合には、前受地代のうち、本年の地代に充当される金額を本年分の総収入金額に算入する。

問題 30　不動産所得（その９）～固定資産の損失～

解答

Ⅰ　各種所得の金額

摘　要	金　額	計　算　過　程　（単位：円）
不動産所得	0	(1) 総収入金額　1,350,000 (2) 必要経費 ① 400,000＋350,000＋440,000＝1,190,000 ② 資産損失 イ (1)－(2)① ＝ 160,000 ロ 損失額　295,000 ハ イ＜ロ　∴ 160,000 ③ ①＋②＝1,350,000 (3) (1)－(2)＝ 0

解答への道

事業的規模以外であるため、損失額は所得限度で必要経費に算入となる。

また、業務用資産についての資産損失額は、資産そのものについての損失をいい、立退料、取壊費用等の関連支出は含まれず、法37の経費となる。したがって、これらの関連支出は、保険金や、所得限度の影響を受けることはない。

問 題 31　不動産所得（その10）～未収家賃の回収不能～

解 答

未収家賃の回収不能額540,000円は、前年分の不動産所得の金額を減額する。

よって、前年分の不動産所得の金額は4,088,000円（＝4,628,000円－540,000円）となる。

解答への道

事業的規模以外で不動産所得を生ずべき業務を営んでいる場合の未収家賃の回収不能額は、次に掲げる金額のうち最も少ない金額を、その家賃を収入に計上した年分の不動産所得の金額から減額する。

① その回収不能額

② その回収不能額に係る収入金額が生じた年分の課税標準の合計額

③ ②の基礎となった各種所得の金額

第6章　事業所得

問題32　収入金額（その1）～家事消費等～

解答

Ⅰ　各種所得の金額

摘　　要	金　　額	計　　算　　過　　程　　（単位：円）
事業所得	×××	(1)　総収入金額 ①　売上高 23,720,000－250,000＋175,000－260,000＋185,000＋280,000＝23,850,000 ※1　家事消費 250,000×70％＝175,000＞160,000　∴ 175,000 ※2　友人に対する譲渡 275,000×70％＝192,500≦200,000 ∴　低額譲渡ではない ※3　贈　与 260,000×70％＝182,000＜185,000　∴ 185,000 ※4　交　換 400,000×70％＝280,000＞200,000 ∴ 低額譲渡　280,000 ②　雑収入 760,000－60,000＝700,000 ③　①＋②＝24,550,000

解答への道

A銀行の利子は、利子所得となるため、雑収入からは控除する。

問　題　33　収入金額（その２）～国庫補助金①～

解　答　　　　（単位：円）

⑴　取扱い	①　国庫補助金収入2,000,000は総収入金額には算入しない。 ②　不算入額2,000,000は機械の取得価額から減額する。
⑵　償却費	5,000,000－2,000,000＝3,000,000 $3,000,000 \times 0.100 \times \frac{6}{12} = 150,000$

問　題　34　収入金額（その３）～国庫補助金②～

解　答　　　　（単位：円）

1．本年分の減価償却費

$$7,500,000 \times 0.250 \times \frac{6}{12} = 937,500$$

2．翌年分の総収入金額算入額

$$5,000,000 - 5,000,000 \times \frac{7,500,000 - 937,500}{7,500,000} = 625,000$$

3．翌年分の減価償却費

$$(7,500,000 - 937,500) - 5,000,000 \times \frac{7,500,000 - 937,500}{7,500,000} = 2,187,500$$

$$2,187,500 \times 0.250 = 546,875$$

問　題　35　収入金額（その４）

解　答　　　　（単位：円）

78,000,000＋600,000＋25,000＋280,000＋70,000＋12,000＝78,987,000

問題 36　収入金額（その5）

解答

摘要	金額	計算過程（単位：円）
事業所得	23,060,000	(1) 総収入金額（合計　58,700,000） ① 売上高　56,500,000 ② 雑収入 3,000,000−1,800,000＝1,200,000 ③ 受贈益 $2,400,000\times\frac{2}{3}-600,000$ ＝1,000,000＞300,000　∴ 1,000,000 (2) 必要経費（合計　34,990,000） ① 売上原価 30,750,000 ② 営業費　4,000,000 ③ 償却費 $(1,000,000+600,000)\times0.200\times\frac{9}{12}=240,000$ (3) 青色申告特別控除額 (1)−(2)≧650,000　∴ 650,000 (4) (1)−(2)−(3)＝23,060,000

解答への道

広告宣伝用資産は、時価の$\frac{2}{3}$を受贈益として計上する。

第6章 事業所得

問　題　37　収入金額（その６）

解　答

摘　　要	金　　額	計　　算　　過　　程　　（単位：円）
事　業　所　得	2,820,000	(1)　総収入金額（合計　9,035,000） ①　売上高　8,260,000 ②　雑収入　19,000＋6,000＝25,000 ③　受贈益 $900,000\times\frac{2}{3}-0=600,000>300,000$ ∴　600,000 ④　貸倒引当金戻入　150,000 ※　収益補償金は非課税 (2)　必要経費（合計　6,215,000） ①　売上原価　5,190,000 ②　営業費　1,025,000 (3)　(1)－(2)＝2,820,000

解答への道

収益補償金は、身体の傷害により受けたものであるため、非課税となる。

問　題　38　海外渡航費

解　答

(1)　$500,000円＋（1,400,000円－500,000円）\times\frac{10日－2日}{10日}＝1,220,000円$

(2)　①　$215,000円＋（515,000円－215,000円）\times\frac{10日－4日}{10日}＝395,000円$

②　$（515,000円－215,000円）\times\frac{1}{2}\times\frac{4日}{10日}＝60,000円$

③　①＋②＝455,000円

解答への道

(2)の従業員Ｃの観光部分の旅費はＣに対する給与として必要経費に算入する。

問題 39　更新料

解答

（単位：円）

$$800,000 \times \frac{3,000,000}{12,000,000} = 200,000$$

問題 40　必要経費の通則（その１）

解答

（単位：円）

5,987,000－27,000－156,000＝5,804,000

解答への道

株式取得のための負債利子は，配当所得で控除する。

問題 41　必要経費の通則（その２）

解答

（単位：円）

必要経費算入額

⑴　弁護士費用　390,000

⑵　損害保険料　54,000－40,000＝14,000

⑶　倉庫家賃　1,440,000

⑷　固定資産税　568,000×40％＝227,200

⑸　⑴から⑷の合計　2,071,200

問題 42　家事関連費等（その１）～利子税～

解答

（単位：円）

$$8,300 \times \frac{6,389,000}{660,000 + 6,389,000 + 4,500,000 + 300,000 \times \frac{1}{2}}(0.55) = 4,565$$

問　題　43　家事関連費等（その２）～損害賠償金～

解　答

（単位：円）

800,000＋400,000＝1,200,000

解答への道

年末において損害賠償金の額が確定していなくても、同日までに相手方に申し出た金額を必要経費に算入することができる。（基通37－２の２）

問　題　44　家事関連費等（その３）

解　答

（単位：円）

8,154,900－63,000＋(63,000＋21,000)×40％－14,000－1,200,000－7,500－11,000－33,000
＝6,860,000

解答への道

(1)　固定資産税のうち、貸家に係るものは、不動産所得の金額の計算上必要経費に算入され、居住用家屋に係るものは、家事費となる。

また、第４期分は未払いであるが、既に債務の確定したものであるため、必要経費に算入する。

(2)　業務用資産に係る不動産取得税は、必要経費に算入される。

(3)　前年分所得税の延納に係る利子税は、前年分の事業所得が赤字であるため、必要経費に算入されない。

(4)　罰金及び印紙税の過怠税は、必要経費不算入である。

問　題　45　家事関連費等（その４）

解　答

（単位：円）

5,850（※）＋180,000×50％＋50,000＋70,000＋20,000＋20,000＝255,850

※　$15,000\times\dfrac{6,530,000}{250,000+6,530,000+700,000\times\dfrac{1}{2}+(39,630,000-30,000,000)}$ （0.39）

＝5,850

問　題　46　売上原価の計算（その１）

解　答

（単位：円）

A　1,800,000＜2,010,000　　∴ 1,800,000

B　960,000＞920,000　　∴ 920,000

C　1,130,000－400,000＋100,000＝830,000

1,110,000－300,000＋100,000＝910,000

830,000＜910,000　　∴ 830,000

1,800,000＋920,000＋830,000＝3,550,000

解答への道

低価法による年末棚卸高の評価は、全体ではなく、商品の種類ごとに原価と時価との比較を行う。

また、原価と時価の比較は、評価替えを行った後に行うこと。

問　題　47　売上原価の計算（その２）

解　答

（単位：円）

1,357,000＋10,596,000－1,646,000※＝10,307,000

※　A商品　614,000＜630,000　　∴ 614,000

B商品　855,000

C商品　218,000－109,000＋68,000＝177,000

233,000－116,500＋68,000＝184,500

177,000＜184,500　　∴ 177,000

614,000＋855,000＋177,000＝1,646,000

解答への道

(1)　評価方法を変更するためには、その年３月15日までに申請書を提出しなければならない。その年12月31日までに何らの処分もない場合には承認を受けたものとみなす。

(2)　低価法による年末棚卸高の評価は、全体ではなく、商品ごとに原価と時価との比較をすることに留意する。

(3)　年末棚卸高の評価替えがある場合には、評価替え後に原価と時価との比較をする。

問　題　48　減価償却（その１）

解　答

（単位：円）

⑴　店　舗　28,000,000×0.9×0.027＝680,400

⑵　従業員宿舎　4,000,000×0.9×0.046＝165,600

⑶　備　品

$600,000 \times 0.250 \times \frac{4}{12} = 50,000$

⑷　車　両　$1,500,000 \times 0.400 \times \frac{11}{12} = 550,000$

⑸　ソフトウェア　$540,000 \times 0.200 \times \frac{11}{12} = 99,000$

⑹　⑴～⑸の合計　1,545,000

問　題　49　減価償却（その２）

解　答

（単位：円）

⑴　建物Ａ　9,373,000×0.045＝421,785

⑵　建物Ｂ　①　640,000×0.045＝28,800

②　640,000－12,500,000×５％＝15,000

③　①＞②　∴ 15,000

⑶　建物Ｃ　$(650,000 - 1) \times \frac{1}{5} = 130,000$

⑷　⑴～⑶の合計　566,785

解答への道

⑴　平成10年３月31日以前に取得した建物については、旧定率法で償却できる。
なお、旧定率法の計算では、年初未償却残額を基礎とする。

⑵　建物Ｂは償却可能限度額（取得価額の95％相当額）までしか償却できない。

⑶　建物Ｃは前年において償却可能限度額に達した資産であるため、本年より、未償却残額から１円を控除した金額を５分の１ずつ５年間にわたって必要経費に算入する。

問題 50　減価償却（その３）～改定償却～

解答

（単位：円）

⑴　本年分

①　712,415×0.333＝237,235

②　3,200,000×0.09911＝317,152

③　①＜②　∴　改定償却

712,415×0.334＝237,947

⑵　翌年分

712,415×0.334＝237,947

解答への道

定率法による減価償却は、年償却費が償却保証額に満たないこととなった年分から、その満たないこととなった年分の年初未償却残額に改定償却率を乗じて償却費を計算する。

問題 51　減価償却（その４）～少額減価償却資産等～

解答

（単位：円）

必要経費算入額

⑴　自転車

55,000＜100,000　∴　55,000

⑵　陳列棚

150,000＜300,000　∴　150,000

⑶　パソコン

250,000＜300,000　∴　250,000

⑷　プリンター

$123,000\times\frac{1}{3}=41,000$

⑸　⑴～⑷の合計　496,000

問 題 52　減価償却（その５）～業務転用～

解 答

（単位：円）

(1)　定額法による場合

$3,000,000 \times 0.200 \times \frac{2}{12} = 100,000$

(2)　定率法による場合

$(3,000,000 - \overset{※1}{1,533,600}) \times 0.400 \times \frac{2}{12} = 97,760$

※１　$3,000,000 \times 0.9 \times \overset{※2}{0.142} \times \overset{※3}{4}$年＝1,533,600

※２　５年×1.5＝7.5 → ７年（0.142）

※３　Ｒ４．２～Ｒ７．10…３年６月以上 → ４年

解答への道

(1)　定額法の場合には、取得価額を基礎に償却費を計算するため、減価の額を認識する必要はない。

(2)　定率法の場合には、転用時の未償却残額を基礎に償却費を計算するが、非業務供用期間の減価の額を控除した金額が転用時の未償却残額とみなされることに留意すること。

問 題 53　減価償却（その６）～償却方法の変更～

解 答

（単位：円）

(1)　$8,420,000 \times 0.111 = 934,620$

(2)　$6,278,241 \times \overset{※}{0.100} = 627,825$

※　$\frac{6,278,241}{15,000,000} \fallingdotseq 0.418$　∴　８年（１年未満切上）

18年－８年＝10年………0.100

問題 54　減価償却（その7）～資本的支出と修繕費～

解　答

（単位：円）

〔設問1〕

⑴　修繕費

500,000＜600,000　∴　500,000

⑵　資本的支出

0

〔設問2〕

⑴　修繕費

180,000＜200,000　∴　180,000

⑵　資本的支出

0

〔設問3〕

⑴　修繕費

750,000≦8,000,000×10%　∴　750,000

⑵　資本的支出

0

〔設問4〕

⑴　修繕費

①　6,500,000×30%＝1,950,000

②　50,000,000×10%＝5,000,000

③　①＜②　∴　1,950,000

⑵　資本的支出

6,500,000－1,950,000＝4,550,000

解答への道

〔設問2〕

支出額が20万円未満である場合には、明らかに資本的支出に該当するものであっても、全額必要経費に算入する。

第6章　事業所得

問題 55 減価償却（その８）～資本的支出の償却費～

解答

（単位：円）

建物

① 40,000,000×0.9×0.020＝720,000

② 4,000,000×0.020× $\frac{9}{12}$ ＝60,000

③ ①＋②＝780,000

解答への道

平成19年３月31日以前に取得した資産に資本的支出を行った場合には、新たな資産の取得として償却する方法と本体部分の償却方法に合わせて償却する方法があり、有利な方を選択する。

本問では、新たな資産の取得とする場合には定額法、本体部分の償却方法に合わせる場合には旧定額法になるため、定額法で償却した方が有利となる。

問題 56 減価償却（その９）～中古資産～

解答

（単位：円）

⑴ 備品

（８年－２年）＋２年×0.2＝6.4年 → ６年（１年未満切捨）

600,000×0.167× $\frac{8}{12}$ ＝66,800

⑵ 車両

（５年－４年）＋４年×0.2＝1.8年 → ２年（２年未満は２年）

(800,000＋200,000)×0.500× $\frac{8}{12}$ ＝333,334

⑶ 倉庫

（12月×22－101月※）＋101月×20％＝183.2月 → 15年（１年未満切捨）

※ ８年５月⇒101月

3,800,000×0.067× $\frac{8}{12}$ ＝169,734

解答への道

中古資産の取得に伴い支出した改良費の額は、取得価額に算入されることに留意する。

また、経過年数に１年未満の端数があるときは、月数ベースに直して計算する。

問題 57 減価償却（その10）～広告宣伝用資産～

解答

（単位：円）

(1) 総収入金額に算入すべき金額

$1,800,000 \times \frac{2}{3} - 400,000 = 800,000 > 300,000$　∴ 800,000

(2) 必要経費に算入すべき償却費の額

$(400,000 + 800,000) \times 0.200 \times \frac{9}{12} = 180,000$

問題 58 減価償却（その11）～特別償却～

解答

（単位：円）

(1) 機　械　A

$1,200,000 \times 0.222 \times \frac{10}{12} = 222,000$

(2) 機　械　B

1,800,000≧1,600,000　∴ 特例償却の適用あり

$1,800,000 \times 0.133 \times \frac{10}{12} + 1,800,000 \times 30\% = 739,500$

(3) 機　械　C

（13年－5年）＋5年×0.2＝9年 ⇨ 0.222

$2,500,000 \times 0.222 \times \frac{8}{12} = 370,000$

(4) ソフトウェア

800,000≧700,000　∴ 特別償却の適用あり

$800,000 \times 0.200 \times \frac{5}{12} + 800,000 \times 30\% = 306,667$

解答への道

(1) 機械Aについては、取得価額が160万円未満のため、特別償却の適用はない。

(2) 機械Bについては、取得価額が160万円以上であるため、特別償却の適用がある。

(3) 機械Cについては、中古資産のため、特別償却の適用はない。

(4) ソフトウェアについては、取得価額が70万円以上のため、特別償却の適用がある。

問　題　59　減価償却（その12）～その他の事項～

解　答

（単位：円）

〔設問１〕借入金の利子

200,000－60,000＝140,000

〔設問２〕借入金の利子

250,000

〔設問３〕必要経費

150,000＋135,000＝285,000

解答への道

1．業務用資産の借入金の利子は、業務開始前の期間に係るものは取得価額に算入し、業務開始以後の期間に係るものは必要経費に算入する。

　この場合において、業務開始前か以後かの判定はそれぞれの業務ごとに行う。

2．業務の用に供される土地に係る登録免許税及び不動産取得税は、必要経費に算入する。

問　題　60　繰延資産

解　答

（単位：円）

⑴　資産を賃借するために支出する権利金その他の費用

①　$5,000,000 \times \dfrac{6}{5 \times 12} = 500,000$

②　200,000＋500,000＝700,000

⑵　自己が便益を受ける共同的施設のために支出する費用

$300,000 \times \dfrac{5}{5^{※} \times 12} = 25,000$

※　5年＜15年　∴　5年

⑶　少額繰延資産　140,000＜200,000　∴ 140,000

⑷　自己が便益を受ける共同的施設のために支出する費用

$600,000 \times \dfrac{3}{10^{※} \times 12} = 15,000$

※　10年＜35年×70％＝24年　∴ 10年

⑸　分割払の負担金

$80,000 \times \dfrac{6}{5^{※} \times 12} = 8,000$

※　5年＜15年　∴　5年

(6) 短期分割払の負担金

$320,000 \times \dfrac{6}{5※\times 12} = 32,000$

※　5年＜15年　　∴ 5年

(7) 長期分割払の負担金　250,000

(8) 簡易舗装　250,000

(9) (1)～(8)の合計　1,420,000

問題 61　事業用固定資産の損失（その１）

解答

（単位：円）

① 資産損失額

$1,371,750 - 3,000,000 \times 0.167 \times \dfrac{9}{12} = 996,000$

$996,000 - 650,000 = 346,000$

$346,000 - 600,000 < 0$　　∴ 0

② 原状回復費用

$1,000,000 - 346,000 = 654,000$

③ 減価償却費（合計　476,751）

イ　損失部分　$3,000,000 \times \dfrac{346,000}{996,000} = 1,042,168$

$1,042,168 \times 0.167 \times \dfrac{9}{12} = 130,532$

ロ　その他部分　$(3,000,000 - 1,042,168) \times 0.167 = 326,958$

ハ　資本的支出部分　$346,000 \times 0.167 \times \dfrac{4}{12} = 19,261$

第6章 事業所得

問 題 62　事業用固定資産の損失（その２）

解 答

（単位：円）

１．資産損失額

$$7,680,000-7,680,000\times0.055\times\frac{7}{12}=7,433,600$$

7,433,600−6,000,000＝1,433,600

1,433,600−20,000−1,000,000＝413,600

２．修繕費

6,700,000×30％−1,433,600＝576,400

３．償却費

a　$$7,680,000\times\frac{1,433,600}{7,433,600}=1,481,119$$

$$1,481,119\times0.055\times\frac{7}{12}=47,520$$

b　（7,680,000−1,481,119）×0.055＝340,939

c　$$(6,700,000-576,400)\times0.055\times\frac{5}{12}=140,333$$

d　a＋b＋c＝528,792

解答への道

平成19年３月31日以前取得の減価償却資産について資本的支出をした場合には、新たな資産の取得とするのが原則であるが、特例として、資本的支出部分の金額を本体に含めて旧償却方法で計算することもできる。本問では、建物本体の償却方法を旧定率法、資本的支出部分を定額法とするのが原則であるが、新たな資産の取得とせず、本体の取得価額に含めて旧償却方法で計算した方が１年目の償却費が有利になるため、資本的支出部分についても本体の償却方法と同様に旧定率法で償却する。

問　題　63　貸倒損失

解　答

（単位：円）

1．貸倒損失　3,000,000

2．貸倒損失として処理したい金額について、書面により債務免除額を通知した場合に限り、貸倒損失として処理することができる。

3．(1)　担保物処理後でなければ貸倒れとして処理することはできない。

(2)　担保物がない場合でも回収できない額が全額でない限り、貸倒れとして処理することはできない。

(3)　貸倒損失　4,000,000

4．貸倒損失　600,000－1＝599,999

5．貸倒損失

（20,000－1）＋（80,000－1）＋（40,000－1）＝139,997

6．貸倒損失　3,000,000

問　題　64　貸倒引当金（その1）

解　答

(1)、(2)、(5)

問　題　65　貸倒引当金（その2）

解　答

（単位：円）

（600,000＋800,000＋7,100,000－200,000－5,500,000）×50%＝1,400,000

解答への道

C商店は、手形交換所の取引停止処分を受けているため、形式基準により個別評価貸金等に係る貸倒引当金勘定の繰入れを行うことができる。なお、この場合、対象となる貸金等からは、抵当権により担保されている部分の金額及び第三者振出手形は除かれることに留意する。

また、個別評価貸金等に係る貸倒引当金繰入は青色申告の特典ではないため、白色申告者であっても繰り入れることができる。

問　題　66　貸倒引当金（その３）

解　答

（単位：円）

⑴　債権の額

6,400,000＋5,070,000＋300,000＋7,000,000＝18,770,000

⑵　実質的に債権とみられないもの

①　原則法

Ａ商店　3,100,000＜3,400,000　　∴ 3,100,000

②　簡便法

$⑴ \times \frac{5,125,000}{37,015,000}$ (0.138)＝2,590,260

③　①＞②　　∴ 2,590,260

⑶　{⑴－⑵}×5.5％＝889,885

解答への道

⑴　割引手形は、貸倒引当金の設定対象になる。

⑵　甲は、平成27年以後物品販売業を営んでいるため、実質的に債権とみられないものの額は平成27年及び28年を基準とした簡便法によることができる。

問　題　67　貸倒引当金（その４）

解　答

（単位：円）

１．年末債権の額

10,000,000＋8,000,000＝18,000,000

２．実質的に債権とみられないものの額

⑴　原則法

Ａ社　3,000,000＞2,000,000　　∴ 2,000,000

Ｂ社　800,000＋1,000,000＝1,800,000＞1,500,000　　∴ 1,500,000

2,000,000＋1,500,000＝3,500,000

⑵　簡便法

$18,000,000 \times \frac{7,510,000}{44,000,000}$ (0.170)＝3,060,000

⑶　⑴＞⑵　　∴ 3,060,000

３．繰入額

(18,000,000－3,060,000)×5.5％＝821,700

問題 68　貸倒引当金（その5）

解答

（単位：円）

(1)　貸倒損失額

$1,200,000 \times \frac{1}{3} = 400,000$

(2)　貸倒引当金繰入額

$1,200,000 \times \frac{2}{3} \times \frac{8}{10} = 640,000$

解答への道

個別評価貸倒引当金による繰入額（長期棚上げ等）は、その事由発生年の翌年1月1日から5年を経過する日までに弁済される金額以外の金額となる。

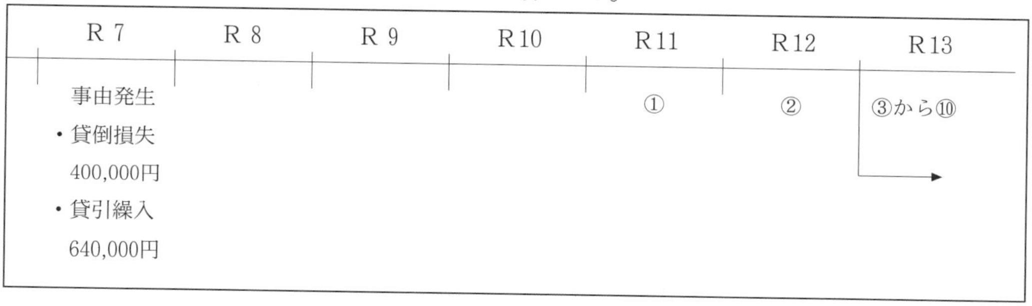

R 7	R 8	R 9	R10	R11	R12	R13
事由発生 ・貸倒損失 400,000円 ・貸引繰入 640,000円				①	②	③から⑩ →

第6章　事業所得

問題 69　貸倒引当金（その６）

解答

（単位：円）

⑴　貸倒引当金戻入額

600,000

⑵　貸倒引当金繰入額

50,000×８回＋200,000＝600,000

解答への道

個別評価貸倒引当金による繰入額（長期棚上げ等）は、その事由発生年（令和６年）の翌年１月１日から５年を経過する日までに弁済される金額以外の金額となる。

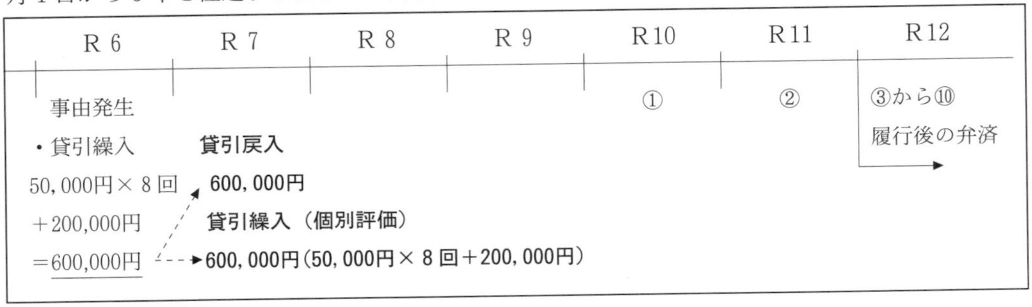

R６	R７	R８	R９	R10	R11	R12
事由発生 ・貸引繰入 50,000円×８回 ＋200,000円 ＝600,000円	**貸引戻入** **600,000円** **貸引繰入（個別評価）** **600,000円（50,000円×８回＋200,000円）**			①	②	③から⑩ 履行後の弁済

問題 70　同一生計親族が事業から受ける対価（その１）

解答

（単位：円）

12,650,000－4,800,000＋480,000＋220,000＋284,650－500,000＝8,334,650

解答への道

⑴　法56（同一生計親族が事業から受ける対価）の適用を受ける場合、減価償却費は、甲の選定した償却方法ではなく、同一生計親族が選定した償却方法により計算した金額で計上する。

⑵　別生計親族に対する対価については、法56の適用はない。したがって、兄に対して支払った借入金の利子は、必要経費に算入される。

⑶　青色事業専従者給与は、他家に嫁ぎ別生計となった場合などやむを得ない事情がある場合には、従事可能期間の２分の１超従事していれば適用を受けられる。

⑷　青色事業専従者に対する退職金は必要経費に算入されない。

問題 71　同一生計親族が事業から受ける対価（その２）

解答

（単位：円）

〔設問１〕

800,000

〔設問２〕

2,700,000

〔設問３〕

0

〔設問４〕

$2,900,000 \times \frac{1}{2} = 1,450,000$

解答への道

〔設問１〕

専ら従事しているかどうかは、その親族が専ら従事する期間がその年において６月を超えるかどうかによるが、その事業が開廃業等により１年を通じて営まれなかった場合、その親族が死亡、長期にわたる病気、婚姻等により、その年を通じて同一生計親族として事業に従事することができなかった場合には、従事可能期間の２分の１を超える期間その事業に従事すれば足りるものとする。

〔設問２〕

長男は、３月までは大学に通学していたため、４月から12月までの９カ月が従事可能期間となり、その２分の１超の期間従事しているため、青色事業専従者に該当する。

〔設問３〕

事業専従者は、青色事業専従者と異なり、いかなる事情があっても、その年において６月を超える期間従事していなければならない。

〔設問４〕

青色事業専従者が、居住者が営む２以上の事業に従事している場合において、従事割合が明らかでないときは、均等に従事したものとみなして、青色事業専従者給与の額をあん分する。

問　題　72　同一生計親族が事業から受ける対価（その３）

解　答

（単位：円）

(1)　860,000

(2)　$\frac{8,549,000}{1+1}$ ＝4,274,500

(3)　(1)＜(2)　　∴ 860,000

問　題　73　消費税（その１）～経理処理～

解　答

（単位：円）

〔設問１〕

必要経費算入額

1,200,000

〔設問２〕

必要経費算入額

2,454,000

〔設問３〕

総収入金額算入額

0

〔設問４〕

必要経費算入額

0

解答への道

〔設問１〕及び〔設問２〕

税込経理方式である場合には、納付すべき消費税の額は、原則として、消費税の確定申告書を提出する年分の必要経費に算入するが、年末において未払金経理をすることにより、その年分の必要経費に算入することができる。

〔設問３〕

税込経理方式である場合において、還付を受けるべき消費税の額は、消費税の確定申告書を提出する年分の総収入金額に算入した方が有利となる。

〔設問４〕

税抜経理方式である場合には、納付すべき消費税の額を必要経費に算入することはない。

問　題　74　消費税（その２）～控除対象外消費税等①～

解　答

（単位：円）

必要経費算入額

課税売上割合85%≧80%　∴　控除対象外消費税額は、全額必要経費算入

1,209,600＋1,528,800＋360,000＝3,098,400

問　題　75　消費税（その３）～控除対象外消費税等②～

解　答

（単位：円）

必要経費算入額

2,520,000＋1,680,000＋84,000※＝4,284,000

※　$840,000 \times \frac{12}{60} \times \frac{1}{2} = 84,000$

解答への道

課税売上割合が80%未満であるため、次のようになる。

①　棚卸資産及び経費に係るものは必要経費に算入する。

②　固定資産（Ｙ機械）に係るものは20万円以上であるため60ヵ月償却する。

問題 76　医業

解答

Ⅰ　各種所得の金額

摘　　要	金　　額	計　　算　　過　　程　　（単位：円）
事業所得	924,000	(1)　総収入金額（合計　4,020,800） ①　社会保険診療報酬 3,215,000＋85,000＝3,300,000 ②　その他の収入　720,800 (2)　必要経費（Ⅱ＋Ⅲ＝2,651,780） Ⅰ　共通経費 減価償却費（合計　210,300） ①　診療用機器A 400,000×0.100＝40,000 ②　診療用機器B 200,000×0.100＝20,000 ③　乗用車（旧） 800,000×0.167× $\frac{6}{12}$ ＝66,800 ④　乗用車（新） （400,000＋600,000）×0.167× $\frac{6}{12}$ ＝83,500 Ⅱ　社会保険診療報酬分 ①　実　額 1,310,410－70,000＋210,300×70％＝1,387,620 ②　概　算 3,300,000×72％＝2,376,000 ③　①＜②　　∴ 2,376,000 Ⅲ　その他の収入分 242,690－30,000＋210,300×30％＝275,780 (3)　青色申告特別控除額 (1)②－(2)Ⅲ＝445,020＜650,000　　∴ 445,020 (4)　(1)－(2)－(3)＝924,000

第7章　給与所得

問題77　給与所得（その1）

解答

Ⅰ　各種所得の金額

摘　　要	金　　額	計　　算　　過　　程　　（単位：円）
問1 給与所得	2,940,800	①　収入金額 3,600,000＋230,000＋180,000＋120,000＋96,000 ＝4,226,000 ※　出張旅費及び通勤手当は非課税 ②　給与所得控除額 （4,226,000－3,600,000）×20％＋1,160,000 ＝1,285,200 ③　①－②＝2,940,800
問2 給与所得	3,504,000	①　収入金額　4,930,000 ※　結婚祝い金は非課税 ②　給与所得控除額 （4,930,000－3,600,000）×20％＋1,160,000 ＝1,426,000 ③　①－②＝3,504,000

問題 78　給与所得（その２）

解 答

Ⅰ　各種所得の金額

摘　要	金　額	計　算　過　程　（単位：円）
給 与 所 得	6, 995, 000	(1)　収入金額 8, 705, 000＋240, 000＝8, 945, 000 ※　養老保険の保険料は課税されない (2)　給与所得控除額 8, 945, 000＞8, 500, 000　∴ 1, 950, 000 (3)　(1)－(2)＝6, 995, 000

解答への道

(1)　従業員を被保険者とする養老保険で、その保険料を使用者が負担した場合の保険料のうち、満期保険金の受取人がその使用者、死亡保険金の受取人が被保険者の遺族であるものは、給与課税されない。

(2)　給与規定の改定により支給を受けた新旧給与の差額は、その差額が支給された年分の給与所得の収入金額に算入する。

問題 79　給与所得（その３）

解 答

Ⅰ　各種所得の金額

摘　要	金　額	計　算　過　程　（単位：円）
給 与 所 得	6,100,000	(1)　収入金額 8,000,000 ※　ストックオプションの行使による経済的利益は非課税 (2)　給与所得控除額 （8,000,000－6,600,000）×10%＋1, 760, 000 ＝1, 900, 000 (3)　(1)－(2)＝6,100,000
譲 渡 所 得 （上場株式等）	2,971,000	6,000,000－（600×5,000株＋29,000）＝2,971,000

解答への道

新株予約権の行使により取得した株式のうち，取得時に非課税の適用を受けているものを譲渡した場合には、権利行使価額が取得価額とされ、株式等に係る譲渡所得等の金額として申告分離課税が行われる。

問 題 80　給与所得（その４）～特定支出控除①～

解 答

Ⅰ　各種所得の金額

摘　　要	金　　額	計　　算　　過　　程　　（単位：円）
給 与 所 得	3,615,000	(1) 収入金額 7,650,000－150,000※×12＝5,850,000 ※ 通勤手当は、月額15万円まで非課税 (2) 給与所得控除額 （5,850,000－3,600,000）×20％＋1,160,000 ＝1,610,000 (3) 特定支出控除額 ① 交通費 2,040,000－150,000×12＝240,000 ② 資格取得費用 540,000 ③ 書籍購入費用等 780,000＞650,000　∴　650,000 ④ ①～③の合計　1,430,000 ⑤ $1,430,000-1,610,000\times\frac{1}{2}=625,000$ (4) (1)－(2)－(3)＝3,615,000

第7章 給与所得

問題 81　給与所得（その５）～特定支出控除②～

解答

Ⅰ　各種所得の金額

摘　　要	金　　額	計　　算　　過　　程　　（単位：円）
給　与　所　得	15,177,000	(1)　収入金額 18,000,000 (2)　給与所得控除額 18,000,000＞8,500,000　∴ 1,950,000 (3)　特定支出控除額 ①　引越費用　348,000 ②　単身赴任旅費　1,200,000 ③　旅行費用　300,000 ④　①＋②＋③＝1,848,000 ⑤　$1,848,000-1,950,000\times\frac{1}{2}=873,000$ (4)　(1)－(2)－(3)＝15,177,000

問題 82　給与所得（その6）～所得金額調整控除～

解答

問1

Ⅰ　各種所得の金額

摘　　要	金　　額	計　　算　　過　　程　　（単位：円）
給与所得	9,050,000	(1)　収入金額 11,000,000 (2)　給与所得控除額 11,000,000＞8,500,000　∴ 1,950,000 (3)　(1)－(2)＝9,050,000

Ⅱ　課税標準

摘　　要	金　　額	計　　算　　過　　程　　（単位：円）
総所得金額	8,900,000	所得金額調整控除 （10,000,000※－8,500,000）×10％＝150,000 ※　11,000,000＞10,000,000　∴ 10,000,000 9,050,000－150,000＝8,900,000

第7章　給与所得

問2

Ⅰ　各種所得の金額

摘　　　要	金　　額	計　　算　　過　　程　（単位：円）
給　与　所　得	2,760,000	(1)　収入金額 4,000,000 (2)　給与所得控除額 （4,000,000－3,600,000）×20％＋1,160,000 ＝1,240,000 (3)　(1)－(2)＝2,760,000
雑　　所　　得	950,000	

Ⅱ　課税標準

摘　　　要	金　　額	計　　算　　過　　程　（単位：円）
総所得金額	3,610,000	(1)　所得金額調整控除 ①　2,760,000＞100,000　∴　100,000 ②　950,000＞100,000　∴　100,000 ③　①＋②－100,000＝100,000 2,760,000－100,000＝2,660,000（給） (2)　総所得金額 2,660,000＋950,000＝3,610,000

第８章　退　職　所　得

問　題　83　退職所得（その１）

解　答

Ⅰ　各種所得の金額

摘　　要	金　　額	計　　算　　過　　程　（単位：円）
(1) 退　職　所　得	1,750,000	(1)　収入金額　15,000,000 (2)　退職所得控除額 　①　勤続年数　　24年８カ月 → 25年 　②　控除額　8,000,000＋700,000×（25年－20年） 　　　　＝11,500,000 (3)　{(1)－(2)} × $\frac{1}{2}$ ＝1,750,000
(2) 退　職　所　得	1,050,000	(1)　収入金額　12,500,000 (2)　退職所得控除額 　①　勤続年数　　21年１カ月 → 22年 　②　控除額 {8,000,000＋700,000×（22年－20年)} 　　　　＋1,000,000＝10,400,000 (3)　{(1)－(2)} × $\frac{1}{2}$ ＝1,050,000
(3) 退　職　所　得	6,000,000	(1)　収入金額　8,000,000 (2)　退職所得控除額 　①　勤続年数　　４年３カ月 → ５年 　②　控除額　400,000×５年＝2,000,000 (3)　(1)－(2)＝6,000,000
(4) 退　職　所　得	1,400,000	(1)　収入金額　4,000,000 (2)　退職所得控除額 　①　勤続年数　　２年６カ月 → ３年 　②　控除額　400,000×３年＝1,200,000 (3)　((1)－(2)) × $\frac{1}{2}$ ＝1,400,000

(5) 退　職　所　得	2,100,000	(1)　収入金額　5,600,000 (2)　退職所得控除額 　①　勤続年数　4年8カ月 → 5年 　②　控除額　400,000×5年＝2,000,000 (3)　1,500,000＋（5,600,000－2,000,000－3,000,000） 　＝2,100,000

解答への道

(1)　退職所得控除額の計算の基礎となる勤続年数には、病気等による長期欠勤又は休職期間、臨時雇期間、見習期間も含まれる。

(2)　障害者になったことに直接基因して退職した場合には、退職所得控除額は、100万円加算されることに留意する。

(3)　役員等としての勤続期間が5年以下である場合には、2分の1の適用はない。

(4)　役員等以外の者としての勤続年数が5年以下である場合において、収入金額から退職所得控除額を控除した金額が300万円を超えるときは、その超える部分の金額については2分の1の適用はない。

問　題　84　退職所得（その2）

解　答

(1)　25年7カ月 → 26年　　∴ 800万円＋70万円×（26年－20年）＝1,220万円

(2)　16年8カ月＋2年6カ月＝19年2カ月 → 20年　　∴ 20年×40万円＋100万円＝900万円

(3)　H13.4.1～R7.3.31………24年　　∴ 800万円＋70万円×（24年－20年）＝1,080万円

問題 85　退職所得（その３）

解答

Ⅰ　各種所得の金額

摘　　要	金　　額	計　　算　　過　　程　（単位：円）
退　職　所　得	700,000	(1)　収入金額　4,500,000＋2,500,000＝7,000,000 (2)　退職所得控除額 ①　勤続年数 12年８カ月＋６カ月……14年（１年未満切上） ②　退職所得控除額　400,000×14年＝5,600,000 (3)　{(1)－(2)}　×　$\frac{1}{2}$　＝700,000

問題 86　退職所得（その４）～前年以前４年内に退職手当等の支払いを受けている場合①～

解答

Ⅰ　各種所得の金額

摘　　要	金　　額	計　　算　　過　　程　（単位：円）
退　職　所　得	5,900,000	(1)　収入金額 18,000,000 (2)　退職所得控除額 ①　8,000,000＋700,000×（26年※－20年）＝12,200,000 ※　H12.1～R7.4→26年（１年未満切上） ②　400,000×15年※＝6,000,000 ※　H21.1～R6.10→15年（１年未満切捨） ③　①－②＝6,200,000 (3)　{(1)－(2)}　×　$\frac{1}{2}$　＝5,900,000

解答への道

A社を退職した年の前年以前４年内の期間に、B社から退職金の支払いを受けているため、重複期間について退職所得控除額の調整が必要となる。

問題 87 退職所得（その５）～前年以前４年内に退職手当等の支払いを受けている場合②～

解答

Ⅰ　各種所得の金額

摘　要	金　額	計　算　過　程　（単位：円）
退職所得	2,800,000	(1) 収入金額 15,000,000 (2) 退職所得控除額 ① 8,000,000＋700,000×（26※年－20年）＝12,200,000 ※ 25年４月⇒26年（１年未満切上） ② 400,000×7※年＝2,800,000 ※ 3,000,000÷400,000＝7.5年⇒７年（１年未満切捨） ③ ①－②＝9,400,000 (3) $\{(1)-(2)\}\times\frac{1}{2}$＝2,800,000

解答への道

前に支給を受けた退職金の額が、前の退職所得控除額に満たない場合には、その退職手当等の額を40万円（退職手当等の額が800万円以下である場合）で除した年数（１年未満切捨）を重複期間とみなす。

問題 88　退職所得（その６）～特定役員退職手当等①～

解答

Ⅰ　各種所得の金額

摘　　要	金　　額	計　　算　　過　　程　（単位：円）
退　職　所　得	3,950,000	1　特定役員分 (1)　収入金額 5,000,000 (2)　退職所得控除額 400,000×5年※＝2,000,000 ※　4年3月⇒5年（1年未満切上） (3)　(1)－(2)＝3,000,000 2　一般分 (1)　収入金額 15,000,000－5,000,000＝10,000,000 (2)　退職所得控除額 8,000,000＋700,000×（23年－20年）＝10,100,000 10,100,000－2,000,000＝8,100,000 (3)　$\{(1)-(2)\}\times\frac{1}{2}$＝950,000 3　1＋2＝3,950,000

解答への道

その年中に、特定役員退職手当等と一般退職手当等がある場合には、まず、特定役員退職手当等に係る退職所得の金額を計算し、次に一般退職手当等に係る退職所得の金額を計算する。

なお、一般退職手当等に係る退職所得控除額は、その年分の退職所得控除額から、特定役員退職所得控除額を控除した金額とする。

問題 89　退職所得（その７）～特定役員退職手当等②～

解答

Ⅰ　各種所得の金額

摘　要	金　額	計　算　過　程　（単位：円）
退職所得	5,800,000	1　特定役員分 (1)　収入金額 4,000,000 (2)　退職所得控除額 200,000×２年＝400,000 (3)　(1)－(2)＝3,600,000 2　一般分 (1)　収入金額 14,000,000－4,000,000＝10,000,000 (2)　退職所得控除額 400,000×15年＝6,000,000 6,000,000－400,000＝5,600,000 (3)　{(1)－(2)}×$\frac{1}{2}$＝2,200,000 3　１＋２＝5,800,000

解答への道

その年中に、特定役員退職手当等と一般退職手当等がある場合において、使用人兼務役員期間（重複期間）がある場合には、特定役員退職手当等に係る退職所得控除額の計算上、その重複期間については、１年あたり20万円で計算する。

第9章　山林所得

問題 90　山林所得（その１）

解答

Ⅰ　各種所得の金額

摘　　要	金　　額	計　　算　　過　　程　　（単位：円）
山林所得	5,800,000	(1)　総収入金額　8,000,000 (2)　必要経費　900,000＋700,000＝1,600,000 (3)　特別控除額　(1)－(2)≧500,000　∴ 500,000 (4)　青色申告特別控除額 (1)－(2)－(3)≧100,000　∴ 100,000 (5)　(1)－(2)－(3)－(4)＝5,800,000

問題 91　山林所得（その２）

解答

Ⅰ　各種所得の金額

摘　　要	金　　額	計　　算　　過　　程　　（単位：円）
山林所得	4,850,000	(1)　総収入金額　12,000,000 (2)　必要経費 ①　950,000＋1,800,000＋1,300,000＝4,050,000 ②　（12,000,000－1,300,000）×50%＋1,300,000 ＝6,650,000 ③　①＜②　∴ 6,650,000 (3)　特別控除額　(1)－(2)≧500,000　∴ 500,000 (4)　(1)－(2)－(3)＝4,850,000

解答への道

30年前に取得した山林を本年譲渡しているため、必要経費の金額は、原則と概算経費とのうち、いずれか多い金額となる。

問　題　92　山林所得（その３）

解　答

Ⅰ　各種所得の金額

摘　　要	金　　額	計　　算　　過　　程　　（単位：円）
山林所得	30,205,000	(1)　総収入金額 35,600,000＋22,500,000＝58,100,000 (2)　必要経費 ①　山林Ａ イ　7,260,000＋790,000＝8,050,000 ロ　（35,600,000－790,000）×50％＋790,000 ＝18,195,000 ハ　イ<ロ　∴ 18,195,000 ②　山林Ｂ 7,400,000＋1,800,000＝9,200,000 ③　①＋②＝27,395,000 (3)　特別控除額　(1)－(2)≧500,000　∴ 500,000 (4)　(1)－(2)－(3)＝30,205,000

問　題　93　山林所得（その４）

解　答

Ⅰ　各種所得の金額

摘　　要	金　　額	計　　算　　過　　程　　（単位：円）
山林所得	4,150,000	(1)　総収入金額　8,000,000 (2)　必要経費 ①　Ａ山林　2,500,000＋150,000＝2,650,000 ②　Ｂ山林　700,000 ③　①＋②＝3,350,000 (3)　特別控除額　(1)－(2)≧500,000　∴ 500,000 (4)　(1)－(2)－(3)＝4,150,000

問題 94　山林所得（その５）～家事消費～

解答

Ⅰ　各種所得の金額

摘　　要	金　　額	計　算　過　程　（単位：円）
山林所得	3,700,000	(1)　総収入金額　8,000,000＋1,580,000＝9,580,000 (2)　必要経費 (9,580,000－1,180,000）×50％＋1,180,000 ＝5,380,000 (3)　特別控除額　(1)－(2)≧500,000　∴ 500,000 (4)　(1)－(2)－(3)＝3,700,000

解答への道

山林を家事のために消費した場合には、その消費した時におけるその山林の時価を総収入金額に算入しなければならない。この場合において、棚卸資産のように70％基準の適用はないことに留意すること。

第９章　山林所得

問 題 95　山林所得（その６）～資産損失～

解 答

Ⅰ　各種所得の金額

摘　　要	金　　額	計　　算　　過　　程　　（単位：円）
山 林 所 得	4,268,000	(1)　総収入金額（合計　5,700,000） ①　A山林　4,800,000 ②　B山林　1,500,000－600,000＝900,000 (2)　必要経費（合計　932,000） ①　A山林　932,000 ②　B山林　600,000－1,500,000＜0　　∴ 0 (3)　特別控除額 (1)－(2)＞500,000　　∴ 500,000 (4)　(1)－(2)－(3)＝4,268,000

解答への道

災害等により山林について生じた損失は、山林所得等の必要経費に算入する。

なお、損失額より保険金の方が大きい場合（保険差益の場合）は、損失を計上する所得と同じ所得区分の総収入金額に算入する。

第10章　譲渡所得

問題 96　損失の取扱い

解答

Ⅰ　各種所得の金額

摘　　要	金　　額	計　算　過　程　（単位：円）
（ケース１） 譲渡所得 （総合短期）	△300,000	Ⅰ　総　合 ⑴　譲渡損益 （総短）△600,000　　（総長）300,000 ⑵　内部通算 300,000－600,000＝△300,000（総短）
（分離短期） （分離長期）	2,800,000 3,400,000	Ⅱ　土地建物等 （分短）2,800,000　　（分長）3,400,000
（ケース２） 譲渡所得 （総合長期）	300,000	Ⅰ　総　合 ⑴　譲渡損益 （総短）△2,200,000　　（総長）3,000,000 ⑵　内部通算 3,000,000－2,200,000＝800,000（総長） ⑶　特別控除 800,000－500,000＝300,000（総長）
（分離短期）	100,000	Ⅱ　土地建物等 ⑴　譲渡損益 （分短）900,000　　（分長）△800,000 ⑵　内部通算 900,000－800,000＝100,000（分短）

（ケース３） 譲渡所得 （総合短期）	1,170,000	Ⅰ　総　合 ⑴　譲渡損益 （総短）2,120,000　　（総長）△150,000 ※　家庭用テレビの譲渡益は非課税 ⑵　内部通算 2,120,000－150,000＝1,970,000（総短） ⑶　生活に通常必要でない資産の損失の控除 1,970,000－300,000＝1,670,000（総短） ⑷　特別控除 1,670,000－500,000＝1,170,000（総短）
（分離短期）	4,100,000	Ⅱ　土地建物等 ⑴　譲渡損益 （分短）6,100,000　　（分長）△2,000,000 ⑵　内部通算 6,100,000－2,000,000＝4,100,000（分短）
（ケース４） 譲渡所得 （総合短期）	△600,000	Ⅰ　総　合 ⑴　譲渡損益 （総短）△1,200,000　　（総長）1,000,000－400,000 ＝600,000 ⑵　内部通算 600,000－1,200,000＝△600,000（総短）
（分離短期）	300,000	Ⅱ　土地建物等 （分短）300,000

解答への道

１．生活に通常必要な動産の譲渡益は非課税となる。

２．生活に通常必要でない資産の譲渡損は内部通算できる。（損益通算はできない。）

３．生活に通常必要でない資産の災害等による損失の控除は、総合からのみ控除できる。

問題 97　取得費等

解答

Ⅰ　各種所得の金額

摘　要	金　額	計　算　過　程　（単位：円）
譲渡所得 （総合長期）	1,540,000	Ⅰ　総　合 1．譲渡損益 (1)　総合長期（特許権） 2,800,000－（900,000＋100,000）＝1,800,000 (2)　総合短期（骨とう品） 740,000－（450,000＋50,000）＝240,000 2．特別控除 240,000－240,000＝０（総合短期） 1,800,000－（500,000－240,000）＝1,540,000（総合長期）
（分離長期）	16,322,000	Ⅱ　土地建物等 分離長期（別荘） 7,200,000－（2,328,000※1＋300,000）＝4,572,000 ※１　6,000,000－（6,000,000×0.9×0.034※2×20年※3） ＝2,328,000 ※２　20年×1.5＝30年……0.034 ※３　H17.7～R7.8……20年２月　→　20年（６月未満切捨） 分離長期（敷地） 13,000,000－（650,000※＋600,000）＝11,750,000 ※　13,000,000×５％＝650,000＞550,000　∴　650,000 4,572,000＋11,750,000＝16,322,000

解答への道

(1)　自己の研究の成果である特許権の譲渡による所得は、所有期間にかかわらず常に総合長期となる。

(2)　別荘は、減価する資産（非業務用）であるため、譲渡所得の計算上控除する取得費の計算においては、同種の減価償却資産の耐用年数の1.5倍の年数により旧定額法に準じて計算した減価の額をその取得価額から控除することになる。

(3)　別荘の敷地は、実額と譲渡対価×５％のうちいずれか多い金額を取得費とする。

問題 98　譲渡費用

解答

Ⅰ　各種所得の金額

摘　　要	金　額	計　　算　　過　　程　（単位：円）
譲渡所得 （分離長期）	11,434,800	譲渡損益 20,000,000－（20,000,000×５％＋5,765,200※＋800,000 ＋1,000,000）＝11,434,800（分長） ※　7,000,000－7,000,000×0.9×0.028×７年＝5,765,200 24年×1.5＝36年（0.028） H30.7～R7.5……６年11月　→　７年（６月以上切上）

解答への道

⑴　家事用物置の取壊しは、譲渡の条件となっていたものであるため、取壊費用及び物置の取壊直前の取得費相当額は、すべて譲渡費用となる。

⑵　すでに、売買契約を締結している資産をさらに有利な条件で他に譲渡するため、その契約を解除したことに伴い支出する違約金は譲渡費用となる。

問題 99　みなし譲渡①

解答

1　平成21年　900,000円

2　令和２年　700,000円

解答への道

個人からの低額譲受けにより取得した資産の取得時期、取得価額は、低額譲渡をした個人の側で譲渡益となるか、譲渡損となるかにより異なる。低額譲渡をした個人の側で譲渡損となった場合には、その個人の取得時期、取得価額を引き継ぎ、譲渡益となった場合には、実際の取得時期、取得価額となる。

問 題 100　みなし譲渡②

解　答

（単位：円）

分離長期　4,000,000－1,000,000＝3,000,000

※　国に対する贈与は非課税

解答への道

国に対する贈与（寄附）は、取得費500万円を特定寄附金として、寄附金控除の適用が受けられる。

問 題 101　みなし譲渡③

解　答

Ⅰ　各種所得の金額

摘　　要	金　　額	計　算　過　程（単位：円）
譲渡所得 （総合長期）	4,200,000	(1)　譲渡損益 ①　総合短期 骨とう品Aの譲渡損はないものとみなす ②　総合長期 イ　骨とう品B 1,100,000＜2,400,000×$\frac{1}{2}$　∴　低額譲渡 1,100,000－2,200,000＝△1,100,000 →　ないものとみなす ロ　骨とう品C 2,700,000＜6,000,000×$\frac{1}{2}$　∴　時価課税 6,000,000－1,300,000＝4,700,000 ※　重要文化財を国等に譲渡したことによる所得は非課税 (2)　特別控除 4,700,000－500,000＝4,200,000（総長）

解答への道

時価30万以下の骨とう品は、生活に通常必要な動産のため、譲渡損はないものとみなされる。

問題 102　まとめ問題

解答

Ⅰ　各種所得の金額

摘　　要	金　　額	計　　算　　過　　程　(単位：円)
譲渡所得		Ⅰ　土地建物等
(分離短期)	7,970,000	〔分短〕
(分離長期)	28,960,000	①　B土地
		7,000,000× $\frac{1}{2}$ =3,500,000>3,000,000　∴　時価課税
		7,000,000－(2,500,000+40,000)=4,460,000
		②　別　荘
		8,000,000－(4,460,000※1+30,000)=3,510,000
		※1　5,000,000－5,000,000×0.9×0.020※2×6年※3=4,460,000
		※2　35年×1.5=52.5 → 52年……0.020
		※3　R2.1～R7.9……5年9月 → 6年
		③　①+②=7,970,000
		〔分長〕
		①　A土地
		10,000,000－(1,730,000+60,000)=8,210,000
		②　別荘の敷地
		22,000,000－(1,200,000※+50,000)=20,750,000
		※　22,000,000×5%=1,100,000<1,200,000　∴　1,200,000
		③　①+②=28,960,000
(総合長期)	3,375,000	Ⅱ　総　合
		(1)　譲渡損益
		〔総長〕
		①　骨とう品
		3,600,000－1,000,000=2,600,000
		②　絵　画
		2,800,000－(220,000+5,000)=2,575,000
		③　①+②=5,175,000
		(2)　生活に通常必要でない資産の損失の控除
		1,700,000－400,000=1,300,000
		5,175,000－1,300,000=3,875,000〔総長〕
		(3)　特別控除
		3,875,000－500,000=3,375,000〔総長〕

解答への道

(1)　A土地

父からの相続（単純承認）により取得した資産であるため、父の取得時期、取得価額を引き継ぐことになる。

(2)　B土地

法人に対する低額譲渡（時価の2分の1未満の対価による譲渡）に該当し、時価課税となる。

(3)　骨とう品

父からの低額譲受けにより取得をしているが、父の譲渡所得の計算上譲渡益が生じているため、父の取得時期、取得価額の引き継ぎは行わず、実際の取得時期、取得価額による。

(4)　絵　画

叔父からの遺贈（特定遺贈）により取得した資産であるため、叔父の取得時期、取得価額を引き継ぐことになる。

(5)　別　荘

別荘（非業務用）は、減価する資産であるため、同種の減価償却資産の耐用年数の1.5倍の年数により、旧定額法に準じて減価の額を計算し、それを取得価額から控除したところにより取得費を求めることに留意すること。

(6)　資産の損失に関する事項

甲所有の骨とう品は、時価が30万円を超えているため、生活に通常必要でない資産に該当するが、絵画は時価が30万円以下のため、生活に通常必要でない資産に該当しないことに留意する。また、生活に通常必要でない資産に係る損失の控除は、居住者本人所有のものだけが対象となるため、妻所有の貴金属は、対象とならない。

問題 103　相続税額の取得費加算

解　答

〔設問１〕

Ⅰ　各種所得の金額

摘　　要	金　　額	計　算　過　程　（単位：円）
譲渡所得（分離長期）	8,006,000	土地Ａ 13,650,000－（5,000,000＋644,000※）＝8,006,000 ※　取得費加算額 $9,200,000 \times \frac{10,500,000}{150,000,000} = 644,000$

〔設問２〕

Ⅰ　各種所得の金額

摘　　要	金　　額	計　算　過　程　（単位：円）
譲渡所得（分離短期）	0	土地Ｂ 20,475,000－（19,500,000＋975,000※）＝0 ※　取得費加算額 (1)　$7,360,000 \times \frac{20,000,000}{120,000,000} = 1,226,666$ (2)　20,475,000－19,500,000＝975,000 (3)　(1)＞(2)　∴　975,000

解答への道

〔設問１〕

取得費加算額を計算するときの相続税の課税価格は、生前贈与加算を考慮した後の金額である。

〔設問２〕

取得費加算額は譲渡益限度であることに留意する。

問題 104　借地権等の設定

解答

Ⅰ　各種所得の金額

摘　　要	金　　額	計　　算　　過　　程　　(単位：円)
譲渡所得 (分離長期)	12,755,875	⑴　判　定 20,720,000＞41,000,000× $\frac{5}{10}$　　∴　譲渡所得 ⑵　所得計算 (分長) ①　20,720,000 ②　12,000,000× $\frac{20,720,000}{20,720,000+10,500,000}$ ＝7,964,125 ③　①－②＝12,755,875

解答への道

借地権設定により、権利金を受け取った場合には、原則として不動産所得として総合課税されるが、権利金の額が、その設定に係る土地の時価の10分の5相当額を超えるときは、譲渡所得として分離課税されることに留意すること。

問題 105　求償権の行使不能

解答

(単位：円)

7,000,000－3,000,000＝4,000,000

なかったものとみなす金額

①　2,800,000

②　4,000,000＋4,200,000＋3,000,000＝11,200,000

③　4,000,000

④　①～③のうち最少　∴　2,800,000

4,000,000－2,800,000＝1,200,000 (分離長期)

解答への道

保証債務を履行するために資産を譲渡した場合において、その履行に伴う求償権（事業上のものを除く。）の行使不能があったときは、行使不能額を譲渡代金の回収不能額とみなして、所得金額を減額する。

問題 106　交換①

解答

I　各種所得の金額

摘　　要	金　　額	計　　算　　過　　程　　（単位：円）
譲渡所得 （分離長期）	4,725,000	(1) 土　地（分長） 40,000,000－34,000,000≦40,000,000×20% ∴ 交換の特例の適用あり ① 総収入金額　40,000,000－34,000,000＝6,000,000 ② 取得費・譲渡費用 $(8,000,000+500,000)\times\frac{6,000,000}{6,000,000+34,000,000}$ ＝1,275,000 ③ ①－②＝4,725,000 (2) 建　物（分長） 14,000,000－12,000,000≦14,000,000×20% ∴ 交換の特例の適用あり 12,000,000≦14,000,000 ∴ 譲渡はなかったものとみなす

II　甲が乙から取得した資産の取得時期と取得価額　（単位：円）

(1) 土　地

① 取得時期……平成26年

② 取得価額

$$(8,000,000+500,000)\times\frac{34,000,000}{6,000,000+34,000,000}+460,416=7,685,416$$

(2) 建　物

① 取得時期……平成26年

② 取得価額

10,000,000＋150,000＋（14,000,000－12,000,000）＋189,584＝12,339,584

解答への道

(1) 2以上の区分の資産を同時に交換した場合には、それぞれの区分ごとに交換の特例を適用する。

(2) 交換の特例の適用を受けた場合には、交換取得資産の取得時期は、交換譲渡資産の取得時期を承継する。

問 題 107　交換②

解 答

（単位：円）

〔設問１〕

(1) 交換の判定

① 店　舗　5,500,000－4,500,000≦5,500,000×20%　∴　交換の特例の適用あり

4,500,000≦5,500,000　∴　譲渡はなかったものとみなす

② 敷　地　15,000,000－12,500,000≦15,000,000×20%　∴　交換の特例の適用あり

(2) 譲渡損益（分離長期・敷地）

① 総収入金額　15,000,000－12,500,000＝2,500,000

② 取得費・譲渡費用 $(6,000,000+250,000)\times\dfrac{2,500,000}{2,500,000+12,500,000}=1,041,666$

③ ①－②＝1,458,334

〔設問２〕

① 店　舗

3,500,000＋75,000＋（5,500,000－4,500,000）＋99,306＝4,674,306

② 敷　地

$(6,000,000+250,000)\times\dfrac{12,500,000}{2,500,000+12,500,000}+225,694=5,434,027$

問 題 108　交換③

解 答

（単位：円）

1．建　物

13,000,000－10,000,000＝3,000,000＞13,000,000×20%　∴　適用なし

10,000,000－4,000,000＝6,000,000（分長）

2．土　地

15,000,000－12,000,000＝3,000,000≦15,000,000×20%　∴　適用あり

$3,000,000-5,000,000\times\dfrac{3,000,000}{3,000,000+12,000,000}=2,000,000$（分長）

解答への道

建物は、交換の特例の適用がないため、原則どおり、値上益に対する課税が行われる。

この場合の対価は、「譲渡資産の時価」に相当する10,000,000円であり、「取得資産の時価」13,000,000円ではない。なぜならば、譲渡した土地の一部（3,000,000円）は建物の取得に充てられているからである。（交換差金等に該当）

（単位：円）

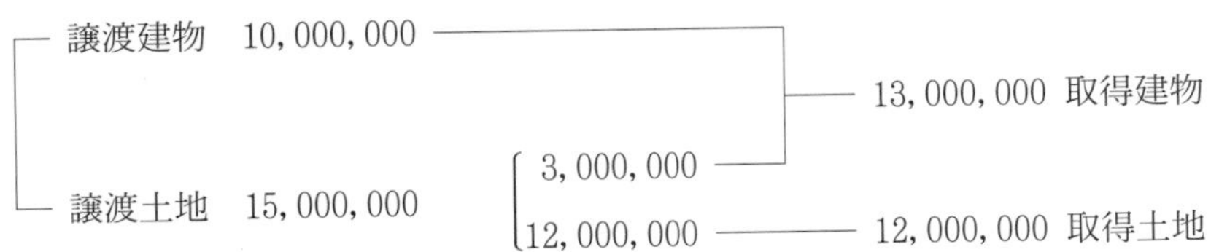

問題 109　交換④

解　答

（単位：円）

I　**譲渡所得の金額**

1．交換の特例が適用されるかどうかの判定

39,000,000－34,000,000＝5,000,000≦39,000,000×20%　　∴　適用あり

2．(1)　総収入金額　　5,000,000

(2)　取得費・譲渡費用

$$(15,600,000+909,250+307,550)\times\frac{5,000,000}{5,000,000+34,000,000}=2,156,000$$

(3)　(1)－(2)＝2,844,000（分長）

II　**交換取得資産**

1．取得価額

$$(15,600,000+909,250+307,550)\times\frac{34,000,000}{5,000,000+34,000,000}=14,660,800$$

2．取得日　　平成14年5月10日

解答への道

(1)　建物の取壊しは、譲渡の条件となっているため、取壊費用、資産損失額は譲渡費用となる。

(2)　交換の特例を受けたため、交換取得資産の取得時期は、交換譲渡資産の取得時期を承継する。

問題 110　平成21年、22年に取得した土地等の特例

解　答

（単位：円）

(1)　譲渡所得の金額

45,000,000－30,000,000＝15,000,000

(2)　長期譲渡所得の金額

15,000,000

(3)　課税長期譲渡所得金額

15,000,000－10,000,000＝5,000,000（千円未満切捨）

解答への道

平成21年中に取得した土地等で、1月1日における所有期間が5年を超えるものを譲渡した場合には、長期譲渡所得の金額から1,000万円の特別控除額を控除することができる。

問 題 111　特定事業用資産の買換え①

解 答

（単位：円）

〔設例１〕

(1) 譲渡所得の金額

① 総収入金額

20,000,000－15,000,000×80％＝8,000,000

② 取得費・譲渡費用

$$(5,000,000+1,000,000) \times \frac{8,000,000}{20,000,000} = 2,400,000$$

③ ①－②＝5,600,000

(2) 買換資産に付すべき取得価額

$$(5,000,000+1,000,000) \times \frac{15,000,000 \times 80\%}{20,000,000} + 15,000,000 \times 20\% = 6,600,000$$

〔設例２〕

(1) 譲渡所得の金額

① 総収入金額

18,000,000×20％＝3,600,000

② 取得費・譲渡費用

（2,000,000＋500,000）×20％＝500,000

③ ①－②＝3,100,000

(2) 買換資産に付すべき取得価額

（2,000,000＋500,000）×80％＋18,000,000×20％＝5,600,000

〔設例３〕

(1) 譲渡所得の金額

① 総収入金額

30,000,000×20％＝6,000,000

② 取得費・譲渡費用

（3,000,000＋600,000）×20％＝720,000

③ ①－②＝5,280,000

(2) 買換資産に付すべき取得価額

（3,000,000＋600,000）×80％＋40,000,000－30,000,000×80％＝18,880,000

問題 112　特定事業用資産の買換え②

解答

（単位：円）

$$150,000,000 \times \frac{200㎡ \times 5}{1,500㎡} = 100,000,000$$

① 160,000,000－（100,000,000＋50,000,000）×80%＝40,000,000

② （8,000,000※＋1,000,000＋200,000）× $\frac{40,000,000}{160,000,000}$ ＝2,300,000

※ 160,000,000×５%＝8,000,000＞4,500,000　∴ 8,000,000

③ ①－②＝37,700,000（分離長期）

解答への道

買換資産に充てられるのは、譲渡した土地の面積の５倍が限度となることに留意すること。

問題 113　特定事業用資産の買換え③

解答

Ⅰ　各種所得の金額

摘要	金額	計算過程（単位：円）
譲渡所得（分離長期）	11,037,780	(1) 6,500,000＋50,000,000－（15,200,000＋30,000,000）×80%＝20,340,000 (2) （20,000,000＋2,440,000＋3,000,000＋399,500）× $\frac{20,340,000}{56,500,000}$ ＝9,302,220 (3) (1)－(2)＝11,037,780（分長）

解答への道

所有期間10年超の建物と敷地を譲渡し、建物と土地（300㎡以上）を取得して事業の用に供しているため、３号買換えの要件を満たす。

問題 114　収用等①

解答

（単位：円）

1．原則法

(1)　土　地（分離長期）

36,000,000－（1,200,000－800,000）＝35,600,000

①　35,600,000－30,000,000＝5,600,000

②　$2,400,000 \times \frac{5,600,000}{35,600,000} = 377,528$

③　①－②＝5,222,472

(2)　建　物（分離長期）

18,200,000－（400,000－200,000）＝18,000,000

18,000,000≦20,000,000　　∴　譲渡はないものとする

2．一組法

分離長期

①　総収入金額

35,600,000＋18,000,000＝53,600,000

53,600,000－（30,000,000＋20,000,000）＝3,600,000

②　取得費

$(2,400,000 + 16,360,000) \times \frac{3,600,000}{53,600,000} = 1,260,000$

③　①－②＝2,340,000

問題 115　収用等②

解　答

I　各種所得の金額

区　　分	金　額	計　算　過　程（単位：円）
不動産所得	2,750,000	
譲渡所得（分離短期）	28,200,000	
山林所得	1,100,000	23,400,000−21,800,000※−500,000＝1,100,000 ※　収用等の特別控除 50,000,000−28,200,000＝21,800,000

II　課税標準

総所得金額	2,750,000	
短期譲渡所得の金額	28,200,000	
山林所得金額	1,100,000	

III　課税所得金額

課税総所得金額	614,000	2,750,000−2,135,500＝614,000（千円未満切捨）
課税短期譲渡所得金額	0	（収用等の特別控除） 28,200,000−28,200,000＝0
課税山林所得金額	1,100,000	

解答への道

収用の場合の5,000万円特別控除の順序及び段階については、短期譲渡所得の金額（課税所得金額の計算上控除）→ 山林所得の金額（各種所得の金額の計算上控除）の順で控除する。

なお、山林所得の50万円特別控除は、収用の特別控除後に行う。

問題 116　収用等③

解答

（単位：円）

Ⅰ　収用等に伴い代替資産を取得した場合の課税の特例

1．譲渡所得の金額（分離長期）

⑴　総収入金額

96,000,000－（1,500,000－500,000）＝95,000,000

95,000,000－57,000,000＝38,000,000

⑵　取得費

$$25,000,000 \times \frac{38,000,000}{95,000,000} = 10,000,000$$

⑶　⑴－⑵＝28,000,000

2．課税長期譲渡所得金額　28,000,000

Ⅱ　5,000万円の特別控除

1．譲渡所得の金額（分離長期）

96,000,000－〔25,000,000＋（1,500,000－500,000）〕＝70,000,000

2．課税長期譲渡所得金額

70,000,000－50,000,000＝20,000,000

解答への道

収用交換等に伴い資産を譲渡し、代替資産を取得した場合には、収用交換等の場合の5,000万円特別控除と課税の繰延べとの選択適用となるが、どちらを選択しても優良の長期譲渡所得の税率軽減の適用はないことに留意すること。

問題 117　居住用財産①

解　答

Ⅰ　各種所得の金額

摘　　要	金　額	計　算　過　程　(単位：円)
譲渡所得		分離短期（居宅）
（分離短期）	1,450,000	5,000,000－（3,400,000＋150,000）＝1,450,000
（分離長期）	40,350,000	分離長期（敷地）
		43,000,000－（2,150,000※＋500,000）＝40,350,000
		※　43,000,000×５％＝2,150,000＞1,800,000

Ⅱ　課　税　標　準

短期譲渡所得の金額	1,450,000	
長期譲渡所得の金額	40,350,000	

Ⅲ　課税所得金額

課税長期譲渡所得金額	10,000,000	1,450,000－1,450,000＝0 40,350,000－（30,000,000－1,450,000）－1,799,500 ＝10,000,000（千円未満切捨）

解答への道

居住用財産を譲渡した場合には、所有期間に関係なく3,000万円特別控除の適用があるが、その居住用財産に短期のものと長期のものがあるときは、まず、短期のものから控除する。

なお、所得控除は3,000万円特別控除の後に控除する。

第10章　譲渡所得

問題 118　居住用財産②

解答

（単位：円）

〔設問１〕

(1)　譲渡所得の金額

①　建　物（分離短期）

10,000,000－（7,500,000＋200,000※）＝2,300,000

※　$1,040,000\times\dfrac{10,000,000}{42,000,000+10,000,000}=200,000$

②　土　地（分離長期）

42,000,000－（11,000,000＋840,000※）＝30,160,000

※　$1,040,000\times\dfrac{42,000,000}{42,000,000+10,000,000}=840,000$

(2)　課税所得金額

2,300,000－2,300,000（居住用財産の特別控除）＝0（課短）

30,160,000－（30,000,000－2,300,000）（居住用財産の特別控除）＝2,460,000（課長）

〔設問２〕

課税長期譲渡所得金額

40,000,000－（4,500,000＋1,300,000＋800,000＋230,000）＝33,170,000

33,170,000－30,000,000＝3,170,000

解答への道

(1)　〔設問１〕は、建物の所有期間が10年以下であるため土地も含めて課税の繰延べの適用はない。

(2)　譲渡費用については、建物と土地の収入金額の比により按分する。

(3)　居住用財産を譲渡した場合の3,000万円特別控除は、所有期間に関係なく適用があるが、短期のものと長期のものがあるときは、まず、短期のものから控除する。

(4)　相続又は遺贈により取得した被相続人居住用家屋（相続開始直前において被相続人以外に居住していた者がいない等の要件を満たす家屋）及びその敷地を、相続後３年経過後の年末までに譲渡した場合には、居住用財産を譲渡したものとみなして3,000万円特別控除の適用が受けられる。

なお、この規定は、譲渡対価が１億円を超える場合及び相続税額の取得費加算の適用を受ける場合には適用がないことに注意する。

問題 119　居住用財産③

解答

（単位：円）

Ⅰ　**特別控除を選択した場合**

(1)　譲渡所得の金額（分離長期）

90,000,000－（4,500,000※＋5,400,000）＝80,100,000

※　90,000,000×５％＝4,500,000

(2)　課税長期譲渡所得金額

80,100,000－30,000,000＝50,100,000

(3)　算出税額

50,100,000×10％＝5,010,000

Ⅱ　**特定の居住用財産の買換えの特例を選択した場合**

(1)　譲渡所得の金額（分離長期）

①　90,000,000－60,000,000＝30,000,000

②　（4,500,000＋5,400,000）× $\frac{30,000,000}{90,000,000}$ ＝3,300,000

③　①－②＝26,700,000

(2)　課税長期譲渡所得金額　26,700,000

(3)　算出税額

26,700,000×15％＝4,005,000

Ⅲ　**Ⅱの買換えの特例を選択した場合の方が有利**

解答への道

(1)　災害滅失家屋（引続き所有していたとしたならば、その年１月１日において所有期間が10年超のもの）の敷地で、居住の用に供されなくなった日から３年経過後の12月31日までに譲渡されたものは、居住用財産として取り扱われる。

(2)　本問は、課税の繰延べと3,000万円特別控除との選択適用となるが、所有期間が10年を超えているため、3,000万円特別控除を選択した場合には、税率軽減の適用があることに留意する。

第10章　譲渡所得

問題 120　居住用財産④

解　答

（単位：円）

Ⅰ　**特別控除を選択した場合**

⑴　譲渡所得の金額（分離長期）

50,000,000－（7,500,000＋2,500,000）＝40,000,000

⑵　課税長期譲渡所得金額

40,000,000－30,000,000＝10,000,000

⑶　算出税額

10,000,000×10％＝1,000,000

Ⅱ　**特定の居住用財産の買換えの特例を選択した場合**

⑴　譲渡所得の金額（分離長期）

①　50,000,000－41,000,000＝9,000,000

②　(7,500,000＋2,500,000) × $\frac{9,000,000}{50,000,000}$ ＝1,800,000

③　①－②＝7,200,000

⑵　課税長期譲渡所得金額

7,200,000

⑶　算出税額

7,200,000×15％＝1,080,000

Ⅲ　**Ⅰの特別控除を選択した場合の方が有利**

問題 121　特別控除

解　答

Ⅱ　**課税標準**

摘　　要	金　額	計　算　過　程　（単位：円）
総所得金額	2,500,000	
短期譲渡所得の金額	4,800,000	
長期譲渡所得の金額	63,250,000	
合　計	70,550,000	

Ⅲ　課税所得金額

課税長期譲渡所得金額	17,303,000	(1)　収用等の特別控除 63,250,000−34,500,000＝28,750,000（長期） (2)　居住用財産の特別控除 ①　4,800,000−4,800,000＝0（短期） ②　28,750,000−（50,000,000−34,500,000−4,800,000）＝18,050,000（長期） (3)　所得控除 ①　2,500,000−2,500,000＝0（総） ②　18,050,000−（3,246,700−2,500,000）＝17,303,000（千円未満切捨）

問 題 122　有価証券の譲渡による所得（その１）

解　答

Ⅰ　各種所得の金額

摘　　要	金　　額	計　　算　　過　　程　　（単位：円）
譲　渡　所　得		1　一般株式等
（一般株式等）	2,500,000	B株式　5,000,000−2,500,000＝2,500,000
（上場株式等）	420,000	2　上場株式等
		(1)　A株式　4,900,000−6,200,000＝△1,300,000
		(2)　C投信　6,500,000−5,000,000＝1,500,000
		(3)　D国債　2,200,000−1,980,000＝220,000
		(4)　上場計　420,000

解答への道

(1)　公募株式等証券投資信託及び国債の譲渡による所得は、上場株式等の譲渡として取扱う。

(2)　源泉徴収選択口座について生じた損失は、申告不要とすることができるが、申告して他の譲渡益と通算する方が有利となる。

問 題 123　有価証券の譲渡による所得（その２）

解 答

Ⅰ　各種所得の金額

摘　　要	金　　額	計　　算　　過　　程　　（単位：円）
譲 渡 所 得		Ⅰ　総　合
（総 合 短 期）	172, 400	(1)　譲渡損益
		総合短期
		ゴルフ会員権（Ｃ株式）
		5, 800, 000－（5, 000, 000＋127, 600）＝672, 400
		(2)　特別控除
		672, 400－500, 000＝172, 400
（一般株式等）	2, 199, 900	1　一般株式等
（上場株式等）	1, 303, 080	Ｂ株式
		6, 000, 000－（3, 532, 500＋135, 600＋132, 000）
		＝2, 199, 900
		2　上場株式等
		(1)　Ａ株式
		8, 000, 000－（6, 200, 000＋180, 800＋53, 000）
		＝1, 566, 200
		(2)　Ｅ国債
		1, 980, 000－(2, 200, 000＋43, 120)＝△263, 120
		(3)　上場計　1, 303, 080
		※　Ｄ株式の譲渡益は非課税

解答への道

(1)　ゴルフ場等の施設利用権の譲渡に類似する所得は、譲渡所得で総合課税となる。なお、株式形態のゴルフ会員権の取得に係る借入金の利子は、譲渡所得の金額の計算上控除されず、配当所得の金額の計算上控除される。

(2)　国債の譲渡による所得は、上場株式等に係る譲渡所得等として分離課税される。

本問では、Ｅ国債は譲渡損が生じているが、この譲渡損は、他の上場株式等の譲渡益と通算する。

問 題 124　有価証券の譲渡による所得（その３）

解　答

Ⅰ　各種所得の金額

摘　　要	金　　額	計　　算　　過　　程　　（単位：円）
配当所得	700,000	$3,800,000-\dfrac{124,000,000\times1.000}{200,000株}\times5,000株=700,000$
譲渡所得（一般株式等）	500,000	（3,800,000－700,000）－2,600,000×1.000＝500,000

問 題 125　有価証券の譲渡による所得（その４）

解　答

Ⅱ　課税標準

摘　　要	金　　額	計　　算　　過　　程　　（単位：円）
総所得金額	7,000,000	配当所得の金額（総合）の計算上生じた損失の金額は損益通算できない。 500,000－100,000＝400,000（上配） 400,000－5,500,000＝△5,100,000　→　翌年へ繰越

解答への道

⑴　総合課税となる配当所得の金額の計算上生じた損失の金額は、損益通算できず生じなかったものとみなされるが、申告分離課税となる配当所得の金額の計算上生じた損失の金額は、申告分離課税となる利子所得の金額から控除できる。

⑵　上場株式等に係る譲渡所得等の金額の計算上生じた損失の金額は、上場株式等に係る配当所得等の金額（申告分離課税を選択した利子所得及び配当所得）と通算することができる。

なお、損益通算しきれない損失の金額は、申告を要件に、翌年以降３年間にわたって繰り越し、上場株式等に係る譲渡所得等の金額又は上場株式等に係る配当所得等の金額の計算上控除することができる。

問 題 126　有価証券の譲渡による所得（その５）

解　答

Ⅰ　各種所得の金額

摘　要	金　額	計算過程　（単位：円）
配当所得 （申告分離）	250,000	(1)　A特定口座　140,000 (2)　B上場株式　110,000 (3)　(1)＋(2)＝250,000
譲渡所得 （一般株式等） （上場株式等）	 200,000 △720,000	(1)　一般株式等 200,000 (2)　上場株式等（合計　△720,000） ①　A特定口座　△300,000 ②　B上場株式　80,000 ③　C価値喪失　△500,000

Ⅱ　課税標準

摘　要	金　額	計算過程　（単位：円）
一般株式等に係る譲渡所得等の金額	200,000	250,000－720,000＝△470,000 → 翌年へ繰越
合　計	200,000	

解答への道

1．A源泉徴収選択口座に係る譲渡損及び配当は、申告不要とすることができるが、本問では、譲渡損を他の株式の譲渡益等と通算及び翌年へ繰り越すため、申告した方が有利となる。

なお、配当所得について申告する場合には、総合課税又は申告分離課税のいずれかとなるが、本問では、上場株式等の譲渡損失と通算するため、申告分離課税が有利となる。

2．一般株式等と上場株式等は、互いに通算することはできない。

3．特定管理株式の価値喪失損失は、上場株式等の譲渡損失とみなされ、損益通算及び繰越控除の対象となる。

問題 127　有価証券の譲渡による所得（その6）

解　答

Ⅰ　各種所得の金額

摘　　要	金　　額	計　　算　　過　　程　　（単位：円）
譲渡所得 （上場株式等）	400,000	1　一般株式等 5,000,000－6,600,000※＝△1,600,000 ※　55,000×120株＝6,600,000 2　上場株式等 (1)　譲渡益 2,000,000 (2)　特定株式の譲渡損失の控除 2,000,000－1,600,000＝400,000

解答への道

特定株式の価値喪失損失は、一般株式等の譲渡損失とみなされるため、まず、一般株式等に係る譲渡所得等の金額の計算上控除することとなる。

一般株式等に係る譲渡所得等の金額の計算上控除しきれない金額は、上場株式等に係る譲渡所得等の金額の計算上控除し、控除しきれない金額は翌年以後3年間に渡り繰越し、一般株式等に係る譲渡所得等の金額又は上場株式等に係る譲渡所得等の金額の計算上順次控除する。

問題 128　有価証券の譲渡による所得（その７）

解答

Ⅰ　各種所得の金額

摘要	金額	計算過程　（単位：円）
譲渡所得		Ⅰ　一般株式等
（一般株式等）	3,103,000	①　Ｂ受益権 1,800,000－（1,130,000＋67,000）＝603,000 ②　Ｄ株式 5,300,000－2,800,000＝2,500,000 ③　①＋②＝3,103,000
（上場株式等）	2,116,000	Ⅱ　上場株式等 Ｃ株式 3,800,000－（1,670,000＋14,000）＝2,116,000 ※　Ａ株式の譲渡益は申告不要

解答への道

(1)　源泉徴収選択口座は、譲渡益に源泉徴収がされるため、申告不要とすることができる。
簡易申告口座は、源泉徴収がされないため、申告不要とすることはできない。

(2)　１億円以上の有価証券等を有する一定の者が、非居住者に有価証券等を贈与等した場合には、時価課税される。

第11章　一 時 所 得

問 題 129　一時所得（その１）～範囲～

解　答

(1)、(3)、(4)、(5)、(7)、(8)、(9)

解答への道

事業所得に該当するもの　(2)

退職所得に該当するもの　(6)

問 題 130　一時所得（その２）

解　答

Ⅰ　各種所得の金額

摘　要	金　額	計　算　過　程　（単位：円）
一時所得	950,000	(1)　総収入金額 福引当選金 馬券払戻金　報労金 100,000 ＋1,250,000＋150,000＝1,500,000 (2)　支出した金額　50,000 (3)　特別控除額　(1)－(2)≧500,000　∴ 500,000 (4)　(1)－(2)－(3)＝950,000

問題 131　一時所得（その3）～広告宣伝の賞品～

解答

Ⅰ　各種所得の金額

摘　　要	金　額	計　　　算　　　過　　　程　　（単位：円）
一時所得	40,000	(1)　総収入金額　　900,000×60％＝540,000 (2)　支出した金額　0 (3)　特別控除額　　(1)－(2)≧500,000　　∴ 500,000 (4)　(1)－(2)－(3)＝40,000

解答への道

源泉徴収税額　（540,000円－500,000円）×10.21％＝4,084円

問題 132　一時所得（その4）～当選金の寄附～

解答

Ⅰ　各種所得の金額

摘　　要	金　額	計　　　算　　　過　　　程　　（単位：円）
一時所得	180,000	(1)　総収入金額　　（680,000＋120,000）＝800,000 (2)　支出した金額　120,000 (3)　特別控除額　　(1)－(2)≧500,000　　∴ 500,000 (4)　(1)－(2)―(3)＝180,000

Ⅴ　納付税額

摘　　要	金　額	計　　　算　　　過　　　程　　（単位：円）
源泉徴収税額	30,630	（800,000－500,000）×10.21％＝30,630

解答への道

クイズの当選金品等の一部を寄附することが当初からの条件となっていた場合には、その金額は支出した金額として取り扱い、寄附金控除の適用はない。

なお、寄附が任意であった場合には、その金額は支出した金額ではなく、特定寄附金に該当すれば寄附金控除の対象となる。

問題 133　一時所得（その５）～生命保険金①～

解答

Ⅰ　各種所得の金額

摘　要	金　額	計　算　過　程　（単位：円）
一時所得	960,000	(1)　総収入金額 （1,000,000＋120,000）［A生命］＋2,000,000［B生命］＝3,120,000 ※　C生命分は非課税 (2)　支出した金額 760,000［A生命］＋（1,150,000－250,000）［B生命］＝1,660,000 (3)　特別控除額　(1)－(2)≧500,000　∴　500,000 (4)　(1)－(2)－(3)＝960,000

解答への道

(1)　Ａ生命及びＢ生命は、払込人、受取人が共に甲であるため、受け取った保険金は所得税の課税対象となるが、Ｃ生命は父が払込人であるため、受け取った保険金は贈与税の課税対象となり、所得税は非課税となる。

(2)　分配を受けた剰余金については、その分配が満期前であれば、支払保険料から控除し、満期以後であれば、総収入金額に算入される。

問題 134　一時所得（その６）～生命保険金②～

解答

Ⅰ　各種所得の金額

摘　要	金　額	計　算　過　程　（単位：円）
一時所得	900,000	(1)　総収入金額 生命保険金　5,000,000 (2)　支出した金額 3,600,000 (3)　特別控除額 (1)－(2)≧500,000　∴　500,000 (4)　(1)－(2)－(3)＝900,000

解答への道

他の者が保険料を負担した生命保険契約で、生命保険契約に関する権利として相続税の課税対象となっているものについては、その保険金の全額が一時所得として課税される。

この場合、他の者が負担した保険料も支出した金額に含まれることに留意する。

問題 135　一時所得（その７）〜満期返戻金①〜

解　答

摘　　要	金　額	計　　算　　過　　程　　（単位：円）
一 時 所 得	1,900,000	(1)　総収入金額　　3,500,000 (2)　支出した金額　1,100,000 (3)　特別控除額　　(1)−(2)≧500,000　　∴ 500,000 (4)　(1)−(2)−(3)＝1,900,000

解答への道

事業用機械装置を保険目的とする長期損害保険契約の払込掛金のうち積立保険料部分は必要経費に算入されず、満期返戻金等を受領した際に一時所得の支出した金額とされる。

問題 136　一時所得（その８）〜満期返戻金②〜

解　答

Ⅰ　各種所得の金額

摘　　要	金　額	計　　算　　過　　程　　（単位：円）
一 時 所 得	△185,000	(1)　総収入金額 2,000,000 (2)　支出した金額 2,185,000 (3)　特別控除額 (1)−(2)＜0　∴　0 (4)　(1)−(2)＝△185,000

解答への道

非業務用資産を保険目的とした長期損害保険契約に係る満期返戻金は、一時所得として課税されるが、業務用資産を保険目的とした場合と異なり、支出した保険料の全額が支出した金額とされる。

問題 137 一時所得（その9）～違約金～

解　答

Ⅰ　各種所得の金額

摘　　要	金　額	計　　算　　過　　程　　（単位：円）
一時所得	670,000	(1) 総収入金額　370,000＋800,000※＝1,170,000 ※ 1,600,000－800,000＝800,000 (2) 支出した金額　0 (3) 特別控除額　(1)－(2)≧500,000　∴ 500,000 (4) (1)－(2)－(3)＝670,000

解答への道

(1) 人格のない社団等から受ける解散による清算分配金は、一時所得として総合課税される。

(2) 売買契約が解除された場合に、民法の規定により支払を受ける違約金（業務上のものを除く。）は、一時所得として総合課税される。

第12章　雑　所　得

問題 138　雑所得（その1）

解　答

I　各種所得の金額

摘　　要	金　額	計　　算　　過　　程　　（単位：円）
雑　所　得	210,000	(1) 総収入金額 社内預金利子　貸金の利子 150,000　＋　60,000　＝210,000 (2) 必要経費　　0 (3) (1)−(2)＝210,000

問題 139　雑所得（その2）

解　答

I　各種所得の金額

摘　　要	金　額	計　　算　　過　　程　　（単位：円）
雑　所　得	1,610,000	(1) 総収入金額（合計　6,040,000） ① 山林　　2,100,000 ② 競走馬　　3,400,000 ③ 暗号資産　108コイン×5,000＝540,000 (2) 必要経費（合計　4,430,000） ① 山林　　1,200,000＋170,000＝1,370,000 ② 競走馬　　2,600,000 ③ 暗号資産　460,000 (3) (1)−(2)＝1,610,000

問題 140　雑所得（その３）

解　答

Ⅰ　各種所得の金額

摘　　要	金　額	計　　算　　過　　程　　（単位：円）
雑　所　得	1,465,000	⑴　総収入金額（合計　1,675,000） ①　314,265÷0.8979＝350,000 ②　（1,156,535－897,900）÷0.7958＋1,000,000＝1,325,000 ⑵　必要経費　210,000 ⑶　⑴－⑵＝1,465,000

解答への道

⑴　甲は、文筆を事業として行っていないため、雑所得で課税される。

⑵　原稿料等が手取金額で与えられている場合には、次の算式により税引前の金額に戻す必要がある。

①　１回の手取金額が897,900円以下である場合

手取金額÷0.8979＝税引前の金額

②　１回の手取金額が897,900円を超える場合

（手取金額－897,900円）÷0.7958＋1,000,000円＝税引前の金額

問題 141 雑所得（その４）～公的年金等～

解答

Ⅰ　各種所得の金額

摘　　要	金　額	計　　算　　過　　程　　（単位：円）
〔設問１〕 雑　所　得	3,310,000	⑴　収入金額　4,700,000 ⑵　公的年金等控除額 1,300,000＋（4,700,000－4,100,000）×15％＝1,390,000 ⑶　⑴－⑵＝3,310,000
〔設問２〕 雑　所　得	2,985,000	⑴　収入金額　4,200,000 ⑵　公的年金等控除額 1,300,000＋（4,200,000－4,100,000）×15％＝1,315,000 1,315,000－100,000＝1,215,000 ⑶　⑴－⑵＝2,985,000
〔設問３〕 雑　所　得	2,632,500	⑴　収入金額　3,800,000－190,000※＝3,610,000 ※　3,800,000×$\frac{1,998,000}{40,000,000}$（0.05）＝190,000 ⑵　公的年金等控除額 400,000＋（3,610,000－500,000）×25％＝1,177,500 1,177,500－200,000＝977,500 ⑶　⑴－⑵＝2,632,500

問題 142 雑所得（その５）～生命保険年金①～

解答

Ⅰ　各種所得の金額

摘　　要	金　額	計　　算　　過　　程　　（単位：円）
雑　所　得	290,400	⑴　総収入金額 840,000＋30,000＝870,000 ⑵　必要経費 840,000×$\frac{5,754,000}{8,400,000}$（0.69）＝579,600 ⑶　⑴－⑵＝290,400

V　納付税額

摘　　要	金　額	計　　算　　過　　程　　(単位：円)
源泉徴収税額	26,586	(840,000－579,600)×10.21％＝26,586

問題 143　雑所得（その6）～生命保険年金②～

解　答

I　各種所得の金額

摘　　要	金　額	計　　算　　過　　程　　(単位：円)
雑　所　得	154,000	(1)　総収入金額　200,000 (2)　必要経費 $800,000\times\frac{2,000,000}{2,000,000+1,600,000}$ (0.56)＝448,000 $200,000\times\frac{448,000}{2,000,000}$ (0.23)＝46,000 (3)　(1)－(2)＝154,000
一 時 所 得	748,000	(1)　総収入金額　1,600,000 (2)　支出した金額　800,000－448,000＝352,000 (3)　特別控除額　(1)－(2)≧500,000　∴ 500,000 (4)　(1)－(2)－(3)＝748,000

解答への道

生命保険契約に基づき一時金と年金が支払われる場合には、支払保険料を一時金部分と年金部分に分けなければならない。

この場合、まず、年金に係る部分を抜き出すことに留意すること。

問題 144　雑所得（その7）～新株予約権①～

解　答

I　各種所得の金額

摘　　要	金　額	計　　算　　過　　程　　(単位：円)
雑　所　得	740,000	(1)　総収入金額　(420－50)×2,000株＝740,000 (2)　必要経費　0 (3)　(1)－(2)＝740,000

問 題 145　雑所得（その８）～新株予約権②～

解 答

Ⅰ　各種所得の金額

摘　　要	金　額	計　　算　　過　　程　　(単位：円)
雑　所　得	8,000,000	(1)　総収入金額 8,000,000－0＝8,000,000 (2)　必要経費 0 (3)　(1)－(2)＝8,000,000

解答への道

新株予約権を権利行使せず、その発行法人に対して譲渡した場合には、権利行使をした場合に経済的利益が課税される場合の各種所得と同様の区分で課税される。

問 題 146　雑所得（その９）～先物取引～

解 答

Ⅰ　各種所得の金額

摘　　要	金　額	計　　算　　過　　程　　(単位：円)
給 与 所 得	8,000,000	
雑　所　得 （先　物）	3,400,000	(1)　総収入金額（合計　3,400,000） ①　商品先物　5,400,000 ②　外国為替証拠金取引　△2,000,000 (2)　必要経費 0 (3)　(1)－(2)＝3,400,000

Ⅱ　課税標準

摘　　要	金　額	計　　算　　過　　程　　(単位：円)
総所得金額	8,000,000	１．合計所得金額 8,000,000＋3,400,000＝11,400,000
先物取引に係る雑所得等の金額	942,000	２．繰越控除 3,400,000－2,458,000＝942,000
合　　計	8,942,000	

問題 147　雑所得（その10）～事業上以外の債権の回収不能～

解答

（単位：円）

(1)　総収入金額　530,000

(2)　必要経費

①　180,000

②　貸倒損失

イ　1,000,000

ロ　(1)－(2)①＝350,000

ハ　イ＞ロ　∴ 350,000

③　①＋②＝530,000

(3)　(1)－(2)＝ 0

解答への道

元本債権の回収不能による損失は、法51④により、損失発生年分（本年分）の雑所得の金額を限度として必要経費に算入される。なお、未収利息の回収不能による損失は、法64①により、収入計上年分（前年分）に遡って、雑所得の金額を減額することに留意する。

問題 148　雑所得（その11）～家内労働者の特例～

解答

Ⅰ　各種所得の金額

摘　要	金　額	計　算　過　程　（単位：円）
雑　所　得	720,000	(1)　総収入金額 870,000 (2)　必要経費 75,000＜550,000－400,000＝150,000　∴ 150,000 (3)　(1)－(2)＝720,000

第13章　課　税　標　準

問題 149　課税標準（その１）～損益通算①～

解　答

Ⅱ　課税標準

摘　　要	金　額	計　　算　　過　　程　　（単位：円）
〔設問１〕 総所得金額	 400,000	⑴　損益通算 (1,000,000＋400,000）－1,200,000＝200,000（経常） 900,000－500,000＝400,000（一時） ⑵　200,000＋400,000×$\frac{1}{2}$＝400,000（総）
〔設問２〕 総所得金額 山林所得金額	 740,000 1,000,000	損益通算 ①　2,050,000－800,000※＝1,250,000（経常） ※　1,100,000－300,000＝800,000 1,240,000－1,750,000＝△510,000 ②　1,250,000－510,000＝740,000（経常） 配当所得の金額の計算上生じた損失の金額は損益通算の対象にはならない。
〔設問３〕 総所得金額 長期譲渡所得の金額	 400,000 1,500,000	⑴　損益通算 100,000－500,000＝△400,000 700,000－400,000＝300,000（総短） 300,000－2,000,000＝△1,700,000 2,500,000－1,700,000＝800,000（総長） 一時所得の金額の計算上生じた損失の金額は損益通算の対象にはならない。 ⑵　800,000×$\frac{1}{2}$＝400,000（総）

解答への道

⑴　損益通算の対象となる損失の金額は、不動産所得の損失の金額、事業所得の損失の金額、山林所得の損失の金額又は譲渡所得（総合課税）の損失の金額に限定されている。

⑵　不動産所得の損失の金額又は事業所得の損失の金額は、まず、経常所得の金額と通算する。

⑶　譲渡所得（総合課税）の損失の金額は、まず、一時所得の金額と通算し、一時所得の金額は通算後に２分の１する。

⑷　不動産所得の損失の金額のうちに、不動産所得を生ずべき業務の用に供される土地等を取得するために要した負債の利子の額があるときは、その負債の利子の額として一定の金額は、生じなかったものとみなされる。

問題 150　課税標準（その２）～損益通算②～

解　答

摘　　要	金　　額	計　　算　　過　　程　　（単位：円）
Ⅰ各種所得の金額		
配当所得	50,000	
不動産所得	880,000	
事業所得	3,500,000	
譲渡所得		内部通算
（総合短期）	△1,300,000	1,600,000－2,900,000＝△1,300,000
雑所得	1,040,000	
Ⅱ課税標準		損益通算
総所得金額	4,570,000	900,000－1,300,000＝△400,000
		⇒　なかったものとみなす
		50,000＋880,000＋3,500,000＋(1,040,000－900,000)
		＝4,570,000

解答への道

損益通算の対象となる損失の金額のうちに生活に通常必要でない資産に係る所得の金額の計算上生じたものがあるときは、その損失の金額は損益通算の対象とはならないが、競走馬の譲渡損に関しては、その競走馬の保有に係る雑所得とのみ通算できることに留意すること。

なお、生活に通常必要でない資産に係る譲渡損については、通常どおり内部通算を行った後、上記の規定が適用される。

問題 151　課税標準（その3）

解答

II　課税標準

摘要	金額	計算過程（単位：円）
総所得金額	550,000	(1) **損益通算** 1,000,000−290,000＝710,000（総短） 配当所得の金額の計算上生じた損失の金額は、損益通算の対象とならない。
長期譲渡所得の金額	430,000	(2) **合計所得金額** $710,000+80,000\times\frac{1}{2}$＝750,000（総所得） 430,000（長期譲渡） 8,000,000（退職） 9,180,000
退職所得金額	8,000,000	(3) **純損失の繰越控除** 750,000−200,000＝550,000（総所得）
合計	8,980,000	

問題 152　課税標準（その4）

解答

II　課税標準

摘要	金額	計算過程（単位：円）
短期譲渡所得の金額	7,000,000	(1) **損益通算** 500,000−300,000＝200,000（経常）
退職所得金額	2,930,000	(2) **合計所得金額** $200,000+100,000\times\frac{1}{2}$＝250,000（総所得） 総所得 短期 退職 250,000＋7,000,000＋3,000,000＝10,250,000 (3) **純損失の繰越控除** ① 前々年分　250,000−200,000＝　50,000 ② 前年分　50,000−120,000＝△ 70,000 3,000,000−70,000＝2,930,000
合計	9,930,000	

解答への道

純損失の繰越控除は、原則として最も古い年に生じたものから控除する。

問 題 153　課税標準（その5）

解　答

Ⅱ　課税標準

摘　　要	金　額	計　　算　　過　　程　　（単位：円）
総所得金額	2,100,000	(1) **損益通算** (5,100,000＋1,200,000＋300,000）－2,700,000 ＝3,900,000（経常） 配当所得の金額及び一時所得の金額の計算上生じた損失の金額は損益通算の対象とならない。
短期譲渡所得の金額	3,300,000	(2) **合計所得金額**（①～③合計 9,400,000） ① 総所得金額　3,900,000＋500,000＋2,000,000× $\frac{1}{2}$ ＝5,400,000 ② 短期譲渡所得の金額　3,300,000 ③ 退職所得金額　700,000
退職所得金額	700,000	(3) **損失の繰越控除** ① 前々年分　5,400,000－500,000＝4,900,000 4,900,000－900,000＝4,000,000
合　計	6,100,000	② 前年分　4,000,000－1,900,000＝2,100,000

解答への道

(1) 純損失の繰越控除は、損失発生年において青色申告書を提出していなければ、全額を繰越すことはできない。前々年分において甲は青色申告者ではないため、純損失の金額のうち変動所得の損失の金額及び被災事業用資産の損失の金額のみ繰越せる。

(2) 雑損失の繰越控除は、青色申告、白色申告を問わず全額繰越せる。

(3) 前年以前3年内に生じた純損失の金額は、まず、本年の同一課税標準の計算上控除するが、前年以前3年内に生じた雑損失の金額は、所得控除と同じ順序で控除する。

問 題 154　課税標準（その6）

解 答

Ⅰ　各種所得の金額

摘　　要	金　　額	計　算　過　程　（単位：円）
譲 渡 所 得 （総 合 短 期）	△700,000	内部通算 1,800,000－2,500,000＝△700,000（競走馬）

Ⅱ　課税標準

摘　　要	金　　額	計　算　過　程　（単位：円）
総 所 得 金 額	3,030,000	(1)　損益通算 500,000－700,000＝△200,000→0（競走馬） (2)　合計所得金額 3,600,000＋700,000＝4,300,000（総所得） 5,600,000（山　林） 合計　9,900,000 (3)　損失の繰越控除 ①　前々年分 純損失　4,300,000－1,100,000＝3,200,000 雑損失　3,200,000－170,000＝3,030,000（総所得） ②　前年分 純損失　5,600,000－3,140,000＝2,460,000　（山林）
山 林 所 得 金 額	2,460,000	
合　　計	5,490,000	

問 題 155　課税標準（その7）

解 答

〔設問1〕

Ⅰ　各種所得の金額

摘　　要	金　額	計　算　過　程　（単位：円）
給 与 所 得	5,000,000	
譲 渡 所 得 （分離長期）	△5,920,000	住宅及び敷地 （10,000,000＋28,000,000）－（12,590,000＋30,280,000 ＋1,050,000）＝△5,920,000
一 時 所 得	3,000,000	

Ⅱ　課税標準

摘　　要	金　額	計　　算　　過　　程　　（単位：円）
総所得金額	2,080,000	損益通算 3,000,000－5,920,000＝△2,920,000
合　　計	2,080,000	5,000,000－2,920,000＝2,080,000

〔設問２〕

Ⅰ　各種所得の金額

摘　　要	金　額	計　　算　　過　　程　　（単位：円）
事業所得	16,428,000	
譲渡所得 （総合長期）	0	1　総　合 (1)　ゴルフ会員権 2,000,000－（1,200,000＋60,000）＝740,000 (2)　内部通算 740,000－2,500,000＜0　　∴　0
（分離長期）	△1,760,000	2　土地建物等 (1)　居住用財産 △8,500,000 (2)　内部通算 740,000－2,500,000※＝△1,760,000 ※　6,000,000－3,500,000＝2,500,000＜8,500,000 ∴　2,500,000

Ⅱ　課税標準

摘　　要	金　額	計　　算　　過　　程　　（単位：円）
総所得金額	14,668,000	損益通算 16,428,000－1,760,000＝14,668,000
合　　計	14,668,000	

第13章　課税標準

解答への道

〔設問１〕

所有期間５年超の居住用財産を譲渡し、償還期間10年以上の住宅借入金をもって買換資産を取得し居住の用に供しているため、居住用財産の譲渡損失は他の所得と通算することができる。

（通算の順序）

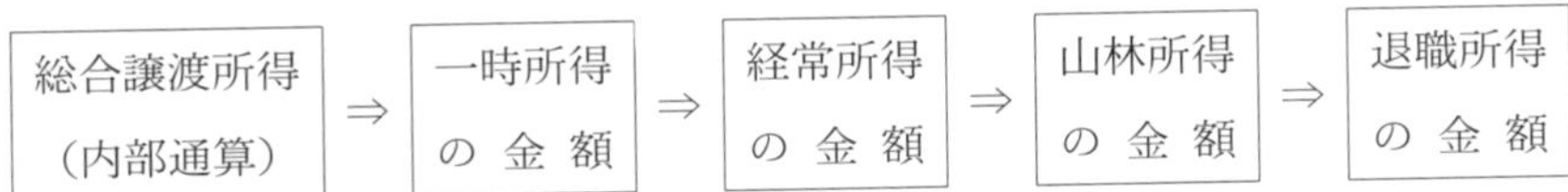

〔設問２〕

所有期間５年超の居住用財産で譲渡契約日の前日において償還期間10年以上の住宅借入金があるものを譲渡した場合には、特定居住用財産の譲渡損失は他の所得と通算することができる。この際、通算できる金額は、譲渡契約日前日の住宅借入金の額から譲渡対価を控除した金額が限度となる。

問題 156　課税標準（その８）

解答

Ⅰ　各種所得の金額

摘　　要	金　額	計　　算　　過　　程　　（単位：円）
不動産所得	20,805,000	
譲渡所得 （分離短期） （分離長期）	 3,200,000 1,500,000	
山林所得	2,800,000	

Ⅱ　課税標準

摘　　要	金　額	計　　算　　過　　程　　（単位：円）
総所得金額 山林所得金額	18,505,000 2,800,000	合計所得金額 20,805,000＋3,200,000＋1,500,000＋2,800,000＝28,305,000 居住用財産の譲渡損失の繰越控除 28,305,000≦30,000,000　∴　適用あり 1,500,000－7,000,000＝△5,500,000 3,200,000－5,500,000＝△2,300,000 20,805,000－2,300,000＝18,505,000
合　　計	21,305,000	

解答への道

前年以前3年内のいずれかの年において生じた通算後譲渡損失の金額は、その年分の合計所得金額が3,000万円以下である場合に限り、次の順序によりその年分の課税標準の計算上控除することができる。

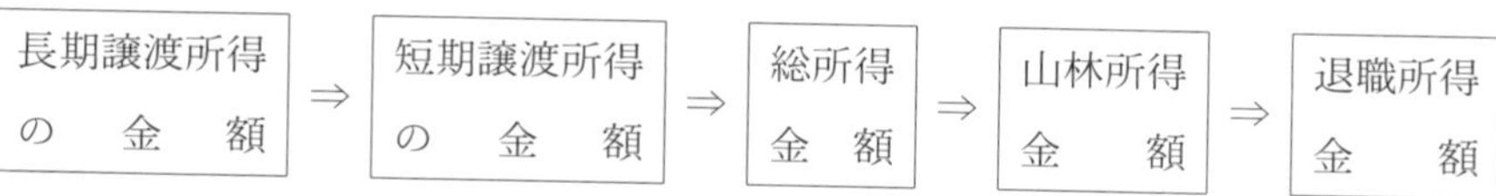

なお、居住用財産の譲渡損失の損益通算の特例（買換えの特例）の適用を受けている場合には、繰越控除の適用を受けようとする年においても、買換資産について10年以上の償還期間の住宅借入金を有していなければならない。

問題 157　課税標準（その9）

解答

I　各種所得の金額

摘　　要	金　　額	計　　算　　過　　程　（単位：円）
譲渡所得		（一般株式等）
（一般株式等）	2,401,000	4,500,000－（2,000,000＋99,000）＝2,401,000
（上場株式等）	460,000	（上場株式等）
		3,000,000－（2,500,000＋40,000）＝460,000

II　課税標準

摘　　要	金　　額	計　　算　　過　　程　（単位：円）
一般株式等に係る譲渡所得等の金額	1,151,000	1．合計所得金額 2,401,000＋460,000＝2,861,000 2．繰越控除 2,401,000－1,250,000＝1,151,000 460,000－700,000＝△240,000 ⇒ 翌年へ繰越。

解答への道

同一年に生じた特定株式の損失と上場株式の損失の繰越については、まず特定株式の損失から控除し、次に上場株式の損失を控除する。

第14章　所　得　控　除

問 題 158　雑損控除（その１）

解　答

Ⅲ　所得控除

摘　　要	金　額	計　　算　　過　　程　　（単位：円）
(1)　雑損控除	0	①　損失の金額 2,000,000－1,500,000＋30,000＝530,000 ②　足切限度額 6,000,000×10%＝600,000 ③　①－②＜０　　∴０
(2)　雑損控除	150,000	①　損失の金額 3,000,000－500,000＋200,000＝2,700,000 ②　足切限度額 イ　2,700,000－（200,000－50,000）＝2,550,000 ロ　29,000,000×10%＝2,900,000 ハ　イ＜ロ　　∴ 2,550,000 ③　①－②＝150,000
(3)　雑損控除	620,000	①　損失の金額 1,500,000＋320,000＝1,820,000 ②　足切限度額 イ　1,820,000－（320,000－50,000）＝1,550,000 ロ　12,000,000×10%＝1,200,000 ハ　イ＞ロ　　∴ 1,200,000 ③　①－②＝620,000
(4)　雑損控除	450,000	①　損失の金額　　500,000 ②　足切限度額 イ　50,000 ロ　4,000,000×10%＝400,000 ハ　イ＜ロ　　∴ 50,000 ③　①－②＝450,000

問題 159　雑損控除（その2）

解　答

Ⅲ　所得控除

摘　　要	金　額	計　算　過　程　(単位：円)
雑損控除	7,310,000	(1)　損失の金額 (判定) 妻　900,000－500,000＝400,000≦480,000 ∴ 適用あり 7,000,000※＋260,000＋600,000＝7,860,000 ※　7,000,000＞5,000,000　∴ 7,000,000 (2)　足切限度額 (3,000,000＋2,500,000)×10%＝550,000 (3)　(1)－(2)＝7,310,000

解答への道

損失額の計算の基礎となる金額は、被害直前の時価であるが、減価する資産である場合には直前の原価（未償却残額）とすることもできる。

したがって、住宅は直前の時価と原価のいずれか多い金額とできるが、宝石は直前の原価を基礎とすることはできない。

また、同一生計親族の所得要件は「課税標準の合計額が48万円以下」となっているため、繰越控除後の金額で判定することになる。

問題 160　雑損控除（その３）

解　答

Ⅲ　所得控除

摘　要	金　額	計　算　過　程　（単位：円）
雑 損 控 除	4,380,000	(1)　損失の金額 （判定）妻　400,000≦480,000　∴適用あり （9,600,000－5,000,000）＋70,000＋510,000＝5,180,000 (2)　足切限度額 ①　5,180,000－（510,000－50,000）＝4,720,000 ②　8,000,000×10％＝800,000 ③　①＞②　∴ 800,000 (3)　(1)－(2)＝4,380,000

解答への道

妻所有の衣服は、妻の課税標準の合計額が48万円以下であるため、雑損控除の適用があるが、甲所有の骨とう品は被害直前の時価が30万円を超えるため生活に通常必要でない資産に該当し、雑損控除の適用はなく、その損失の金額は、甲の本年分又は翌年分の譲渡所得の金額の計算上控除されることになる。

問題 161　医療費控除

解　答

Ⅲ　所得控除

摘　要	金　額	計　算　過　程　（単位：円）
医 療 費 控 除	432,000	(1)　（550,000－200,000）＋20,000＋60,000＋102,000 ＝532,000 (2)　532,000－100,000※＝432,000 ※　6,423,500×５％＞100,000　∴ 100,000

解答への道

医療費控除は、居住者が本人又は同一生計親族の医療費を支払った場合に認められる所得控除であるため、同一生計に該当しない甲の孫の医療費及び未払いの医療費は対象とならない。また、人間ドックの費用は、重大な疾病が発見され、かつ、その治療をした場合に限り医療費控除の対象となるため、甲の長男の人間ドックの費用も対象とならない。

問題 162　社会保険料控除・小規模企業共済等掛金控除

解　答

Ⅲ　所得控除

摘　　要	金　額	計　　算　　過　　程　　（単位：円）
社会保険料控除	108,000	
小規模企業共済等掛金控除	54,000	

解答への道

社会保険料控除、小規模企業共済等掛金控除は、支払額が所得控除額となる。

問題 163　生命保険料控除（その１）

解　答

Ⅲ　所得控除

摘　　要	金　額	計　　算　　過　　程　　（単位：円）
生命保険料控除	62,500	(1)　一般分 30,000＋（70,000－40,000）× $\frac{1}{4}$ ＝37,500 (2)　個人年金分 20,000＋（30,000－20,000）× $\frac{1}{2}$ ＝25,000 (3)　(1)＋(2)＝62,500

第14章　所得控除

問題 164　生命保険料控除（その２）

解　答

（単位：円）

〔設問１〕

$37,500+(90,000-50,000)\times\frac{1}{4}=47,500$

〔設問２〕

120,000＞100,000　∴50,000

〔設問３〕

(1)　$25,000+(40,000-25,000)\times\frac{1}{2}=32,500$

(2)　$30,000+(60,000-40,000)\times\frac{1}{4}=35,000$

(3)　(1)+(2)＞40,000　∴40,000

〔設問４〕

(1)　$37,500+(90,000-50,000)\times\frac{1}{4}=47,500$

(2)　200,000＞100,000　∴50,000

(3)　$30,000+(70,000-40,000)\times\frac{1}{4}=37,500$

(4)　(1)+(2)+(3)＞120,000　∴120,000

解答への道

〔設問２〕

旧個人年金契約に係る控除額が50,000円であるため、旧個人年金契約のみで計算した方が有利である。

〔設問３〕

旧契約と新契約の両方がある場合には、それぞれに区分して計算した金額の合計額を控除額とできるが、この場合４万円が限度となる。

〔設問４〕

生命保険料控除は、一般の生命保険料、個人年金保険料及び介護医療保険料の３つに区分して、それぞれ計算した金額の合計を控除額とするが、その金額が12万円を超える場合には、12万円とされる。

問 題 165　地震保険料控除

解 答

Ⅲ　所得控除

摘　　要	金　額	計　　算　　過　　程　　（単位：円）
地震保険料控除	50,000	70,000＞50,000　　∴ 50,000

問 題 166　前納保険料

解 答

（単位：円）

(1)　社会保険料控除額

189,000

(2)　生命保険料控除額

①　一般

$150,000 \times \frac{5}{12} = 62,500$

$30,000 + (62,500 - 40,000) \times \frac{1}{4} = 35,625$

②　個人年金

90,000＞80,000　∴　40,000

③　①＋②＝75,625

解答への道

(1)　社会保険料控除及び小規模企業共済等掛金控除の対象となる保険料は、前納した場合であっても、本年に支払った金額を基礎に計算できる。

(2)　生命保険料控除及び地震保険料控除の対象となる保険料を前納した場合には、本年に支払った金額のうち、本年中に納付期日が到来する回数に対応する保険料のみが、本年の控除額の基礎となる。

(3)　年払いや一時払い契約の保険料を、契約に従って支払った場合には前納に該当しない。本年中に支払った金額を基礎に控除額を計算する。

問 題 167　寄附金控除（その１）

解　答

Ⅲ　所得控除

摘　　要	金　額	計　　算　　過　　程　　（単位：円）
寄附金控除	1,198,000	(1)　700,000＋500,000＝1,200,000 (2)　1,200,000※－2,000＝1,198,000 ※　1,200,000≦9,600,000×40%　　∴ 1,200,000

解答への道

⑴　国、地方公共団体等に対して、譲渡所得の基因となる資産を寄附した場合には、譲渡所得は非課税とされ、その資産の取得費及び譲渡費用の合計額を特定寄附金の額として寄附金控除の適用を受ける。

⑵　寄附金控除は、支払年分に適用があるため、日本赤十字社に対するものは、翌年分の所得控除となる。

⑶　入学に関する寄附は寄附金控除の対象とはならない。

問 題 168　寄附金控除（その２）

解　答

Ⅲ　所得控除

摘　　要	金　額	計　　算　　過　　程　　（単位：円）
寄附金控除	2,298,000	2,300,000※－2,000＝2,298,000 ※　2,000,000＋300,000＝2,300,000≦10,000,000×40% ∴ 2,300,000

解答への道

特定新規中小会社が発行した株式を払込みにより取得した場合には、その株式の取得価額（800万円を限度とする。）を特定寄附金として、寄附金控除の適用を受けることができる。（措法41の18の４）

問題 169　物的控除（その１）

解答

Ⅲ　所得控除

摘要	金額	計算過程　（単位：円）
雑損控除	300,000	(1) 損失の金額 200,000＋700,000＝900,000 (2) 足切限度額 6,000,000×10％＝600,000 (3) (1)－(2)＝300,000
社会保険料控除	318,000	210,000＋108,000＝318,000
小規模企業共済等掛金控除	360,000	
生命保険料控除	74,000	(1) 一般 30,000＋（56,000－40,000）× $\frac{1}{4}$ ＝34,000 (2) 個人 85,000＞80,000　∴ 40,000 (3) (1)＋(2)＝74,000
地震保険料控除	20,000	20,000≦50,000　∴ 20,000
寄附金控除	0	入学に関して支出するものは特定寄附金に該当しない。
医療費控除	350,000	(1) 450,000－100,000※＝350,000 ※ 100,000＜6,000,000×５％　∴ 100,000 (2) 450,000－12,000＝438,000＞88,000　∴ 88,000 (3) (1)＞(2)　∴ 350,000
合計	1,422,000	

問題 170　物的控除（その２）

解答

Ⅱ　課税標準

摘要	金額	計算過程（単位：円）
総所得金額	2,950,000	(1) 損益通算 (300,000＋4,800,000) －1,200,000＝3,900,000 (2) 合計所得金額 ① 総所得金額 3,900,000＋(1,700,000＋400,000)× $\frac{1}{2}$ ＝4,950,000 ② 短期譲渡所得の金額　3,500,000 ③ ①＋②＝8,450,000 (3) 損失の繰越控除 4,950,000－1,200,000＝3,750,000 3,750,000－800,000＝2,950,000
短期譲渡所得の金額	3,500,000	
合計	6,450,000	

Ⅲ　所得控除

摘要	金額	計算過程（単位：円）
雑損控除	455,000	① 300,000＋800,000＝1,100,000 ② 6,450,000×10％＝645,000 ③ ①－②＝455,000
医療費控除	330,500	430,500－100,000※＝330,500 ※ 6,450,000×５％＞100,000　∴ 100,000
社会保険料控除	452,000	260,000＋192,000＝452,000
小規模企業共済等掛金控除	600,000	
地震保険料控除	24,000	24,000≦50,000　∴ 24,000
寄附金控除	398,000	400,000※－2,000＝398,000 ※ 400,000≦6,450,000×40％　∴ 400,000 入学に関する寄附は対象外
合計	2,259,500	

Ⅳ　課税所得金額

摘　要	金　額	計　算　過　程　(単位：円)
課税総所得金額	690,000	2,950,000－2,259,500＝690,000（千円未満切捨）
課税短期譲渡所得金額	3,500,000	

問題 171　人的控除（その1）

解　答

（ケース1）

摘　要	金　額	計　算　過　程　(単位：円)
配偶者控除	380,000	240,000≦480,000　∴ 380,000
配偶者特別控除	0	適用なし
障害者控除	750,000	

（ケース2）

摘　要	金　額	計　算　過　程　(単位：円)
配偶者控除	0	適用なし
配偶者特別控除	0	適用なし
障害者控除	750,000	

（ケース3）

摘　要	金　額	計　算　過　程　(単位：円)
配偶者控除	0	適用なし
配偶者特別控除	310,000	1,000,000＜1,020,000≦1,050,000　∴ 310,000
障害者控除	0	

解答への道

1．配偶者控除及び配偶者特別控除は、居住者の合計所得金額が1,000万円超の場合には適用できないが、障害者控除は適用できる。

　したがって、配偶者の合計所得金額が48万円以下であれば、居住者の合計所得金額に関係なく障害者控除を適用できる。

2．配偶者の合計所得金額が48万円超の場合には、配偶者控除及び障害者控除のいずれも適用できないが、133万円以下までであれば、配偶者特別控除の適用がある。

問題 172　人的控除（その２）

解　答

Ⅲ　所得控除

摘　　要	金　額	計　算　過　程　（単位：円）
障害者控除	1,770,000	A（同居特別障害者）750,000 ＋ C 270,000 ＋ F（同居特別障害者）750,000 ＝1,770,000
配偶者控除	380,000	0 ≦480,000　∴ 380,000
配偶者特別控除	0	適用なし
扶養控除	2,420,000	B　880,000＞480,000　∴ 非該当 C　400,000≦480,000　∴ 特定扶養親族 D　(650,000－500,000) × $\frac{1}{2}$ ＝75,000≦480,000　∴ 特定扶養親族 E　70歳以上であり、同居しているため同居老親等 F　同居老親等 C 630,000＋D 630,000＋E 580,000＋F 580,000＝2,420,000
基礎控除	480,000	7,500,000≦24,000,000　∴ 480,000
合　　計	5,050,000	

問題 173　人的控除（その3）

解答

Ⅲ　所得控除

摘　　要	金　額	計　　算　　過　　程　（単位：円）
障害者控除	750,000	甲の母　同居特別障害者
配偶者控除	130,000	160,000≦480,000 9,500,000<9,650,000≦10,000,000　∴ 130,000
配偶者特別控除	0	適用なし
扶養控除	1,210,000	甲の長男　1,200,000>480,000　∴ 非該当 甲の長女　160,000+30,000≦480,000 ∴ 特定扶養親族 甲の次男　青色事業専従者のため非該当 甲の母　同居老親等 630,000+580,000=1,210,000
基礎控除	480,000	9,650,000≦24,000,000　∴ 480,000
合　　計	2,570,000	

問題 174　総合問題（その１）

解　答

Ⅱ　課税標準

摘　　要	金　額	計　　算　　過　　程　　（単位：円）
総所得金額	9,500,000	(1)　損益通算 12,000,000－1,500,000＝10,500,000 (2)　合計所得金額　10,500,000 (3)　純損失の繰越控除 10,500,000－1,000,000※＝9,500,000 ※　7,000,000－6,000,000＝1,000,000

Ⅲ　所得控除

摘　　要	金　額	計　　算　　過　　程　　（単位：円）
地震保険料控除	30,000	30,000≦50,000　∴ 30,000
生命保険料控除	25,000	(1)　対象となる生命保険料の額　30,000 (2)　控除額 $20,000 + (30,000 - 20,000) \times \frac{1}{2} = 25,000$
寄附金控除	0	本年中に支出していないため適用なし
障害者控除	270,000	C　一般障害者
扶養控除	1,840,000	A　400,000≦480,000　∴ 特定扶養親族 B　特定扶養親族 C　同居老親等 630,000×２＋580,000＝1,840,000
ひとり親控除	0	合計所得金額が500万円超のため適用なし
基礎控除	480,000	10,500,000≦24,000,000　∴ 480,000
合　　計	2,645,000	

Ⅳ　課税所得金額

摘　　要	金　額	計　　算　　過　　程　　（単位：円）
課税総所得金額	6,855,000	9,500,000－2,645,000＝6,855,000（千円未満切捨）

解答への道

１　生命保険料のうち、Ｙ保険契約は、受取人のすべてを甲の親族としていないため、生命保険料控除の対象とはならない。

2　非居住者が扶養親族である場合には年齢等の要件を満たした場合に限り、扶養控除の対象となる。

問題 175　総合問題（その２）

解答

Ⅲ　所得控除

摘　　要	金　額	計　　算　　過　　程　（単位：円）
医療費控除	160,000	120,000＋140,000＝260,000 260,000－100,000※＝160,000 ※　6,200,000×５％＞100,000　∴ 100,000
社会保険料控除	253,000	167,000＋86,000＝253,000
寄附金控除	98,000	100,000※－2,000＝98,000 ※　6,200,000×40％≧100,000　∴ 100,000
地震保険料控除	50,000	60,000＞50,000　∴ 50,000
障害者控除	1,020,000	（孫Ｂ）（甲の母） 270,000＋750,000＝1,020,000
配偶者控除	0	妻 650,000＞480,000　∴ 適用なし
配偶者特別控除	380,000	480,000＜650,000≦950,000 6,200,000≦9,000,000　∴ 380,000
扶養控除	1,640,000	長男　1,300,000＞480,000　∴ 非該当 甲の父 1,500,000－1,100,000＝400,000≦480,000 ∴ 同居老親等 （甲の父）（甲の母）（養護受託老人） 580,000＋ 580,000＋480,000＝1,640,000
基礎控除	480,000	6,200,000≦24,000,000　∴ 480,000
合　　計	4,081,000	

解答への道

医療費控除の対象となる医療費は、甲が支払ったもので、本人又は同一生計親族に係るものであるため、親族に該当しない養護受託老人に係るものは対象とならない。また、人間ドックの費用は、検査の結果異常が発見され、かつ、治療を受けた場合に限り医療費控除の対象となる。

第15章　税額計算

問題176　税額計算（その1）

解答

Ⅴ　納付税額

摘　要	金　額	計　算　過　程　（単位：円）
〔設問1〕 算出税額	12,878,050	(1)　課税総所得金額に対する税額 8,960,000×23%－636,000＝1,424,800 (2)　課税長期譲渡所得金額に対する税額 76,355,000×15%＝11,453,250 (3)　(1)＋(2)＝12,878,050
〔設問2〕 算出税額	7,716,300	(1)　課税総所得金額に対する税額 9,340,000×33%－1,536,000＝1,546,200 (2)　課税短期譲渡所得金額に対する税額 20,567,000×30%＝6,170,100 (3)　(1)＋(2)＝7,716,300
〔設問3〕 算出税額	17,209,100	(1)　課税総所得金額に対する税額 6,080,000×20%－427,500＝788,500 (2)　課税短期譲渡所得金額に対する税額 2,800,000×30%＝840,000 (3)　課税長期譲渡所得金額に対する税額 94,700,000×15%＝14,205,000 (4)　課税山林所得金額に対する税額 $12,406,000 \times \frac{1}{5}$ ＝2,481,200 ……千円未満切捨しない （2,481,200×10%－97,500）×5＝753,100 (5)　課税退職所得金額に対する税額 5,250,000×20%－427,500＝622,500 (6)　(1)～(5)合計　17,209,100

問題 177　税額計算（その２）～優良住宅地等～

解　答

Ⅴ　納付税額

摘　要	金　額	計　算　過　程　（単位：円）
算出税額	18,522,500	(1)　課税総所得金額に対する税額 6,000,000×20％－427,500＝772,500 (2)　課税長期譲渡所得金額に対する税額 ①　50,000,000×15％＝7,500,000 ②　2,000,000＋（75,000,000－20,000,000）×15％ ＝10,250,000 ③　①＋②＝17,750,000 (3)　(1)＋(2)＝18,522,500

問題 178　税額計算（その３）

解　答

（単位：円）

(1)　課税総所得金額に対する税額

5,000,000×20％－427,500＝572,500

(2)　課税短期譲渡所得金額に対する税額

20,000,000×30％＝6,000,000

(3)　課税長期譲渡所得金額に対する税額

①　一般分

60,000,000×15％＝9,000,000

②　優良分

2,000,000＋（50,000,000－20,000,000）×15％＝6,500,000

③　居住分

6,000,000＋（70,000,000－60,000,000）×15％＝7,500,000

④　①～③計　23,000,000

(4)　(1)～(3)計　29,572,500

第16章　税 額 控 除

問 題 179　配当控除（その１）

解 答

（単位：円）

9,000,000≦10,000,000

∴ （1,500,000＋600,000）×10％＝210,000

解答への道

基金利息は、法人税との２重課税とはならないため、配当控除の対象とならない。

問 題 180　配当控除（その２）

解 答

（単位：円）

6,000,000＋5,000,000＝11,000,000

11,000,000－1,000,000≧10,000,000　∴ 1,000,000×５％＝50,000

問 題 181　配当控除（その３）

解 答

（単位：円）

(1)　50,000×1.25％＝625

(2)　300,000×2.5％＝7,500

(3)　100,000＋200,000＝300,000

250,000×5％＋（300,000－250,000※）×10％＝17,500

※　10,600,000－（50,000＋300,000）＝10,250,000

10,250,000－10,000,000＝250,000

(4)　(1)から(3)の合計　25,625

問題 182　住宅借入金等特別控除（その１）

解答

（単位：円）

50㎡≦150㎡　10,000,000≦20,000,000　∴ 適用あり

19,880,000≦45,000,000　∴ 19,880,000

19,880,000×0.7%＝139,100（百円未満切捨）

問題 183　住宅借入金等特別控除（その２）

解答

（単位：円）

50㎡≦150㎡　18,000,000≦20,000,000　∴ 適用あり

8,125,500≦20,000,000　∴ 8,125,500

8,125,500×0.7%＝56,800（百円未満切捨）

問題 184　認定住宅等新築等特別控除

解答

（単位：円）

50㎡≦120㎡　12,700,000≦20,000,000　∴ 適用あり

5,436,000≦6,500,000　∴ 5,436,000

5,436,000×10%＝543,600

問題 185　住宅特定改修特別控除

解答

（単位：円）

50㎡≦180㎡　16,000,000≦20,000,000　∴ 適用あり

(1)　3,860,000＞2,500,000　∴ 2,500,000

　2,500,000×10%＝250,000

(2)　①（3,860,000－2,500,000）＋2,900,000＝4,260,000

　②イ　3,860,000

　　ロ　10,000,000－2,500,000＝7,500,000

　　ハ　イ＜ロ　∴ 3,860,000

　③　①＞②　∴ 3,860,000×５%＝193,000

(3)　(1)＋(2)＝443,000

問　題　186　住宅耐震改修特別控除

解　答　　（単位：円）

1,500,400※ × 10% ＝ 150,000（百円未満切捨）

※　1,500,400 ≦ 2,500,000　∴　1,500,400

問　題　187　外国税額控除

解　答　　（単位：円）

(1)　50,000

(2)　(2,344,000 − 100,000) × $\frac{500,000}{12,880,000}$ ＝ 87,111

(3)　(1) < (2)　∴　50,000

問　題　188　政党等寄附金特別控除

解　答　　（単位：円）

(1)　(600,000※1 − 0※2) × 30% ＝ 180,000

　※1　5,000,000 × 40% − 1,050,000 ＝ 950,000 ≧ 600,000　∴　600,000

　※2　2,000 − 1,050,000 < 0　∴ 0

(2)　3,000,000 × 10% − 97,500 ＝ 202,500

　202,500 × 25% ＝ 50,625

(3)　(1) > (2)　∴　50,600（百円未満切捨）

問題 189　公益社団法人等寄附金特別控除・認定NPO法人等寄附金特別控除

解　答

（単位：円）

公益社団法人等寄附金特別控除額

(1)　(1,125,800※－2,000）×40％＝449,520

※　1,125,800≦10,000,000×40％　　∴　1,125,800

(2)　1,875,000×25％＝468,750

(3)　(1)＜(2)　∴　449,500（百円未満切捨）

認定 NPO 法人等寄附金特別控除

(1)　(2,874,200※1－0※2）×40％＝1,149,680

※1　10,000,000×40％－1,125,800＝2,874,200＜3,000,000　∴　2,874,200

※2　2,000－1,125,800＜0　∴　0

(2)　1,875,000×25％－449,500＝19,250

(3)　(1)＞(2)　∴　19,200（百円未満切捨）

解答への道

(1)　社会福祉法人に対する寄附は、特定寄附金として寄附金控除の適用を受けることができるが、公益社団法人等寄附金特別控除の対象となる寄附金でもあり、税額控除を適用することもできる。本問では、指示に従い税額控除を適用する。

(2)　認定 NPO 法人に対する寄附は、(1)と同様寄附金控除の適用を受けることができるが、認定 NPO 法人等寄附金特別控除の対象となる寄附金でもあり、税額控除を適用することもできる。(1)同様、本問では税額控除を適用する。

(3)　公益社団法人等寄附金特別控除及び認定 NPO 法人等寄附金特別控除は、合計で算出税額の25％が限度となる。

第17章　特　殊　論　点

問　題　190　平均課税（その１）

解　答

（単位：円）

〔設問１〕

⑴　判　定

$700,000 > 0 \times \frac{1}{2}$

$(1,500,000+700,000) < 12,000,000 \times 20\% = 2,400,000$

∴　平均課税の適用なし

⑵　課税総所得金額に対する税額

$10,200,000 \times 33\% - 1,536,000 = 1,830,000$

〔設問２〕

⑴　判　定

$700,000 > 0 \times \frac{1}{2}$

$(1,500,000+700,000) \geqq 11,000,000 \times 20\% = 2,200,000$

∴　平均課税適用あり

⑵　平均課税対象金額

$700,000 + 1,500,000 = 2,200,000$

⑶　調整所得金額（千円未満切捨）

$9,350,000 > 2,200,000$

∴　$9,350,000 - 2,200,000 \times \frac{4}{5} = 7,590,000$

⑷　⑶に対する税額

$7,590,000 \times 23\% - 636,000 = 1,109,700$

⑸　平均税率

$\frac{(4)}{(3)} = 0.146$ → 0.14（小数点２位未満切捨）

⑹　特別所得金額に対する税額

$9,350,000 - 7,590,000 = 1,760,000$

$1,760,000 \times 0.14 = 246,400$

⑺　課税総所得金額に対する税額

$(4)+(6) = 1,356,100$

〔設問３〕

(1) 判　定

880,000≦（1,250,000＋530,000）× $\frac{1}{2}$ ＝890,000

2,290,000≧10,980,000×20%＝2,196,000

∴　平均課税の適用あり

(2) 平均課税対象金額　2,290,000

(3) 調整所得金額（千円未満切捨）

9,775,000＞2,290,000

∴ 9,775,000－2,290,000× $\frac{4}{5}$ ＝7,943,000

(4) (3)に対する税額

7,943,000×23%－636,000＝1,190,890

(5) 平均税率

$\frac{(4)}{(3)}$ ＝0.149 → 0.14（小数点２位未満切捨）

(6) 特別所得金額に対する税額

9,775,000－7,943,000＝1,832,000

1,832,000×0.14＝256,480

(7) 課税総所得金額に対する税額

(4)＋(6)＝1,447,370

〔設問４〕

1．課税総所得金額に対する税額

(1) 判　定

$7,540,000 > (\triangle 230,000 + 1,585,000) \times \frac{1}{2} = 677,500$

$15,860,000 + 7,540,000 \geqq 24,360,000 \times 20\% = 4,872,000$

∴　平均課税の適用あり

(2) 平均課税対象金額

$7,540,000 - 677,500 + 15,860,000 = 22,722,500$

(3) 調整所得金額（千円未満切捨）

$21,532,000 \leqq 22,722,500$

∴ $21,532,000 \times \frac{1}{5} = 4,306,400 \rightarrow 4,306,000$

(4) (3)に対する税額

$4,306,000 \times 20\% - 427,500 = 433,700$

(5) 平均税率

$\frac{(4)}{(3)} = 0.100 \rightarrow 0.10$（小数点２位未満切捨）

(6) 特別所得金額に対する税額

$21,532,000 - 4,306,000 = 17,226,000$

$17,226,000 \times 0.10 = 1,722,600$

(7) 課税総所得金額に対する税額

$(4) + (6) = 2,156,300$

2．課税山林所得金額に対する税額

$30,000,000 \times \frac{1}{5} = 6,000,000$

$6,000,000 \times 20\% - 427,500 = 772,500$

$772,500 \times 5 = 3,862,500$

3．$1 + 2 = 6,018,800$

問題 191　平均課税（その２）

解答

（単位：円）

１．課税標準（総所得金額）

配当 510,000＋事業 7,932,700＋一時 750,000×$\frac{1}{2}$＝8,817,700

8,817,700－繰越雑損失 807,000＝8,010,700

２．課税所得金額（課税総所得金額）

8,010,700－730,000＝7,280,000（千円未満切捨）

３．申告納税額

⑴　平均課税の判定

2,100,000≧8,010,700×20%　∴　平均課税の適用あり。

⑵　課税総所得金額に対する税額

①　平均課税対象金額　2,100,000

②　調整所得金額　7,280,000－2,100,000×$\frac{4}{5}$＝5,600,000（千円未満切捨）

③　②に対する税額　5,600,000×20%－427,500＝692,500

④　平均税率　$\frac{692,500}{5,600,000}$≒0.12（小数点２位未満切捨）

⑤　特別所得金額に対する税額　（7,280,000－5,600,000）×0.12＝201,600

⑥　③＋⑤＝894,100

⑶　配当控除

7,280,000≦10,000,000　∴　510,000×10%＝51,000

⑷　源泉徴収税額　102,000

⑸　申告納税額　894,100－51,000－102,000＝741,100（百円未満切捨）

第17章 特殊論点

問題 192 非居住者

解答

I 各種所得の金額

摘　　要	金　額	計　算　過　程　（単位：円）
配当所得	0	A配当は源泉分離課税 B配当は国内源泉所得でないため、課税されない
譲渡所得 （分離長期）	20,000,000	C土地（分長） 50,000,000－30,000,000＝20,000,000
不動産所得	1,000,000	1,500,000－500,000＝1,000,000

II 課税標準

摘　　要	金　額	計　算　過　程　（単位：円）
総所得金額	1,000,000	
長期譲渡所得の金額	20,000,000	
合　　計	21,000,000	

III 所得控除額

摘　　要	金　額	計　算　過　程　（単位：円）
医療費控除	0	非居住者のため適用なし
寄附金控除	195,000	197,000※－2,000＝195,000 ※　21,000,000×40％≧197,000　∴　197,000
基礎控除	480,000	21,000,000≦24,000,000　∴　480,000
合　　計	675,000	

IV 課税所得金額

摘　　要	金　額	計　算　過　程　（単位：円）
課税総所得金額	325,000	1,000,000－675,000＝325,000
課税長期譲渡所得金額	20,000,000	（千円未満切捨）

V　納付税額

摘　　要	金　　額	計　　算　　過　　程　　(単位：円)
算出税額	3,016,250	(1)　課税総所得金額に係る税額 325,000×5％=16,250 (2)　課税長期譲渡所得金額に係る税額 20,000,000×15％=3,000,000 (3)　(1)+(2)=3,016,250
配当控除	0	A配当は源泉分離課税のため、適用なし
基準所得税額	3,016,250	
復興特別所得税の額	63,341	3,016,250×2.1％=63,341
所得税及び復興特別所得税の額	3,079,591	
外国税額控除	0	適用なし
源泉徴収税額	5,411,300	50,000,000×10.21％+1,500,000×20.42％=5,411,300
申告納税額	△2,331,709	

解答への道

1．外国法人からの配当は、国内源泉所得に該当しないため、課税対象とならない。
　また、外国所得税があっても外国税額控除の対象とならない。

2．土地建物の譲渡や不動産の賃貸料は、居住者と異なり、源泉徴収の対象となる。

3．非居住者が支出した医療費は、医療費控除の対象とならない。

MEMO

MEMO

税理士受験シリーズ

2025年度版 15 所得税法 個別計算問題集

（昭和60年度版 1985年1月10日 初版 第1刷発行）

2024年9月30日 初 版 第1刷発行

編著者 TAC株式会社（税理士講座）
発行者 多田敏男
発行所 TAC株式会社 出版事業部（TAC出版）
〒101-8383
東京都千代田区神田三崎町3-2-18
電話 03（5276）9492（営業）
FAX 03（5276）9674
https://shuppan.tac-school.co.jp
印刷 株式会社 ワコー
製本 株式会社 常川製本

ISBN 978-4-300-11315-8
N.D.C. 336

乱丁・落丁による交換、および正誤のお問合せ対応は、該当書籍の改訂版刊行月末日までといたします。なお、交換につきましては、書籍の在庫状況等により、お受けできない場合もございます。

また、各種本試験の実施の延期、中止を理由とした本書の返品はお受けいたしません。返金もいたしかねますので、あらかじめご了承くださいますようお願い申し上げます。

「税理士」の扉を開くカギ

それは、合格できる教育機関を決めること!

あなたが教育機関を決める最大の決め手は何ですか?
通いやすさ、受講料、評判、規模、いろいろと検討事項はありますが、一番の決め手となること、それは「合格できるか」です。
TACは、税理士講座開講以来今日までの40年以上、「受講生を合格に導く」ことを常に考え続けてきました。そして、「最小の努力で最大の効果を発揮する、良質なコンテンツの提供」をもって多数の合格者を輩出し、今も厚い信頼と支持をいただいております。

東京会場　ホテルニューオータニ

合格者から「喜びの声」を多数お寄せいただいています。

https://www.tac-school.co.jp/kouza_zeiri/zeiri_jisseki.html

税理士講座のご案内

2025年合格目標コース

反復学習でインプット強化! & 豊富な演習量で実践力強化!

対象者：初学者／次の科目の学習に進む方

2024年 9月 10月 11月 12月 2025年 1月 2月 3月 4月 5月 6月 7月 8月

9月入学 基礎マスター＋上級コース（簿記・財表・相続・消費・酒税・固定・事業・国徴）
3回転学習！年内はインプットを強化、年明けは演習機会を増やして実践力を鍛える！
※簿記・財表は5月・7月・8月・10月入学コースもご用意しています。

9月入学 ベーシックコース（法人・所得）
2回転学習！週2ペース、8ヵ月かけてインプットを鍛える！

9月入学 年内完結＋上級コース（法人・所得）
3回転学習！年内はインプットを強化、年明けは演習機会を増やして実践力を鍛える！

12月・1月入学　速修コース（全11科目）
7ヵ月～8ヵ月間で合格レベルまで仕上げる！

3月入学　速修コース（消費・酒税・固定・国徴）
短期集中で税法合格を目指す！

税理士試験

対象者：受験経験者（受験した科目を再度学習する場合）

2024年 9月 10月 11月 12月 2025年 1月 2月 3月 4月 5月 6月 7月 8月

9月入学　年内上級講義＋上級コース（簿記・財表）
年内に基礎・応用項目の再確認を行い、実力を引き上げる！

9月入学　年内上級演習＋上級コース（法人・所得・相続・消費）
年内から問題演習に取り組み、本試験時の実力維持・向上を図る！

12月入学　上級コース（全10科目）
※住民税の開講はございません
講義と演習を交互に実施し、答案作成力を養成！

税理士試験

※2024年7月12日時点の情報です。最新の情報は、TAC税理士講座ホームページをご確認ください。

"入学前サポート"を活用しよう!

無料セミナー&個別受講相談

無料セミナーでは、税理士の魅力、試験制度、科目選択の方法や合格のポイントをお伝えしていきます。セミナー終了後は、個別受講相談でみなさんの疑問や不安を解消します。

TAC 税理士 セミナー 検索

https://www.tac-school.co.jp/kouza_zeiri/zeiri_gd_gd.htm

無料Webセミナー

TAC動画チャンネルでは、校舎で開催しているセミナーのほか、Web限定のセミナーも多数配信しています。受講前にご活用ください。

TAC 税理士 動画 検索

https://www.tac-school.co.jp/kouza_zeiri/tacchannel.html

体験入学

教室講座開講日（初回講義）は、お申込み前でも無料で講義を体験できます。講師の熱意や校舎の雰囲気を是非体感してください。

TAC 税理士 体験 検索

https://www.tac-school.co.jp/kouza_zeiri/zeiri_gd_gd.htm

税理士11科目Web体験

「税理士11科目Web体験」では、TAC税理士講座で開講する各科目・コースの初回講義をWeb視聴いただけるサービスです。講義の分かりやすさを確認いただき、学習のイメージを膨らませてください。

TAC 税理士 検索

https://www.tac-school.co.jp/kouza_zeiri/taiken_form.html

チャレンジコース

受験経験者・独学生待望のコース!

4月上旬開講!

開講科目	簿記・財表・法人 所得・相続・消費

基礎知識の底上げ  **徹底した本試験対策**

チャレンジ講義 ＋ チャレンジ演習 ＋ 直前対策講座 ＋ 全国公開模試

受験経験者・独学生向けカリキュラムが一つのコースに!

※チャレンジコースには直前対策講座(全国公開模試含む)が含まれています。

直前対策講座

5月上旬開講!

本試験突破の最終仕上げ!

直前期に必要な対策が
すべて揃っています!

徹底分析!「試験委員対策」

即時対応!「税制改正」

毎年的中!「予想答練」

※直前対策講座には全国公開模試が含まれています。

学習メディア	教室講座・ビデオブース講座 Web通信講座・DVD通信講座・資料通信講座

＼全11科目対応／

開講科目	簿記・財表・法人・所得・相続・消費 酒税・固定・事業・住民・国徴

チャレンジコース・直前対策講座ともに詳しくは2月下旬発刊予定の
「チャレンジコース・直前対策講座パンフレット」をご覧ください。

請求は
らから!!

詳しい資料をお送りいたします。
右記電話番号もしくはTACホームページ
(https://www.tac-school.co.jp/)にてご請求ください。

通話無料 0120-509-117（ゴウカク イイナ）
受付時間 10:00〜19:00(月〜金) 10:00〜17:00(土・日・祝)
※営業時間短縮の場合がございます。詳細はHPでご確認ください。

全国公開模試

6月中旬実施!

全11科目実施

TACの模試はここがスゴイ!

❶ 信頼の母集団

2023年の受験者数は、会場受験・自宅受験合わせて10,316名!この大きな母集団を分母とした正確な成績(順位)を把握できます。

信頼できる実力判定

10,316名が受験!

※11科目延べ人数

❷ 本試験を擬似体験

全国の会場で緊迫した雰囲気の中「真の実力」が発揮できるかチャレンジ!

❸ 個人成績表

現時点での全国順位を確認するとともに「講評」等を通じて本試験までの学習の方向性が定まります。

❹ 充実のアフターフォロー

解説Web講義を無料配信。また、質問電話による疑問点の解消も可能です。

※TACの受講生はカリキュラム内に全国公開模試の受験料が含まれています(一部期別申込を除く)。

直前オプション講座

6月中旬〜
8月上旬実施!

最後まで油断しない!
ここからのプラス5点!

【重要理論確認ゼミ】
〜理論問題の解答作成力UP!〜

【ファイナルチェック】
〜確実な5点UPを目指す!〜

【最終アシストゼミ】
〜本試験直前の総仕上げ!〜

全国公開模試および直前オプション講座の詳細は4月中旬発刊予定の
「全国公開模試パンフレット」「直前オプション講座パンフレット」をご覧ください。

TAC出版 書籍のご案内

TAC出版では、資格の学校TAC各講座の定評ある執筆陣による資格試験の参考書をはじめ、資格取得者の開業法や仕事術、実務書、ビジネス書、一般書などを発行しています！

TAC出版の書籍

＊一部書籍は、早稲田経営出版のブランドにて刊行しております。

資格・検定試験の受験対策書籍

- 日商簿記検定
- 建設業経理士
- 全経簿記上級
- 税　理　士
- 公認会計士
- 社会保険労務士
- 中小企業診断士
- 証券アナリスト
- ファイナンシャルプランナー(FP)
- 証券外務員
- 貸金業務取扱主任者
- 不動産鑑定士
- 宅地建物取引士
- 賃貸不動産経営管理士
- マンション管理士
- 管理業務主任者
- 司法書士
- 行政書士
- 司法試験
- 弁理士
- 公務員試験(大卒程度・高卒者)
- 情報処理試験
- 介護福祉士
- ケアマネジャー
- 電験三種　ほか

実務書・ビジネス書

- 会計実務、税法、税務、経理
- 総務、労務、人事
- ビジネススキル、マナー、就職、自己啓発
- 資格取得者の開業法、仕事術、営業術

一般書・エンタメ書

- ファッション
- エッセイ、レシピ
- スポーツ
- 旅行ガイド（おとな旅プレミアム/旅コン）

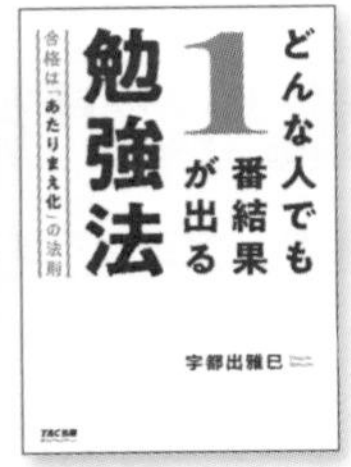

(2024年2月現在)

書籍のご購入は

1 全国の書店、大学生協、ネット書店で

2 TAC各校の書籍コーナーで

資格の学校TACの校舎は全国に展開!
校舎のご確認はホームページにて

資格の学校TAC ホームページ
https://www.tac-school.co.jp

3 TAC出版書籍販売サイトで

TAC 出版 で 検索

24時間
ご注文
受付中

https://bookstore.tac-school.co.jp/

新刊情報をいち早くチェック!

たっぷり読める立ち読み機能

学習お役立ちの特設ページも充実!

TAC出版書籍販売サイト「サイバーブックストア」では、TAC出版および早稲田経営出版から刊行されている、すべての最新書籍をお取り扱いしています。
また、会員登録(無料)をしていただくことで、会員様限定キャンペーンのほか、送料無料サービス、メールマガジン配信サービス、マイページのご利用など、うれしい特典がたくさん受けられます。

サイバーブックストア会員は、特典がいっぱい! (一部抜粋)

通常、1万円(税込)未満のご注文につきましては、送料・手数料として500円(全国一律・税込)頂戴しておりますが、1冊から無料となります。

専用の「マイページ」は、「購入履歴・配送状況の確認」のほか、「ほしいものリスト」や「マイフォルダ」など、便利な機能が満載です。

メールマガジンでは、キャンペーンやおすすめ書籍、新刊情報のほか、「電子ブック版TACNEWS(ダイジェスト版)」をお届けします。

書籍の発売を、販売開始当日にメールにてお知らせします。これなら買い忘れの心配もありません。

書籍の正誤に関するご確認とお問合せについて

書籍の記載内容に誤りではないかと思われる箇所がございましたら、以下の手順にてご確認とお問合せをしてくださいますよう、お願い申し上げます。
なお、正誤のお問合せ以外の**書籍内容に関する解説および受験指導などは、一切行っておりません。**
そのようなお問合せにつきましては、お答えいたしかねますので、あらかじめご了承ください。

1 「Cyber Book Store」にて正誤表を確認する

TAC出版書籍販売サイト「Cyber Book Store」のトップページ内「正誤表」コーナーにて、正誤表をご確認ください。

CYBER BOOK STORE TAC出版書籍販売サイト

URL:https://bookstore.tac-school.co.jp/

2 1の正誤表がない、あるいは正誤表に該当箇所の記載がない ⇒ 下記①、②のどちらかの方法で文書にて問合せをする

★ご注意ください★

お電話でのお問合せは、お受けいたしません。
①、②のどちらの方法でも、お問合せの際には、「お名前」とともに、
「対象の書籍名(○級・第○回対策も含む)およびその版数(第○版・○○年度版など)」
「お問合せ該当箇所の頁数と行数」
「誤りと思われる記載」
「正しいとお考えになる記載とその根拠」
を明記してください。
なお、回答までに1週間前後を要する場合もございます。あらかじめご了承ください。

① ウェブページ「Cyber Book Store」内の「お問合せフォーム」より問合せをする

【お問合せフォームアドレス】

https://bookstore.tac-school.co.jp/inquiry/

② メールにより問合せをする

【メール宛先　TAC出版】

syuppan-h@tac-school.co.jp

※土日祝日はお問合せ対応をおこなっておりません。
※正誤のお問合せ対応は、該当書籍の改訂版刊行月末日までといたします。

乱丁・落丁による交換は、該当書籍の改訂版刊行月末日までといたします。なお、書籍の在庫状況等により、お受けできない場合もございます。
また、各種本試験の実施の延期、中止を理由とした本書の返品はお受けいたしません。返金もいたしかねますので、あらかじめご了承くださいますようお願い申し上げます。

TACにおける個人情報の取り扱いについて
■お預かりした個人情報は、TAC(株)で管理させていただき、お問合せへの対応、当社の記録保管にのみ利用いたします。お客様の同意なしに業務委託先以外の第三者に開示、提供することはございません(法令等により開示を求められた場合を除く)。その他、個人情報保護管理者、お預かりした個人情報の開示等及びTAC(株)への個人情報の提供の任意性については、当社ホームページ(https://www.tac-school.co.jp)をご覧いただくか、個人情報に関するお問い合わせ窓口(E-mail:privacy@tac-school.co.jp)までお問合せください。

(2022年7月現在)